最新修订版

天使不在线

刘 剑◎著

网络，现实。欲望，成功，性，财富。爱。选择，挣扎。

华文出版社

图书在版编目（CIP）数据

天使不在线/刘剑著. —2 版. —北京：华文出版社，
2009.1
ISBN 978 - 7 - 5075 - 1895 - 5

Ⅰ. 天... Ⅱ. 刘... Ⅲ. 长篇小说—中国—当代 Ⅳ.
I247.5

中国版本图书馆 CIP 数据核字（2008）第 196836 号

天使不在线

标准书号：978 - 7 - 5075 - 1895 - 5
作　　者：刘　剑
责任编辑：黄　鲁
出版发行：华文出版社
地　　址：北京市宣武区广外大街 305 号 8 区 2 号楼
邮政编码：100055
网　　址：http：//www.hwcbs.com.cn
电子信箱：hwcbs@263.net
电　　话：总编室 010 - 58336255
　　　　　发行部 010 - 58336270　编辑部 010 - 58336268
经　　销：新华书店
印　　张：14
印　　刷：三河市南阳印刷有限公司
字　　数：350 千字
开　　本：880 × 1230　　1/32 开本
印　　次：2009 年 2 月第 2 版　2009 年 2 月第 2 次印刷
定　　价：28.00 元

序 曲

2005 年 夏天

独脚一个，撒手倒卧，谁为扶持，自家稳坐。

噼噼啪啪，打上这最后一行字，文字已经把电脑的屏幕塞得满满的，再也没有任何缝隙。键盘敲打的声音突然停止，四周重新陷入一片寂静中。窗外月光如水，窗内我的目光温柔。

当这最后一行字打完之后，一段生活就从我的记忆里被移植到了电脑之中，这是属于我个人的博客日志，把它全部写完后，我突然有种被抽空了的感觉。

没什么可以做的了。我过去的生活，就如同一块旧抹布，擦拭完了该擦拭的，现在，是该扔掉的时候了。

这是一个百无聊赖的夜晚。在这个时候，好友列表里所有的人都在隐身状态，他们也许在，也许不在，也许如我一样，在写下了大量的文字以后，在发现自己的身体有种被抽空的感觉之后，开始期待着一个人的出现。期待着他的头像在电脑屏幕上闪动。在这种盲目的期待中，我想起了一个哲人的话，生命正在虚掷。

窗外的天空，黑洞洞的，一颗星星也见不到。这真是一个让生命虚掷的夜晚。

我是在等着一个叫凤凰的人的到来。屋子里一片沉寂，除了头顶的月光，就是眼前的电脑，月光遥不可及，电脑近在咫尺，但是没什么关系，其实远与近，对我来讲都一样，就像刚刚那　刹那，我突然意识到这个死寂的夜晚不是只有我一个人孤独地坐在这里的。一定还有很多鬼魂在我身边穿梭，每到夜晚，都会如此，他们一直蛰伏在电脑的显示屏里，随时会出现，令人猝不及防。

你在干什么？钟表指针刚到十二点，他冲了上来。这是今夜即将过去时第一个来造访我的鬼魂。他那个圣诞老人的头像在我的好友列表里倏然一闪一闪，似乎在笑，但也似乎什么表情都看不到。

我刚刚把自己的个人主页充实了一下，贴了很多文字上去，算是对自己的一个交代吧。我回上一句话。

用这种方式和过去的生活告别吗？他回话，再发上一个坏坏的笑脸。

我：算是吧。

凤凰：你找到那首歌了吗？你上次和我说过的那首英文歌？

我：找到了。

凤凰：这样深的夜晚，那样的一首歌会让你想起什么？

我：不会想起什么，不过是一首歌而已。

想女人吗？凤凰的头像频繁地闪着。

我：不想。

凤凰：你老婆呢？

我：她出去了。

凤凰：你今晚想和她做爱吗？

我：（愤怒的表情）

凤凰：别恼火，女人独守空房会越来越哀怨，男人就无所谓，只要你愿意，即使一个人在屋里，男人也会有很多快乐。但这种快乐可不是一个什么博客主页就能带给你的，我知道你现在需要的不是这个。

凤凰发过一只拿鲜花的手。

我：我能有什么快乐？

凤凰：给你个网址，你会发现，自然有快乐在那里等着你抓获，只要很少的一些钱，快乐就来了，如此简单。

谈话就是这样开始的，三十分钟后，我进入了凤凰告诉我的那个网站。

我开始注册，用手机号注册，这种方法很简单，在凤凰告诉我的这个网站上，明确地写着，只要每月五元，就可以成为普通会员，每月三十元，就可以成为一级会员，二百元以上者则会成为VIP，就是俗称的贵宾。不过，一般三十元就可以突破禁忌，我当然要突破禁忌，五元和三十元有什么区别？谁都不会为了那二十五元，而让自己少掉许多乐趣。

我数了数，大约有十几个视频宝贝的头像出现在电脑屏上，这一面网页的最上角有几个大字"天天星期八，天天性冲冲——欢迎进入星期八聊天吧，跟我聊吧"。大字下面，每个女郎的眼神都直勾勾地看着你，她们的头像在淡蓝色的背景下闪烁着亮光，不断地变幻着各种姿势和色彩，个个生动诱人，呼之欲出。

凤凰的头像又在闪烁着。

这是什么鬼地方？我打上一行字。

凤凰：人间天堂。看到那些头像了吗？凡是涂成粉红色的宝贝就表示在线，你只要点击一下，你就可以和她进入包房直接聊天了。

我：我和她聊什么？

凤凰：想聊什么就聊什么？还有，只要你肯多花些时间，你老婆不能满足你的，她就能满足你。

我：这就是人们所说的黄色视频吧，是吗？

凤凰：不是，这不是简单的黄色视频，这是一个通向你内心深处的地方，你能猜出来吗？在这个城市的某一个不为人知的角落里，会有多少人像你一样，等着一个这样的地方直接抵达心灵？

打完了这一行话，凤凰下线了。

被涂成粉红色标志的宝贝有七八个。我仔细看她们每个人的表情，她们都很年轻，眼神里有种与在酒吧、洗浴、歌厅等风月场所里见到的欢场女人不同的稚嫩和清纯。想一想，她们就在某个地方，同我一样潜伏着，等待着被人唤醒，从某种意义上讲，这些人比我幸福，起码她们还有希望，我呢，我的希望在哪里？

我把眼睛闭上，有那么一刻，我突然非常地想念安琪，想念着她在这一刻会把手机打响，想念着她沙哑而性感的声音，还有她光滑柔软曲线依旧的胴体。

但这是不可能的，从两年前的那次事故以后，从那次的协议离婚再到和好以后，有些事情已经从根本上发生改变，有些东西正在变质、腐烂，不可能再重新开始了。每次的问题都一样，每个人的问题也差不多，生活周而复始，日子互相抄袭，就是这样。

我盯住一个面孔，这人长得有些面熟，很像一个从前认识的人，就是她吧。我将鼠标对准她的脸，把眼睛闭上，轻轻一点。

凤凰说得对，直接抵达心灵，这样好，比较直接。

她：是公聊还是私聊？

我：怎么是公聊？怎么又是私聊？

她：公聊就是进入一个公用聊天室里群聊，如果私聊，请建立一个私聊的包房？

我：私聊时我这里没有摄像头可以吗？

她：你可以不用。

我：好的，我选择私聊。

她：那就麻烦你再次注册一下吧。你要想聊得更深入的话，可能还要一些费用，但是这个包房以后就属于你了，想见我，给我发站内短信，在你自己的私人包房里就行。

我：这样很好。

这个宝贝现在就出现在我的电脑里，她的头发很长，乌黑笔直，很性感，她的脸始终低着，我看不清她的模样，但直觉感觉这人不会超过二十五岁，她穿一件黑色的风衣，很严实地扣到了脖颈处，她坐在一个蓝色的电脑椅上，在她身后，隐约可见一个书柜，但是里面空空的，没有书，这是个民居，不是网吧。这样的聊天通常都是在民居里，不是网吧。

她的名字叫粉红佳人。这个名字我很熟悉，在我还经常饭局不断的岁月里，我会在一些比较奢侈的宴会上喝到这种酒，这是一种法国产的白兰地，性烈，上头，但是很过瘾，我通常不加冰和水。每当把这种酒喝下去，一种火烧般的感觉就马上从喉咙里直翻到脑海，这是一种很刺激的感觉，我那时的生活就是这样，很刺激，与现在恰好相反。

她把头渐渐抬起，我看见她的脸在黑色外衣的掩盖下非常的苍白，她的眼睛很大，她看着我，眼神很迷茫，似乎什么也没有看。电脑屏幕里人多少会有些变形的，这种变形感让人有种一切都不太真实的感觉。我盯着她仔细地、大胆地看，黑色外衣紧紧裹着她的身体，她似乎是个很消瘦的女孩。有那么一刻，当我看到她的眼睛的时候，有一阵极度惶恐的感觉出现了，我觉得我真的是发现了一个鬼魂，一个熟悉的、永生难忘的鬼魂。

她：想听听我的声音吗？你可以把话筒接上。

我：不想。我只想好好地看看你。

她：你不想让我看见你是吗？谁介绍你来我们这里的？

我：一个叫凤凰的人，你认识吗？

她：没有，从来没有听说过，可能也是别的朋友告诉他的吧。一般来说，我们这里的常客都有登记，都是用 QQ 号登的记。

我：我不是常客。

她：没关系，只要你上来几次，你就会成为常客的，很多人都是这样。

我：我会成为常客吗？

她：当然，除非你不是个正常的男人，呵呵。

我：也许我真的就不正常。你的名字叫粉红佳人，你知道这名字的来历吗？

　　她：我不知道。我这是瞎起的。你有 QQ 号吗？给我一个吧。以后我们可以直接联系，经常在这里聊天的。

　　我：我没有。或者说，我想暂时保密。我不一定会经常上来的。

　　她：那随便你。我问你，你那边热吗？

　　我：什么意思？

　　她：我这屋子里很热，我都快热晕了，你介意吗？我想把衣服脱掉。

　　她开始慢慢地脱掉黑色外衣，在黑色外衣里面，是一件几乎透明的吊带短裙，她的四肢很光滑纤细，但是在短裙里面，我看见红色的围胸包裹着她丰满的双乳。这是一个身材俱佳的尤物，有纤细的四肢却也有足够凹凸的肉感。

　　她：嘻嘻，你看我的身段怎么样？

　　我：挺好的，肥瘦均匀。

　　她：你的口水该流出来了吧？

　　我：我拿碗接着呢，要不楼下准以为是上面水管子漏水了。

　　她：想看得真切些吗？你把窗帘挂上，把灯关上，再把你电脑的屏幕擦洁净点，你就看得更真切了。

　　我：谢了，我这里已经够真切了。

　　她：有多真切？

　　她把胸脯挺起来，然后一点点地解掉短裙，红色的胸罩紧裹着的两个鼓包一点点地挤进了我的可视窗口，我把可视窗口打到最大，一片红色的凸起占据了整个屏幕，直冲着我的眼睛撞过来。

　　她：看傻了吧，哥哥。我身材好吗？

　　我：我只看见了你胸罩的牌子，是婷美的吧？

　　她：呵呵。你有可视头吗？要不，你也打开吧，让我看看你，是不是个超级大帅哥！

　　我：不用了。我很丑。

　　她：丑不怕，你要是身材好，也让妹妹看看，咱俩比比，行不？

　　我：我没这个爱好。

　　她：别那么冷漠，哥哥，再给你看点刺激的。

　　她把胸罩往下拉了拉，深陷下去的乳沟春光乍泄般地露了出来，她用两手按住乳房，用力挤在了一起，两个骄傲的半球轻轻摇晃着，荡起一阵阵诱人的波线。

　　她：哥哥，我还会钢管秀呢！你想看吗？

　　我：钢管秀？脱衣舞表演是吗？你会？

　　她：我会。我们一天要练至少一个小时的钢管秀，我跳得可好呢！

　　我：是吗？不过，我对舞蹈兴趣不大。

　　她：你对什么有兴趣？

　　我：你的脸。我想看看你的脸。

　　她：脸有什么好看的？你们男人不是说过吗，关上灯，所有的女人都一样，只要身材好，就什么事都能解决了。

　　我：可我只想看看你的脸。

　　她：为什么？

　　我：因为脸上有些真相，是不容易被掩盖起来的。

　　她：你说话有点深奥，是作家吗？

　　我：不是，我是一个和你见过的大多数人一样的，有色心没色胆，喜欢上黄色视频的已接近中年了的男人。

　　她的脸上很干净，长长的头发水一样地泻了下来，依我的要求，她将头发掠开，她咧嘴笑了笑，露出一口白白的牙齿，她是一个长着可爱的小虎牙的女生。如果在白天，我会以为这是一个清汤挂面型的女孩，我喜欢这种类型的人，不管是从前还是现在。但是这是在晚上，晚上，很多人都会暴露出真相。这个女孩，她暴露的也是一种真相，不过于她而言，是种职业的真相，于我而言，却是我生活中的一个真相。她的面孔让我想起了我生活中曾经有过一个真相，她像极了曾经把真相放在我面前的那个人。

她们简直是太像了。

她：我漂亮吗？

我：很漂亮。你好像是我大学时的那些个校花。

她：你想知道我的三围是多少吗？

我：我对数字没兴趣，眼见的才是实的。

她：那好吧。我脱了让你看看吧，你回头猜猜吧，猜对了我有奖。

我：好的，我先猜上围吧。如果你愿意，由下到上也可以。

她：别贫了。想往下，你要付费的。

我：我付吧，告诉我账号。

她：嘻嘻。

我：你笑什么？

她：我说过，你会成为常客的，只要你想看更多的东西，你一定会成为常客的。

她把胸罩解开，我看见一抹白嫩的肌肤在我眼前慢慢地晃动越来越大。刚才我用手机往一个账号里充了五十元的值，作为回报，她要袒露胸部。这是一个看一眼就价值五十元的胸部。在这个城市，满大街都是做一次只需一百五十元的妓女，满大街都可以见到十元钱一张的黄色 VCD，甚至在火车站的某个小旅馆里，你还能找到五十元一次，三十元一次，甚至十元一次的村妇，但是我今天却花了一百元，看一个女人的胸部，这是一个多么滑稽的时刻，我的款爷朋友胡一平要是听说了，肯定会吐口水，往我脸上吐的。

我老婆安琪，宏天文化发展有限公司最有实权的副总要是听说了会怎么样？她会不会对我这个曾经意气风发的丈夫彻底失望？她会的，她不会的，她应该早想到了。

胸罩一点点地往下退，到了关键的起处，又停下了。

她：嘻嘻，我在想像着你的表情，你一定是两眼都红了，手还抚摸着自己身体的某一个部位吧？

我：猜这种事有劲吗？猜着了又怎么样？你不往下进行，是在吊我胃口吗？

她：不是，我在想，你是个什么样的人？你说，你看了我以后，会喜欢我吗？

我：试试吧。

她：把眼睛张大，我只让你看一眼，要是你眨眼了，就什么也看不见了。

胸罩突然落了下来，屏幕里，是一片白花花的丰沃，可眼睛还没来得及适应，突然又有一片漆黑撞入了眼帘，接着听见电脑鸣叫了一声，然后就什么也看不见了。一切重归于沉寂。

这周以来，这已经是第三次停电了。

第一章

1

　　我家楼下有一间二十四小时开着的小饭店，叫"山西面馆"。这个叫面馆的地方最好吃的是一种特别辣的过桥米线，在我还是一个纯情少年的时候，我曾经在这里请过很多和我一样纯情的女孩。选择这里其主要原因有两个，一是这里的消费很低，十元钱可以搞定一顿午饭；另一个原因更加重要，这里的桌布都非常宽大且厚重，非常适合隐藏大腿，当然，也能隐藏一些其他的部位。依靠着宽大的桌布，我曾经成功地抚摸过个别女孩子白嫩的大腿，这里面，就有我现任的老婆安琪。

　　面馆的主人在一年前死掉了，现在的老板是他的二儿子。也是他四个儿子里长得最像他的一个。夜里看见他靠在柜台上，在两只蜡烛的微光掩映下，活脱脱地就像他老子又重生了一样。他们有几乎一样的长相，永远洗不净的黑脸，永远也不稍作整理的络腮胡子，眼睛鼓突，眼袋庞大，眼屎极多，把眼睛黏得像个馄饨，都是靠在柜台上哈欠连天，极不热情。我对他老子印象深刻，还曾一起吃过一次烧烤，但是对他儿子就差多了。所以，在夜里一点钟冷不丁地看见他，有那么一刻，简直觉得是另一个鬼魂跑了出来，我宁可相信，面前站的是一个借尸还魂的人。

　　过桥米线端上来的时候，我在考虑是不是要一瓶啤酒。三周前，安琪强行把我扭送到她闺中死党呆的医院里做了检查，其结果是我的体重超出了正常体重六十斤，重度脂肪肝。死党当时的手扣在我的腕子上，语重心长地说："文波，再这么暴饮暴食，那就是想自杀了。"曾经一度爱我如生命的安琪不会让我自杀，尽管这爱现在已经有些变质了。但是让我戒酒她是干得出来的。死党的手在当时有种职业性的冰冷，几乎冷到骨髓。此后，每到端起啤酒，我就会感觉到安琪监督的目光和死党冰冷的小手，这酒喝得了无况味。

几个啤酒瓶放在桌上，我很缓慢地将它拿过来，老板知趣地拿过一根蜡烛，插了进去，眼前有点光亮，但门外是一片漆黑。

"又停电了，操！"老板说，"这一周三次了，听说，这一停就是一个区，是他妈的电力部门干的，现在全市的电力很有问题，很有问题。"

我把米线挑起来，往嘴里送，腰上的手机有些微的震动，不用看，我也知道是谁。

"干吗呢？"夜空中，安琪哑哑的声音有种性感的诱惑。

"吃面，还有，"我把面放进嘴里，在突突的声音里含糊地说："等着来电。"

"今天晚上和电力局的朋友吃饭来着，说可能要停一个小时吧。现在全市的电力太紧张，这是电力局分段停电的时间。黑灯瞎火的，你还出来呀？"

我把米线放进嘴里，辣得一时说不出话来。

"你没和胡一平在一起吧？"

"没有。"

"没有就好。那种声色犬马的人，少理他为好。你没喝酒吧？"

"没有。"

"千万不能喝。你是重度脂肪肝，再喝下去就危险了，你那血脂化验单在我这呢。这一天太忙了，都没来得及看。我估计你血脂也有问题。"

"没有吧。"

"噢，对了，今晚上我不回去了，要加班。你一个人睡吧。有问题吗？"

"没有。"

"你除了没有还会说什么吗？"

"不会。"

"好了，好了。吃完米线赶快回家，我可告诉你，不要去找胡一平，不要去找那种人。"

安琪把电话挂了。

千万不要去找胡一平——我一边吃米线，一边想，真可笑。我老婆这么怕我去见这个人，她从来也没有抽空想一想，其实她和他之间有什么不同？他们难道不也是一类人吗？

2

一个人吃饭，尤其是在一个停电的夜晚，漆黑的夜晚，是人生最乏味的时刻。

我给胡一平打电话，电话响了至少三十秒，他才接，电话那头很吵。

"文波，要他妈的不放到振动上，就真听不见了。在哪呢？一个人泡网呢？"

他那边有唱歌的声音，这小子真的如安琪说的，在那里声色犬马呢。

"我没有，在吃面。你要是有空，就过来吧。"

"我哪有空，妹妹一手一个，你来吧。我签单，给你也找一个。"

"那算了，我们这里停电了。我什么也看不见。"

"我们这里电足得很，真是电力十足，小妹妹，来，亲一个，靠，你装什么纯情，哥哥我——"

我把电话挂掉，胡一平的声音听起来又像是喝多了，这家伙一天喝多两次，花钱如流水，但是钱却仍然赚得让人眼红。

我把过桥米线吃光，肚子里有点食了。然后想了想，还有谁可以找。

有一个人肯定没睡。他今天要值二十四小时班。

我把电话拨过去，刚拨通，突然眼前一阵炫目的光芒照了进来，刚刚影影绰绰的面馆里猛然间白光大炽，把眼睛都刺疼了。

"来电了！"面馆老板欢呼着。

面馆外面漆黑如墨的街道两旁的路灯一下子亮了，我们家居住的那座高层也有几户窗子亮了起来，这突然间到来的光芒竟然给人一种久别重逢的亲切感，在这熟悉的亲切感中，我看见了她。一个熟悉的、曾经带来生活真相的面孔，一个似乎只有鬼魂才有的面孔。

3

她从一辆奥拓车上下来，一个人，孤零零的，向面馆的方向走来。她留短发，染成了一种黄红相间的颜色。穿一件紫色的外套，在路灯下身影很苗条。她走得很快，倏然间，她就推开了面馆的玻璃拉门，她的脸就在那刚刚浮现的灯光下苍白地一闪，人已经进来了。

面馆老板很殷勤地迎上去："您来的真是时候，刚来电，要不就得摸黑点蜡了。您要点什么？"

"一碗面。"她的声音很低沉。

她几乎一眼也没有看我，就直接掠过我坐到了我身后的桌子上了，她走过时，一阵浓烈的香水味涌了上来。

老板将一碗热气腾腾的面端了过去。我听见后面传来了筷子与碗的碰撞声。

我的手机响了。韩力不满的声音传了过来："你是不是有病？电话通了，你不说话，响几声又挂。怎么，又和你媳妇打架，被赶出来了吧？"

"没有，我一个人在吃面。你在班上吗？"

"废话，要不我晚上一点多了还不睡？"

"那你继续忙吧。我没事了。"

"没事？你撒谎吧，这么晚了找我，多少得有点事吧？"

"没事。"我回过头，看了一眼身后那个独自一个人吃着面的女孩，审慎地说，"不，确切地说，也不是完全没事。有一件很好玩的事，我明天见你面，一定要和你说。"

她留短发，染过了，有些淡红。刚刚那一头长发看来是戴的假发吧？她很认真地吃面，表情沉默而克制，神色忧郁。与网上见到的那个轻佻淫逸的人相比，这是两个相貌一样但装束完全不同且气质截然相反的人。我照理不会这么快就认出她的，怪就怪在，这个面馆的光线太好了，而她进来的很是时候，她撞进了我的视线，这一撞，就如同一个钱包撞进了一个小偷的视线，一个高级化妆品撞入了一个物质女郎的视线一样，有些东西一旦撞进这里，就很难再拔出来。

她就坐在我后面，寂静无声的小面馆里，只有我们三个人，在不同的位置上，各自做着各自的事，有那么一刻，气氛里有种诡异的感觉。就在两个小时前，我发现了与一个熟人极度相像的面孔，然后，当她脱掉她的胸罩的时候，我们住的这一区突然停电。两小时后，电刚一来，她就活生生地出现在了我的面前，换了另一种形象。世界很奇怪，也很荒谬，在寂静的只有我一个人独处的夜晚，她是一个新闯进来的鬼魂。那一刻，我只觉得奇怪，但没想到生活会因这两张非常相像的面孔而突然发生改变。

4

我身后的鬼魂就在我背后吃面，几乎没有发出一点声音，有那么一刻，我得强力抑制自己才能不把头转过去看她。我感到她的眼光现在正在看着我的后背，也可能看着别处，我这人对她当然毫无意义。

我看见老板坐在那里，打着哈欠，但是我看不到她的表情，因为我的身体把她挡得严严实实的。我侧了侧身子，这时可以看见她的一半轮廓在对面的玻璃中若隐若现，她很认真地吃着，脸上似乎没有任何表情。

电话铃突然响起。寂静的夜里，非常刺耳。

我接了电话。

"喂！你还在那吃吧？"安琪说，"我十分钟后回来。"

"你不是要加班吗？"

"我是副总，又不是打杂的，干吗加班的都是我？我红酒喝多了，困死了。你现在就回家，给我放洗澡水。十分钟以后我就到了。你没喝酒吧？"

"没有。可是看这意思，你要求别人做到的，你却没做到。我隔着电话线闻着酒味了。"

"我没精力和你吵了，要吵明早吧。给我放水，我要洗澡，就是这样。好吗？"

"那就洗个鸳鸯浴吧。正好你可以给我搓背。"

安琪哼了一声，电话挂了。老板同情地看着我。

我走到柜台前结账。他冲我笑笑："老婆管得严，其实是好事。"

我摇头，把账算完，再回过头来，发现已经空无一人了。那女人走了。

"她好像没结账吧，那人？"我指着那个空桌位说。

老板看了看，笑了："结了。"

"结了，什么时候？"

"你打电话时结的。"老板暧昧地笑，"这么晚上这来吃面的人，最好不要招惹。"

"你认识她吗？"

"不认识。不过，这几天她上我这来过几回，有时是一个人，有时是几个人，我怀疑她们是出来卖的。"

我拍了拍老板的肩，有点恍然地看了看那空空的桌子，她就像一阵风，风过无痕。

"给我来瓶啤酒。"我对老板说。

坐下来，我刚把啤酒起开，电话又响了。

我拿起电话。安琪冷冷的声音传了过来："我在门口呢，你出来吧，我车上有人送了一箱红酒，你给我抬上去。"

5

我老婆安琪办事麻利，行动果断，但只在一个地方恰好相反，那就是卫生间。

她手拿着浴盐、浴液、牛奶增白蜜、飘柔保湿活性分子等一系列女性洗浴用具，进了卫生间，然后就是长达三十分钟流水的声音。我躺在床上，拿着本杂志百无聊赖地等她，不知不觉，睡着了。

等我睡醒的时候，她正在我的耳边打着鼾。我坐在黑暗中，听着从她那里传来的均匀的声音，突然觉得婚姻真是可笑。在上大学时，与我的第一个女友分手后，为了让安琪嫁给我，我曾动用我全部的聪明才智，简直把她当成了天上的仙女，可是没想到和她同床共枕了以后才发现，原来她也打鼾，而且水平也不比一个村妇差多少。

我用手抚摸着她的皮肤，在那些浴盐、蜜奶的调养下，真是很光滑，很让人有性欲。

安琪突然翻了翻身，含糊地说："我困呢，别瞎动。"然后将我的手推开，一个后背冲向了我，又睡着了。

我已经全无睡意，坐了起来，掀开窗帘的一角，外面的天空漆黑如墨，连星星也见不到几颗。

我下了床，下意识地走到电脑前，打开它，借着电脑的灯光看了看表，三点四十。

电脑开了，缓慢地进入"ＸＰ"程序，打开浏览器，我输进那个网址。

她的头像和许多女孩子的头像还在上面挂着，不过已经变成蓝色背景了，上面写着几个字：离线，等待中，可留言。

我打开窗帘，看外面，雾蒙蒙的，快要凌晨了，整个城市都在酣睡，但是有人没有睡，网络没有睡。网络上有很多人也应该没有睡。

但是，她睡了。

她吃完了面，应该是下班的时间到了。

对面的高楼里全是漆黑的，她可能就躲在某一间屋里，她和她们，就在某一间屋子里，宽衣解带，对着一个小小的可视头搔首弄姿，为了一些点击率、一点小钱而出卖着自己的肉体。而在城市的另一个角落的我的朋友胡一平他们，正在某个宾馆的床上呼呼大睡，他们把今晚挥霍了，用口袋里的钱、身体里的精液挥霍了。

还有我妻子，她也把今晚挥霍了，用一瓶红酒、一份合同、百分之二十五的总经理提成挥霍了，还有惊天动地的鼾声。

大家把这个夜晚用自己认为有意义的方式挥霍了，我呢？

我是这个晚上最无所事事、最一无所得的人吧！

胡思乱想间，嘀嘀声音响起。回过头来，一个头像在好友列表中闪动。

你快乐吗？凤凰说。

你他妈的在哪？我打上一行字。

他回话：我找到你说的那首歌了，真是有够老土，居然是80年代初的古董，《Love will tear us apart》，电脑显示说这是一个叫伊安·库提斯的人唱的，这人是个什么东东？

我回答：一个鬼魂，和你一样。

凤凰：这首歌的中文翻译名叫《爱会将我们分开》，我可否理解你现在就是在这种状态呢？

打完这句话，他不等我回话，就突然下线了。一切再次归于沉静。

6

早上我醒来的时候，安琪走了。桌上还有喝剩的半瓶奶和一个蛋黄派，后者是我平生吃过的最难吃的一种只能用来骗儿童的食物，但这却是安琪的最爱。我把奶喝了，准备着再搞点什么吃的。手机响了，有短信，我拿起来看看。上面写着：

我把红酒拿走了，我送人了。我知道，你这个一见酒就没命的家伙是不会放过这几瓶酒的，所以趁着你还没清醒，我还是先行处理了，安琪。

SHIT！我愤怒地骂了一声，看着桌上的电脑，想到昂贵的红酒就这样落入别人的嘴里，火从心头起，又大声地骂了一句。

7

如果还有谁比我昨晚过得更不好，那就是我小学和高中时的同学韩力了。

推门进去，韩力两眼红红的正趴在那吃方便面，头发凌乱，胡子拉碴，像个逃犯。

我们俩一起蹲在那吃面，韩力的宿舍脏乱差还小，一股恶臭的味道，比方便面里的佐料味道还浓。

方便面也是这世间最让我厌烦的一种食物，不过，韩力却始终对此情有独钟。入乡随俗，只能陪他了，这也叫舍己为人吧。

"你说的那种视频聊天，现在在网上非常流行。"韩力边吃边说，"这种活动经常是与网络色情犯罪活动联系在一起的。你知道吗？网上色情最可怕的不是那些黄色图片和黄色小电影，而是那些互动性的东西，比如语音聊天、视频聊天、还有买春信息等等，你是不是经常上这些黄网啊，要不，一大早就来问这个？我——"他吞了一口面，烫得几乎说不出话来，"我可警告你，上黄网也要受到法律制裁的。"

我把方便面盒扔掉。打开窗子，这里的空气实在是太污浊了。

"负什么责任？"我说，"有人放那白给你看你不看，你不看你是傻子。"

"你看是看，但是千万可别乱发帖子，小心出了事，我也保不了你。"

"照你这一说，我好像是窥淫癖了。我没那么下作吧。"

我躺在他的床上。顺手拿起本杂志，打开一看，全是裸体的男女，我说："你小子还说我，你这不也天天看这玩意吗？"

"我是工作。"韩力拿过杂志，塞在枕头底下，"这是我们查获了一个网站后，从一个女孩子那收缴的，这可是本纯正的美国书。"

"你说的那个女孩子看这书干吗？"

"这是从美国传过来的，随书还有一个赠送的光盘，是脱衣舞教程录像，市面上根本就没有卖的。这是我们抓的那个女孩子用来教另外那些女孩子的，这女孩刚上大二，是学英语的。我告诉你，这种杂志我看就是工作需要，你看，就不行了。不过，上面全是英文，估计你也看不懂。"

"少来吧你！"我起来打开他的电脑，"你小子别得了便宜还卖乖，你借着工作之便天天浏览黄色网站，还假装辛苦。小韩同志，这就有点假公济私，说不过去了。"

韩力闻言急了："那咱换！你给我盯一天试试，你以为这差事我喜欢干！"

电脑屏幕一亮，韩力急忙把眼睛闭上，头扭了过去。

"怎么了？"

"我早上看电脑不行，眼睛里全是小黑虫子，跟着走，满眼都是，我得缓会儿再看。"

"有那么严重？"

"医生说，这叫飞蚊症，我们这不光我，几乎人人都有这毛病，你要是一整天不做事，光盯着电脑，这些小黑虫就肯定找上你。这病的学名叫什么眼球内玻璃体混浊，这和玻璃有什么关系，我也搞不懂。"

"看来网警也是不好当的。"

"那当然。"电脑一开，韩力还是坐不住了，忍不住又凑上来，"你不上网，就不知道什么叫世风日下。"他给我点了一下收藏，一大堆域名跳了出来。"看看，这里全是惊世骇俗的东西，瞪大眼睛看吧，在这里，人比野兽更无耻。看这些网名，恋童网、同性恋网、肛交网、屎尿网、群交网、强暴网、SM性虐待、自拍偷拍网、买春信息网，最厉害的还有，就是这个，换妻。"

我拍了拍手："换妻，有点意思。"

韩力点头："很有意思，小李同志。尤其这个换妻网的服务器的地址可不是外国的，而是本国的一个沿海开放城市，这是真正的中国的换妻网，你想想看吧，中国人也开始玩换妻游戏了，我们这是不是也叫跟上流行步伐了？"

"我看是。"

"是个屁！"韩力冲动起来，"这里面都是一帮不要脸的人，老婆可以换着玩，你说，这还是人吗？"

"人各有志，小韩同志，你也别太迂了。"

"我不是迂，我现在是真的越来越讨厌这份工作，你们上网是为了找乐子，我上来是为了什么？天天看一堆这些乱七八糟的东西，好好一个人，天天看这个，换你你能舒服吗？"

"我就无所谓，我觉得也不错，挺舒服。"

"你在家呆了两年，你是呆变态了。"韩力恨铁不成钢地敲着我的脑袋，"我没你那么变态，这工作我干得都烦透了，真的，上回有个叫顾襄的什么记者把我写成那样了，可他要是知道我心里想的是这个，他还敢来吗？这回他还要采访我，我能让他采访吗？"

小韩同志大学刚毕业的时候，一心想成为中国的比尔·盖茨。不过，造化弄人，他没进高科技公司当什么CEO，倒是进了刚刚成立的网络监察中心，成了一名不带枪的警察——网警。成为一名警察不是韩力的梦想，那是他岳父——一位公安局资深领导的意愿，小韩与其是尊重岳父，不如说是妻管严作祟。于是，他屈从了。那天晚上，小韩同志拿着一个大电脑公司的聘书大叹怀才不遇。我们喝醉了，小韩同志还流下了几滴理想难成的鳄鱼泪。那晚，一起喝酒的还有我和我的老婆以及当年的同事顾襄——一家报社的记者。忆苦思甜后，我们醉得一塌糊涂，顾襄回家却写了一篇报道，题目就是《他们，是不带枪的英雄——网络警察印象》，起初是内参，后来这个报道引起了有关领导的重视，让整成一个新闻大特写。很不幸，小韩同志不但榜上有名，还配了一张照片，照片上的小韩同志英姿飒爽，与那天见到的满眼眼屎愤世嫉俗的样子，有天壤之别。在我还没来得及骂小韩同志虚伪的时候，这份报道令小韩同志所有的计划都告吹了。本来，他正打算好好和警察岳父谈谈，要调离网警中心，但这篇报道使他不但走不了，还成了主力，网警中心的领导很器重他，好像是还针对他放弃了大公司的高薪安于清贫与寂寞的行为，在全局下了书面表扬。后来，电视台的人也来了。

　　"这就是我每天的工作。"那天电视台记者来采访时，我也参加了。面对着摄像机，小韩同志坐一边亲切地讲解着，一边指着桌上的电脑指指画画。"我每天早上就来到这里，一般得到晚上才能离开，我们的工作是在网上搜索并发现有害信息，对互联网单位进行备案管理，管理全区网吧、用视频监控系统监控网吧，对互联网单位的管理员进行培训……因为我们常常在暗处，大家可能觉得网警是个很神秘的工作，其实这工作一点也不神秘甚至还很枯燥乏味，我们每天都要重复地坐在机子前点击、查看，点击、查看，将网页上所有条目逐一过目，没有问题的，就浏览下一个网页。"

主持人提问："韩力同志，你们每天都这样吗？"

小韩同志面带微笑，对着他比划着："是的，每天都是。一连几小时我们就是这样重复地打开、浏览、关闭再打开网页，但经常一连几天甚至一个月都没有任何问题出现，可是我们还是要天天重复这一环节。因为常年对着电脑屏幕，我们队里所有同志几乎都患有不同程度的眼疾，最常见的是颈椎病，女同志的皮肤也受到了电脑辐射的影响——"

因为来自公安局内部的压力，这个采访最后没有播出，小韩同志的光辉形象没有出现在电视上，这让他不禁松了一口气。电视录制带也被要了回来，好像是来自上面的意思，网警中心成立时间不长，现在还不宜过多地宣传网警的生活，这片子搁浅了。

顾襄又来了几次，但是韩力拒不接受采访，顾襄于是转向了其他警种。那一年，因为写警种生活写得活灵活现，顾襄得到了一位主管政法的书记的表扬，于是，他写的系列稿件包括写韩力的那篇都被报到省里参评，获了省"五个一"工程奖，顾襄也破格从一名普通记者成为首席记者，享受副主任待遇。三年前，那个位置上坐的人曾经是我。

9

方便面极其难吃，但我还是凭此得到了小韩同志提供的一些信息。那天，因为方便面填饱了肚子，小韩同志开始"欢腾"起来，给我上了一堂网络色情教育课。

"在中国，人们上色情网站的动机和老外不太一样，欧美网络色情犯罪主要是为数不少的恋童癖将其当成交易场所，群体直指道德缺陷的人群。而中国的黄色网络犯案群体集中于在校或刚毕业的大学生，还有就是那些有闲在家的都市人群，像你这样的占大多数人。这些人这样做的动因似乎很难用常理来解释。就拿你说事，你总不能说，你这样上过黄网的人就是没道德没廉耻的吧？因为中国人现在是全民上网，数量太大，人数太多，很难统计和管理，所以，这里也很难量刑定案，而且，网络罪犯大都是计算机界的高知，和他们斗智，尤其是取证，也比较费劲。"

小韩同志手拿方便面盒，一边说一边晃着，不觉间，把里面的汤水晃到了床上地上，我坐视不理，以沉默来支持他讲完这枯燥乏味的课："我们去年六次行动，抓了三十多人，但是很多没法定罪，他们是参与者，但是不是传统意义上的罪犯，罪犯是有动机的，他们中的大多数人没有动机，就是好奇。他们在网上做这个，传播这个，是为了好玩。你别以为这些人都是孩子，他们中也有高知、大学教授什么的。我刚到中心上班的时候，中国没有特别完备的法律对这些人进行刑法的制裁，除了罚款，还真没有什么有效的手段，不过，这种局面自今年下半年就开始改变了，因为今年开始，网络色情开始走向经营化之路，很多人参与进去不是为了玩，而为了钱。这样就不是单纯玩那么简单，而是真正的犯罪了，警察最不怕的就是罪犯，只要他有犯罪事实，就好立案，也好破案了。尤其是今年，网络色情犯罪已经立法了，对于我们这些网警来说，大展宏图的时候到了——小李同志，李文波，你醒醒，醒醒！"

那天尽管中间被摇醒三次，我还是睡到下午，彻底醒的时候，小韩同志已经走了。我头昏脑胀地站了起来，想着其实自己来的目的是想把昨晚上发生的事和小韩同志汇报一下，但是在小韩同志催眠一样的说教下，把来的目的忘了。那天下午，我又上了那个"星期八聊吧"，那个女孩子还在，但是离线了。我想，按照规矩，她们可能要在晚八点至十点间出来。那晚上，我无所事事，一直泡在网上，凤凰没有现身，女孩也一直没来。但我想她肯定还是要来的，我决定等，要不是胡一平突然找我，我想我一定还会在那儿等到她的。

第二章

1

"我儿子最近心神不宁,我担心他早恋。"胡一平用手抚摸着肚子,左三圈右三圈脖子扭扭屁股扭扭,在健身房的跑步机上做运动。他今年不到四十,但是早早谢顶,大腹便便,样貌鄙俗。

"你儿子不会早恋的。"我用手掂量了一下哑铃的分量,使尽九牛二虎之力将它举起,"我看他是玩 CS 玩得太多了,有点走火入魔了。"

"对呀!"胡一平用力拍脑门,如梦初醒,"有天凌晨三点多钟回家,摸摸电脑,是热的。一定是这小子趁我回去之前上的通宵,现在的孩子们爱好单一,不像我们小时候那么多姿多彩,他们都让一台电脑把时间占了。"

"玩 CS 那是轻的,"我说,"他们主要是网聊,你儿子上过那种可视的聊天室吗?要是上了,就麻烦了,那里面有很多黄色的东西,小孩子不能看的。"

胡一平摇头:"我估计他不会吧。我们家东东,他也就玩玩游戏,他从小就胆小,爱学习,人安分着呢。"

"胆小的人才上网找刺激,因为可以不必承担责任。注意着点吧,老胡。"我终于拿不住,杠铃掉了下来。

"你今天就去我家,给我查查,这小子在干什么。"胡一平坐不住了。

胡一平约我来过两次这种健身房,他有年卡。三千一张。现如今,健身房成了给大款们预备的消闲场所了。三千一年,无业游民如我,是断去不起的。

"我前两天批了一种参，有这么大，铜钱大吧。一天吃一个，补。你要吗？壮阳，我送你点。你现在反正也是肾亏。"胡一平一边开车一边和我浪话。

胡一平的车上个月换了新的，宝来改成了丰田。不过，胡一平对此很有微词，在他看来，本来是要把此宝换成彼宝——宝马的。但是他倒煤的这笔生意有笔尾款要不来，车只能打折扣了。对此，胡一平大骂奸商，害他在小情人面前吹的牛不能兑现。

"万囡囡还等着我开白色宝马接她，妈的，现在欠钱的是孙子。这下玩完了，那娘们该瞅我笑话了。"胡一平骂。

我没答话。眼前的这个粗俗不堪的暴发户，曾经是武汉大学的高材生，学哲学的。五年前我和他在党校进修时相识，后来因为几次采访与他熟识了，在我走背字写上辞职书的时候，老胡也正在闹辞职。不过，我俩的闹法不一样，我是彻底回家无业了，老胡是一闹到张家口做煤炭生意，结果不问就知，这两年倒煤如同倒黄金，他发了。

我们下车，胡一平还在推销那种参："真的，很好使。房事时吞一只，可以延时，最少延时十分钟。我现在让我的秘书在网上邮购，不邮购根本买不着。也没花多少钱，一天一个，一个月下来也就两千块钱，花钱买健康，人得活明白。"

我们进得胡一平家里。胡一平先打开冰柜，那种大参就在那里泡着呢。他用开水倒上，逼着我吞服，然后带我去他儿子的房间。

胡东东的房间乱得要命，几幅周杰伦的巨照贴在墙上，还有几双高级的运动鞋扔在木地板上，被子散落在床上，也没叠，七零八落。屋里有两台电脑，一台座机，一台手提。

"他平时不用手提，座机上有宽带，他经常用这个。"

我把电脑的电源接上，开机。等待的过程中，胡一平说："文波，你得快点，这小子也没准一会就回来，上次我偷看了一回他的日记，被他发现了，气得差点离家出走。现在这些孩子，动不动跟你讲隐私，说你不尊重他的隐私权，惹不起。"

我们把胡东东的电脑打开，接上宽带，速度很快，我查看他的浏览网页历史记录，上面全是一些大的门户网站，还有就是一些游戏，没有什么可疑的。

电脑后面有个东西一闪一闪的，我掏了出来，是一个可视头，很高级的，进口的，我在电脑商店里见过，要四百多。

"这是你给他买的?"我问胡一平。

胡一平摇头："这什么?我都不知这叫什么?"

"这是一种可以用来视频聊天的摄像头。把它接上，就可以视频聊天了。"

胡一平问："视频?什么意思?"

我说："就是那种你能见着我我能见着你的聊天方式，这个就是用来互相看的。你还说他不视频，不视频买这个干什么。"

胡一平咬牙切齿："这小子!"

门口有停车的声音。胡一平顺着窗户向外看，惊呼一声："糟了，他来了。"

我也把头伸出去，一辆切诺基车停了下来。十六岁的胡东东从车上下来，背着一个超大型的书包，驾驶座打开，一个戴墨镜的人从里面出来。

"那个人是谁?"我问胡一平。

胡一平说："我给他请的电脑和英文教师，人家可不是家教，是个名牌大学的高材生，我可是花了大价钱才请动的。"

我们俩一边说一边急匆匆地把电脑关机，还把那个可视头塞回原位。然后做贼似的把门关上，我们刚一进客厅，门就开了，胡东东进来了。

"咦，老爸，你今天怎么这么早就回来了?李叔也在，李叔好。"胡东东很有礼貌地一进屋就打招呼。

我用手拍拍胡东东的脑袋，胡一平冲跟他进来的戴墨镜的年轻人点点头，给我介绍："这位是赵老师。赵老师，我朋友，李文波。"

那个年轻人看着我，我们互相有些眼熟，他把墨镜摘了，一把将我的手拉住，喊道："李记者。"

我也握紧他的手："赵清明。"

我们两人亲切握手，胡东东与胡一平看愣了。

胡东东问："赵老师，李叔，你们认识吗？"

我说："当然，这是当年我采访过的一个理科状元，清华大学计算机系高材生，你找他当电脑教师，真是找对人了。"

2

七年前，我还在记者部当记者时，采访到了这样一条新闻：一位来自贫困山区的孩子在极艰苦的环境下，一边照料病重的母亲和略有些呆傻的父亲，一边利用自学的方式刻苦学习，最后终于考上了清华大学，成为这个山区里第一个进入名牌大学的青年。但是他虽然考上了，却因交不起学费，不能去上学，而村里的父老乡亲眼见着可惜，就自发地组队来报社反映情况，希望我们能为这个孩子呼吁一下，让好心人给他捐点款上学。这个孩子就是赵清明。

我当时听了村里乡亲的描述后，搭着当地村民的三马车去了一趟山区，见到了这个孩子，发现果然是个热爱学习品格端正的孩子。回去后我写了一个特稿，发在了当地的报纸上，我的这篇稿出来后，在当时引起了较大的反响，很多人为这个人穷但志不短、朴实又肯吃苦的孩子的事迹感动，自发地捐赠钱物，造成了很大的社会影响，而最后清华大学也破格免其学费招其入学了。这篇稿子是我当年的一个得意之作，还获了很多奖励。赵清明去上学时，我还和电视台的同行一道在火车站采访了他。一晃，七年过去了，只听说他在北京学习很好，年年都拿奖学金，每年还都接到他寄来的贺卡什么的，除此以外就再没什么消息，也没见过他本人。很意外地，今天竟然在这里遇见了他。

胡一平给我们冲了绿茶。大家边喝边聊。

"要不是你一支笔，我赵清明难有今天！"赵清明给我倒茶，很谦卑，"我现在还在北京，一边工作一边读研究生，主要是做软件，平时总在北京，这不我那软件公司那有点业务，回来做一年推广，也就这么和东东有了缘分。李记者，现在走在街上，还有人认出我来呢，没有你，我现在还在家里种地呢，你一支笔，救了我一个苦孩子。"

赵清明将茶举起："来，就拿胡老板家的茶当酒，我敬你。"

我也端起来："不敢。赵清明，还是你有出息，现在又读研又工作，还给东东做兼职，比我们都强。东东，这是你学习的榜样。当年他学习的那个劲头，城里孩子我没见过一个。"

胡东东笑了："赵大哥本来就是我们的校辅导员。我们班好多女生还把他当偶像呢。"

胡一平推了他儿子头一下："这小子嘴里没正经话。好啊，既然大家都认识，那咱就正好聚聚了。赵老师，您有什么忌口没有，要没有，我就定地方了。"

赵清明摆手："不用了，胡老板。我主要是来帮东东安一个计算机器材的，完了我公司还有事，我还得过去。东东，你都买了吗？"

胡东东说："买来了。爸，你和我看看去。有新鲜玩意给你开开眼。"

我们来到胡东东卧房，胡东东打开电脑，从电脑后面把那个可视头拿出来，递给赵清明。

赵清明接过可视头，端详了一下，很满意地说："没错，就是这个。用了它，你就可以直接与迈可尔·肯恩联系了。"

胡东东说："老爸，你没见过吧，一会儿让赵老师帮我安上，让你大开眼界。"

我和胡一平对视一眼，胡一平耸耸肩，背对着胡东东，冲我做了一个嘲笑的表情，我无奈地苦笑一下。

赵清明和胡东东把可视头接上，输入个网址，一会的工夫，屏幕上出现了一大堆英文字母，一个英文的网页出来了，网页上有一个外国中年男人，金发碧眼，咧开嘴大笑。

"迈可尔·肯恩，我大学时的英文老师，这个网站是他创建的，是一个用英语与中国学生交流的平台互动网络，目的是提高中国学生的英语口语水平。"赵清明向我们解释，并点击那人的头像，还做讲解，"视频技术的充分运用，在这里可以体现。他如果在线，东东就可以用英语直接与其交流，而完成这些，用一个话筒与这个可视摄像头就可完成。"

那人的头像闪烁了一下，屏幕上出现一行英文，一个小屏幕弹出来，那个咧嘴笑的老外出现了。赵清明把话筒接上，调了调音，给了对方一个信号："HELLO！"老外冲着胡东东打个招呼。

"嘿，这好啊，这东西！"胡一平惊奇地瞪大了眼睛。

胡东东熟练地用英语和老外交谈，赵清明满眼都是赞许。

赵清明说："照这样下去，东东的英语四级，没等到上大学就能过了，他在英语上，确实有天赋。在迈可尔·肯恩这个外国助教的帮助下，一定还会有突破性的进展。"

胡一平得意地点着头，眼睛看着我，说："我儿子没问题，他可不像其他的孩子，我对他一直是有信心的。"

3

我、胡一平、胡东东和赵清明在他家楼下吃海鲜。

胡东东很崇拜赵清明。也难怪，赵清明确实很优秀，谈吐不俗，举止得体，七年前那种农家子弟的土气早已一扫而光。他的研究生还有一年毕业，现在在北京一家软件公司做销售，月薪四千，基本上是算白领了。

"在北京，四千工资只能算中下。"赵清明说，"我现在就是想多赚点钱，将来供一个不大的房子，再娶一个称心点的老婆，我这一辈子，也就没什么太高要求了。"

"没错，没错。不过，人总得有点追求，像你们这样的有知识有技术的，将来错不了。所以，也别把目标定得太低了。"胡一平夹了一个大闸蟹，送到赵清明碗里。

整个宴会，赵清明是唯一的主角，胡一平简直视我如无物，光在那和赵清明交谈。我有些无聊，四处张望，发现门口停着一辆奥拓车，挺面熟，还没等反应过来，车上下来一个长头发的女孩，眼神锐利地向里看了一眼，走过街去了。

愣了至少有两分钟，我突然意识到她是谁了，探起头来看，她的背影一闪，就不见了，但车还停在那里。

"你有笔吗？"我打断了胡一平。

"干吗？！"正在痛说革命家史的胡一平很不满我打断他。

"我抄个车牌号。"

赵清明从包里拿出一支笔："我有。"

我把那辆奥拓车的车牌号抄了下来。胡一平探过头来看看，问："你这抄谁的号呢？"

我指给他们看："那辆车，前天晚上我见过，就在我家门口停着，我——"

赵清明的电话突然响了。他接电话："喂，你好。啊，顾记者，对，我是赵清明，你在哪？好，好，我马上过去。"

赵清明和我们告个别，说报社有位记者在等着他，做一期有关中学生性教育的专访，就匆匆地离去了。他把车启动，倒车的时候，我看见那个长头发的女孩子提着大包小包出来，上了那辆奥拓，他们几乎是同时发动车的，两辆车一齐开走了。

我看着那辆车越走越远，有点失神。

胡一平拍我："喂，怎么了你，那是谁的车，这么紧张。"

"没什么，没什么，我看错了。"

有些事还是别让胡一平知道的好，他的嘴太大了。

"亲爱的，你慢慢飞，小心前面带刺的玫瑰——"

胡一平手拿话筒，几乎一句调也没有的在那里嚷着。

胡一平的手机响了，他把话筒给我，出去接电话，我接着唱了起来，那两个小姐如释重负，用四川话上一句下一句地唠起来，简直就像没我这个人了。管他呢。我索性拿起话筒，自顾自地唱。

胡一平回来了，跟来一个侍者，把桌上收拾了一下，又摆上了一个大果盘，要了十瓶啤酒，我问他干什么，他说一会有人来。

十分钟不到，侍者带了两个人进来，很奇怪，为首的是赵清明，后面跟着一个三十岁左右戴着眼镜面相斯文的人。

胡一平关掉话筒，把那个眼镜拉过来："文波，这位也是我的朋友，他是——"

"不用介绍了，"我打断他，"我们是老熟人了，这位顾襄先生和我曾同事多年。"

顾襄笑笑："是啊，胡老板，说起来李哥还是我的入门师傅呢。"

我说："师傅谈不上，你现在混得还行吧。当上正主任了吗?"

顾襄做谦虚状："现在和你当时不一样了，一年五个 A 稿就行，现在要搞什么竞聘上岗之类的，上周六我们搞的全员竞聘，结果还没公示呢。"

顾襄接着说："文波，那韩力不大喜欢接受采访，不过，我对网络犯罪这块还是很有兴趣，你俩熟，回头和他说说，配合我一下不行吗?"

我点了点头。顾襄迫切地说："要不，现在就让他过来，今晚我请客，大家坐坐。"

我说："不大好吧，韩力他也没准备，再说，他那工作，一般这点正上班呢，出不来的。"

胡一平唱完了，要顾襄唱，顾襄也上去，唱了一首《草原上升起不落的太阳》，唱得极好。不过，我早听腻了，这小子就会这么一首歌，到哪都唱，令人气闷。我出去透透气。赵清明也跟了出来。

赵清明追上了我，说："李记者，我有点不太喜欢这种地方，我想先回去了。"

我说："咱俩一样，我也正琢磨着什么时候走呢！"

"我先走吧。要不咱俩都走了，他们面上也不好看，你受累，再多待会吧。这种风月场所，我平常很少来，不适应。"

赵清明拍拍我的肩膀，回去了。我站在歌厅的走廊里往下看，下面已经全黑了，夜来得真早。

我推开门，一进去就被一阵震耳的声浪冲得险些摔出门去。胡一平他们把音响开到了最大，放上迪曲，不过，让人震慑的还不是这个，而是桌上，一名小姐站在上面，正扭腰摇臀地舞着，胡一平狂笑着，从口袋里掏出一张百元大钞，向她身上扔去，钞票飞起处，小姐将胸罩解开，白嫩的胸脯袒露出来。

"文波！来，坐这，看艳舞，看艳舞！"胡一平喝得烂醉，在那里大呼小叫，顾襄坐在他旁边，脸上挂着暧昧的笑。

小姐不断地扭动着丰满的身体，胡一平手中的钞票飞起，她身上的衣服也随之滑落，一直脱到只剩一条内裤，白花花的肉体在五彩的灯光下晃得人眼花缭乱，胡一平喊着："都上去都上去，一律有赏！"

几个小姐都上来了，桌上没那么大地方，她们挤成一团，有人还摔了下来，倒在了胡一平的怀里，一阵吵闹声，我的头开始晕了起来，可能是酒喝得太多了吧，我有种想吐的感觉。

我跌跌撞撞地走出屋里，来到卫生间，一阵干呕，什么也没有吐出来，眼前金星乱闪，不断地浮现着刚才看见的白花花的大腿和胸脯。

在卫生间逗留了一会儿，我决定不告而别。走出门的时候，一阵阵冷风吹起，我看见歌厅门口，顾襄的车和胡一平的车并排放在一起，和他们两人在歌厅时一样，很亲密。

5

到家了才发现，已经后半夜了。安琪没在。手机没电了，胡一平他们打没打过电话也不知道了，我习惯性地打开电脑，找到了凤凰说的那个网页。她不在，还是离线状态。我给她留了言：我在梦里见过你。然后就睡了。

半夜醒来，发现安琪的床还是空的，她又习惯性地加班了。鬼使神差地打开电脑，再进去，她还是处在离线状态。还是不在。

6

我和韩力在楼下的公共浴池里泡澡，这可能是这个城市最便宜的浴池了，两元一人，搓澡的话，一人三元，所有的活全下来也不过十元。

我想请韩力做个足疗，他拒绝，说是替我省点钱。一个足疗三元，我估计胡一平看这点钱掉地上都不会捡，不过，对我和韩力来讲，除非是有点什么特好的事，一般情况下是很难花这三元钱的。

"你小子最近有点变态，老追着我问视频聊天的事，你是不是现在也迷上视频聊天了？"韩力的身子一泡进去，就责问我。

我说："没的事，就是好奇。你说，你们查了那么多黄网，咱这城市有没有人搞这个？"

韩力说："有啊，今年一共抓了三起，不过，也都是小打小闹，他们也就是从海外链接个服务器，再上传点黄色图片和小电影什么的，都是小事。没多大劲。"

"你说的那种叫什么，视频色情女主播，你们在这里抓到过吗？"

韩力把头泡进去，再出来时，脑袋已经成了"毛儿盖"："这类人，我倒还真没见过，不过，也保不准咱这儿也有。现在的女孩子，笑贫不笑娼，何况，这和卖淫毕竟还有所区别，不用真干，搔首弄姿露露该露的就行。不过，这类案子我可是一次没见过。要是这个城市里有这类人，我们就又有事干了。"

韩力说到这想起了什么似的，指着我："我警告你，别跟着瞎搅和，我可是网警！"

"我看你这样子演无间道不错，对不起，我是警察，呵呵！"

我趴在浴池的长椅上搓澡，搓澡师傅顺手递张报纸："刚来的晚报，一边看，我一边给你做，省得没意思。"

出版这份报纸的报社，我从一毕业到辞职走，整整呆了六年，太熟悉不过。打开一版，还是老样子，头版新闻导读加广告，往后翻，突然看见一组模糊的照片，还有一个大标题：

"廉耻在哪里？我市一歌厅惊现脱衣舞表演！"

往下看了看，是一组图文并茂的短新闻，大意是在我市某歌厅十二点以后，竟然有脱衣舞，只要你出钱至五百元以上，歌厅小姐会脱至精光，云云。我看了看署名，顾襄。

那些照片拍得并不清晰，一看就知是用那种五百万像素的数码专用机偷拍的，光线不好，小姐们的脸上全用黑白道遮住了，最后一张照片上，是一个很大的后脑壳和一只举起的手的特写，甭说，从后面看，胡一平的脑袋还真是圆得可以。

"我操！"我忍不住骂了一句。

韩力也躺了过来，看我手中的报纸，问："怎么，骂谁呢？"

"没事，你先做着，我去打个电话。"

我手拿着那张报纸来到更衣箱前，打开箱把手机拿出来，给胡一平拨电话。

电话响了好久，胡一平的声音很混沌地传了过来："是他妈谁？"

"我，老胡，今天早上的晚报你看了吗？"

"我从来不看本地的报纸，我又不在这做生意。怎么，有什么事吗？"

"没事，我就问问，昨天几点回来的？"

"一点多吧，你他妈啥时走的我一点不知道，我喝大了，还是顾襄开车送我回来的，我现在头痛死了。我说顾襄那人可真不错，我喝醉时你好像从来没送过我。"

我看着那张报纸，笑着说："他那人是不错，太好了。"

放下电话，我把那张报纸揣了起来，心想：这样的社会批判稿一定很吸引眼球，估计顾襄回去又要受表扬了，老总们就喜欢这个。

韩力走了进来，恰好此时，他更衣箱里传出了手机的声音。

韩力打开更衣箱，拿出手机接电话："喂，是我。你好，郭队。什么？好好，我明白了，我马上就到。"

韩力放下电话，急匆匆地穿衣服。

我问他："怎么了？有任务？"

韩力说："是。还真让你说着了，前几天有人举报，在网上发现一个视频聊天网里有色情服务，这个网站的服务器地址居然就在我们这里。这要是真的，那可就热闹了，那就说明这些视频女郎有可能就在我们中间活动呢！"

"这个极有可能。"我点头说，"极有可能。"

7

我打开好友列表，列表里出现凤凰一闪一闪的头像，他现在是在离线状态，这表明有留言给我。

我打开，上面有一行话：服务器地址已改，请输入下面的地址。

再往下是一排英文字母。

我把这串字母点在浏览器里，一个页面弹了出来，上面有用户和口令栏，还有一行繁体中文字："原用户输入密码后可直接登录。"

我输入口令与密码，进去后，页面弹出一个窗口，打开，"星期八聊吧"弹出，宝贝们有一半左右在上面趴着呢，挤眉弄眼，呼之欲出。

她也显示在上面，模样没有变化，但改了名字，叫毒药。

我点击毒药这两个字，进入另一个页面。上面有着"视频连接""语音连接"几个对话框，我点了前面的，一会工夫，一个视频屏幕框弹出来，她在电脑屏幕上出现了。还是那个样，长发披肩，不同的是，今天穿了一件红色的紧身毛衣，把胸脯的曲线勾勒得浑圆挺硕。

我敲上一行字：不容易，今天白天还在。

她回话：白天只能聊点刺激的，不能让你看我的身体。要看刺激的，请晚上十二点钟以后上来。

我：为什么？

她：因为警察现在查得紧，白天太显眼，晚上比较安全。

我：怪不得你们今天改了域名。

她：没办法，要不就又被查封了，我们的网被查封好几次了。

我：现在干什么都不容易是吗？

她：我看了你给我的留言，有十多条，你说梦中见过我，是真的？

我：真的，我真的梦见了你。

她：我什么样？脱光了还是穿着呢？

我：穿着，但是你留的是短发，不是现在这个样。

她：瞎说，我从来没留过短发。

我：梦里的东西有时是有差错的，但是有时眼见的东西也不一定是实的。

她：我不信梦，也不信眼前的东西。

我：呵呵。

她：你梦见了我，还留了很多言给我，你是不是喜欢我？

我：这个，难说。

她：没什么难说的，你喜欢我是想看我脱光了的样子，好，和我聊吧，到晚上，我脱了给你看。

我：咱们除了脱衣服这种事就不能说点别的？

她：别的？来这里的人难道不都是想看这个吗？别的是什么？

我：你很像我当年上大学时遇见的一个女孩子，我们曾经谈过恋爱。后来她走了。

她：呵，讲情史？网上泡妞这一套有点老土了。

我：什么不老土？

她：打开你的可视头，把衣服脱了，我看你那玩意有多大？是不是猛男？也没准我会因此看上你。

我：你每天说这种粗俗的话，心里是什么滋味？

她：没感觉。你爱听我就说，要不我说点纯情的吧。反正离十二点还早。

我：你会一直在吗？我一会要和一个朋友去体育馆打球，回来时能遇见你吗？

她：这个可说不准。我可能一会要去吃饭。

我：吃什么？吃面？还是什么别的？

她：我想吃你，你来找我呀。

电话突然响了。我看了看来电显示，韩力的。

他走的时候我们约好了，如果没事。六点钟去体育馆打羽毛球。

我接电话："喂，不是说六点去吗？现在刚五点。"

"几点也不行了。我的星期天结束了，一会我们要出发，今晚有行动，你再找别人吧。"

"有记者跟着吗？"

"没有。我们怕打草惊蛇，没招他们。我们马上就出发了。我会关掉这个手机，你别给我打电话了。"

我放下电话，坐在椅子上深思了一会，再趴到电脑屏幕旁，发现她已经走了。

晚上八点多了，她还没上线，我百无聊赖，开始听我昨天下载的那首被凤凰称之为古董的英文名曲《Love will tear us apart》。这是我上大学最喜欢的一首从口带上掏下来的歌，中文歌名翻译过来就是《爱会将我们分开》，送我这首歌的人现在身在异乡，音讯皆无。一听这首歌就会想起她来，正听得伤感连连的时候，安琪把电话打到家里来了。

电话刚一拿起，安琪嘲讽的声音就传了过来："今天不错，这个点就在家了。昨天呢，你在哪？"

我急忙关掉电脑的声音，然后来个先发制人，厉声地说："这话我得问你！你一晚上没回来！"

"我给你打过电话请假，你一直关机。"

"但是我后来回家，你也不在，你去哪了？"

电话里一阵沉默。一会似乎有啜泣的声音传来："我在上海。"

"啊？上海？"

"昨天晚上公司临时决定的，来上海参加一个展销会，坐飞机来的，我回家想和你告个别，但是你不在，手机又不开。我自己打个车走了，一个人拿着一箱行李，上了飞机。"

我无言以对。

"机场上有好几个同事，都是女的，她们的丈夫都来送她们，在机场依依惜别，我很羡慕她们，这一别就是半个月，她们都有人送，唯独我没有。"

我心虚地说："这个，昨天晚上顾襄找的我，有个稿子他求我帮忙——"

"胡一平的老婆昨晚上也把电话打到我这里了。她问我胡一平在哪，胡东东说你们在一起，但是胡一平也关了机。"

"我——"

安琪的声音突然大了起来："你一晚上都和他在一起吧？搂着小姐唱歌还是洗澡？用我猜一猜吗？"

"胡说，我能干那事？"

"李文波，你在家已经整整呆了两年了，如果游手好闲也是个理想，你这个理想实现得很顺利，我真要祝福你！"

"不要出口伤人。我不是你说的那种人。"

"是的，你不是那种人，你是哪种人？和胡一平一样吧？我倒宁可你是一个游手好闲的丈夫，那也胜过一个只会靠别人买单的帮闲！"

"安琪，咱不能说点别的吗？上海的天气好吗？"

"好，非常好。我可以告诉你，半个月的会期完后，我还会在我上海的同学家住一阵子，这么好的天气，我也得放松放松，别光你一个人放松啊！我会给你充足的时间，你可以继续夜夜笙歌了，这一段时间没人管你，你想喝想玩，随便你。我现在开始关机了，别给我打电话了。再见！"

电话啪地挂断了。

我颓丧地坐在椅子上，恨恨地想，为什么我每次稍微做点出格的事的时候，安琪总是会及时发现，从结婚第一天到现在，就没变过。

十一点的时候我给安琪打电话，她关机。半小时再打，还是关，最后我发了个短信给她，本想编几个词道个歉，但是想了想，还是发了一条特黄的黄色短信过去。

我打开电脑，毒药已经不在了。那上面还挂着几个在线的。有一个相貌比较清秀的，名叫火山美女，我点了她。不一会，这个火山美女出来了，脸上的妆浓得吓人，而且言语也乏味，与在页面上见到的判若两人，最气人的是，她还迟迟不脱衣服，想方设法地拖延时间，算了，下线，不和她聊了。

我打开自己的博客主页，没什么人气，我不是那些个开放的女作家，我的那些文章可能太过时了，也太压抑沉重了，基本上没见什么人有留言。

我把库提斯的那首歌装进主页的下载程序里了，以后一打开主页，这首曲子就会播放，我还把歌词也贴了上去。然后开始写与这首歌有关的一些记忆，尽管这些东西写起来让人有些丧气，但是总得要写下来，不写，我就会越来越淡忘这一切曾经刻骨铭心的东西。这毕竟是我第一次恋爱生活的见证。

从下午三点到十一点，我写了大约有五千字，在电脑旁呆了近十个小时，肚子很饿。怀念起山西面馆的过桥米线，穿上衣服，电脑也不关，决定出去先吃点面吧。给安琪打了电话，还关着机，看来她是真生气了。

夜空很静，一阵冷风吹来，很冷，走出我家的小区，山西面馆的招牌在黑暗中闪闪发光，在这样寂静的夜晚，只有这里，还有着熟悉的灯光，如同家一样地吸引着我。

将要走过一条街的时候，警笛声突然响起，我没有意识到会发生什么。接着，一个女人的身影就突然撞了进来，如一个从天而降的鬼魂，长发飘飘，身影婆娑，她从黑暗中突然出现，在拼命地奔跑，有如一阵风般地冲到我面前，在我还不及有任何反应的时候，脚下一软，突然摔倒在了我的脚下。

啪的一声，一双高跟鞋飞出去。她抬起头来惊恐地望着我，月光下，她的神色惶然，脸色惨白，猛一看，与刚才在网上的神态大相径庭，但我还是一眼就认出了她。是她！她真的很像那个人，连吃惊时的样子都很像。很奇怪，这个我等了一下午也没有等到的人，却总是让我在非常特殊的情况下与她相见，事先竟也总是毫无预兆。容不得我多想，警笛的声音爆响，警车的探照灯在路口亮了起来。

9

　　来不及想什么了。我大步走上前去，将她一把拉起，非常迅速地说："快，把假发扯掉，脱掉外套。"她张大嘴看着我，想喊，但没喊出来。不等她反应过来，我很粗暴地一把扯下她的假发，又拉下她的外套，扔在地上，然后揽着赤脚的她径直走进了山西面馆。

　　她没有挣扎，也许是被突然出现的我吓坏了，也许是，还有比和我一起更坏的事情在等待着她，她竟然一下子就选择了和我走。没有质问，也没有惊慌，她就这样让我拉着走进了面馆。

　　谢天谢地，面馆里并不是只有我们两个人，还有一对夫妻模样的人也在那里吃饭，幸运的是老板和服务员都在屋忙着，居然都不在这里。我搂住她的腰，装成情侣的样子坐在最靠墙的椅子上，还没等坐稳，两辆警车已经开了过来，车灯把街道照得亮如白昼。

　　她看着我，想说什么，我指了指外面，做个嘘声的手势，她很聪明也很镇定，点了点头，不再说什么了。我把她搂过来，将她的脸埋进了自己的怀里，一阵淡淡的香气袭了过来，她身上穿的还是那天在网上见到的那件红毛衣。我搂着她，看外面警车停下来，几个警察下来，用手电照着街道，一个警察捡起了地上掉的假发和外套，和其他人说着什么。

　　我怀中的那个身体剧烈地颤抖着，粗重的喘息声在我耳边响起，我用手轻抚着她的脸，说："别怕，有我在，别怕。"她喘息着将脸埋在我的怀里。

　　警察们向面馆走来。那对夫妻愣愣地看着他们，面也不吃了。老板从里面走了出来，瞅了我一眼，然后就急冲冲地到门口，把门打开。一阵冷风吹了进来。

　　我突然想起她是赤脚，急忙把她的脚用腿夹住，送进了厚厚的桌布底下，谢天谢地，这个让我曾摸过无数女孩大腿的桌布，这时竟派上了大用场。

我把她搂住，看着几个警察进来，他们扫视着屋里的这两对男女。

老板上前搭讪："怎么？有什么事吗？"

一个警察掏出个证件晃晃："我们是刑警三队的，刚才有个女的跑到这儿来了，请问你看见了吗？"

老板看了我们几个人一眼，手一摊："这个——"

警察挥挥手，说："好了。你们几个，把身份证掏出来，我们看看。"

我怀里的那个身体又颤抖了一下。我把她搂紧，将脸贴了过去，她的脸冰冷，身体一直在颤抖，我在她耳边低声地说："身份证呢？"

她小声地说："不能给他们看。"

那对夫妻规矩地站起来，掏出身份证。一名警察向我们这边走来。

门口的车灯闪了一下，韩力从车上下来了。

我有了主意，我站了起来，装作掏身份证，胳膊一扫，一个碗掉在了地上，啪的一声碎了。

韩力听到动静，向里面望了我一眼。

我对那个警察解释："同志，不好意思，身份证忘家里了。不过，那边有我一个朋友，他认识我。"

我用手指了指韩力，警察回头看，韩力走进屋来。

韩力和那个警察说："小关，这人我认识，这是我一朋友，家就在这儿，平时总来这儿吃面。"说着韩力回头看了我身边的女人一眼，很狐疑地望着我："你这是——"

我双手抱拳，做个作揖的手势："哥们，今儿你就当什么没见到，千万别和安琪说。"

韩力又看了女人一眼，神情很厌恶，对那个警察贴近了小声嘀咕一句："走吧。都是出来打野食的。"

几个警察走了，他们把捡来的那件外套和假发拿到车上，发动了车，不一会儿工夫开走了。

面馆里又是一阵寂静，那对夫妻模样的人没了兴致，起身结账走了。老板也进了里屋。

面馆里只剩下我和身边的她，我这时才终于定下心来看看她。她的脸色苍白，望着窗外，身体还在颤抖。这么近地看她，和在网上有点不一样。她很白，脸盘小巧，是典型的南方人。有那么一刻，我仔细地由上到下地看了她一眼，突然吁了一口气，虽然像，但我可以肯定，她们不是一个人，这只是巧合而已。

"没事了。"我拍拍她的肩，"想吃点什么？"

她看了我一眼，很怀疑的眼神，说："你为什么救我？"

我耸耸肩，说："我也不知道。管他呢。咱们曾在这儿见过面，就算我是拔刀相助吧。"

她看着我，眼神里有怀疑的神色，也有一丝恐惧的成分，突然她说："你家远吗？"

"怎么了？"

她用手抹了抹淡红色的头发，很坚定地说："走吧。我快冻死了，去你家暖和一会儿，我要洗个澡，还要找双鞋穿。"

我点点头，已从里屋出来的老板在远处看着我，表情很暧昧。

10

人的一生有很多时候都非常奇怪。比如现在，我和一个在网上从事色情视频表演的女孩数次见面后，竟然鬼使神差地把她带到了家里，而且，最巧合的是，我的家里这天还居然只有我一个人。

任何一个人碰上了这件事都不会无动于衷，我也一样。当她赤着脚进到我的家时，这个屋子因为一个女孩子的出现突然变得明快起来。我从鞋柜里给她拿了一双鞋，她急忙地穿上，看得出来，她也确实冻得够呛。

我去厨房，给她热了一杯奶。她急匆匆地喝了，当我问她是否要洗澡时，她又很怀疑地看了我一眼。

她说："你想我怎么报答你，就说吧。"

我说："报答？我没想啊。"

她很干脆地说："直说了吧，我可以和你睡觉。但是我有个条件，我只在这里过一夜，明早我就走。你要把我这个人忘掉，咱们以后谁也不认识谁。"

我笑笑说："那我要是忘不掉呢？"

她用手指了指我客厅的电话："电话在这里，你现在就可以报警。不过，我想你不会吧，要不你救我干吗？"

"说对了。"我拍拍手，"你先把奶喝了。睡不睡觉的，那不重要。"

她摇摇头，说："不，我不想欠你的。我现在去洗澡，你在床上等我吧。不过，你最好也洗一下，这样比较舒服。我告诉你，我不是出来卖的，我现在身无分文，有家不能回，这是我报答你的唯一方法。我现在就去洗澡，你在这里等我，好吗？"她一连串的把这一套话说完，似乎很轻松的样子，站了起来，哎哟了一声，又坐了下去。

"怎么了？"我问。

"我的腿摔伤了。"她掠起裙子，小腿上摔青了一大块。

"你等一下。"我起身从屋里把万花油、云南白药什么的都拿来了，放在茶几上，示意她把腿抬上去。

"我动不了，好疼的。"她呻吟着说。

我托起她的小腿，举到茶几上，裙子掠起处，一片青紫。我把油倒在手上一些，问她："可以吗？"

她点了点头。我把油在她腿上抹匀，又敷上白药。她的小腿很柔滑，摸上去手感很好。我把视线全集中在她小腿上，很认真地替她抹。尽管表情严肃，但是当手与柔软的肉体接触时，有好长一段时间心也在怦怦地跳。

药涂好了，我把她的腿放到茶几上，将裙子掀起来，这样药干起来就会快些，就在这时我看见了她的裙子里是一条白色的内裤，这个意外的走光发现让我的脸有些发烫了，我抬起头来，发现她正在意味深长地看着我，急忙将眼光扫向别处。

有那么一刻，我有种恍惚的感觉，仿佛回到了从前的某一个时间里。屋子里全是万花油的味道，提醒我这不过是一个巧合，我只是碰巧与一个面熟的人在一起而已。我想幸亏安琪走了，要不，明早她一回来，一定会怀疑为什么满屋子都是这个味道。

她静静地看着我，眼神里依然充满着怀疑与不信任。她说："你为什么救我？"

"不知道。"我老实回答，"真的不知道。"

她摇了摇头，"那假发你是怎么看出来的。"

我撒了个谎："你在跑的时候，里面的头发露出来了。"

她说："你想知道那些警察为什么抓我吗？"

我点点头："想。"

她看着我，假装很认真地说："我男友给我找了一些粉，我们俩正在迪厅的卫生间里吸的时候，警察就来了。"

我在心里暗笑："吸毒这种事，要网络警察出手吗？"但是还是假装很关心地说："那你男友呢？"

她耸耸肩："被抓走了。估计这次进去就难出来了，他是惯犯，这次要完了。"

她把牛奶拿到嘴边，喝了一口又看着我："我还是先洗澡吧。"

"你的腿伤成这样，还是别洗了。我看你还是先睡觉吧。"

她看着我："你不想吗？"

"想什么？"

"你救了我，不想我报答你吗？"

我笑笑，说："好啊。"

11

我们俩坐在屋里，有一搭无一搭地说话，她看见我屋子里的音响，说想听段音乐，我给她打开，问她想听谁的，她说想听一首老一点的歌，问我有没有邓丽君的，我说我这里有她的全集，她让我给她取来。

我把邓丽君的那一套专辑给了她，她挑了挑，选出一张，放进去，再选了一曲。不一会，邓丽君的歌声就响彻整个屋子里：

"如果没有遇见你，我将会是在哪里？……任时光匆匆流去我只在乎你，心甘情愿感染你的气息，人生几何，能够得到知己，失去生命的力量也不可惜……"

听着听着，我发现她的眼眶湿润了。

"怎么了？"我问，"想起什么了？"

她摇摇头，有点哽咽："没有。我上学时就喜欢这歌，有好久没听了。"

静静地听了一会儿歌，她对我说还是想要去洗澡，我问她的腿怎么样，她说没事了。

她说完就执意站起来走进卫生间去了，有点跛。隔着一层门，我听见放水的声音，透过卫生间的磨砂玻璃，我看见她似乎在脱衣服，身体曲线的轮廓在里面若隐若现。

我从衣橱里拿出一套睡衣，放到沙发上。这睡衣是安琪的，把我老婆的睡衣给另一个初次相识的女人穿上，这事够匪夷所思的了。我走进里屋，把鞋子脱掉，躺在床上，我要好好想想接下来干什么。这事来得太顺了，倒有点不真实了。卫生间里的水哗哗的，看样子她洗得还真仔细。

手机响了。我拿来一看，是韩力的。

韩力的声音里满是不屑的意味："怎么，忙啥呢？今晚挺浪漫吧？"

"一般吧。"

"那女的是谁？"韩力的声音严肃起来，"小情人吧？你现在真是越学胆越大了。"

"不是什么小情人，一个足疗小姐，约出来吃点面，大惊小怪！"

"我告诉你李文波，今儿要不是我在那，你们俩都得给我进局子去！你看那女的，一看就不是稳当人。你小子可注意了，网上看看黄片就得了，生活中得检点吧。"

"你怎么说话像外星人似的，人家足疗做得好，我请顿饭，碍你事了。"

"是不碍我事，不过安琪要是知道了，我看你怎么办？"韩力威胁我。

我冲着电话那头喊："我告诉你小韩同志，你要是敢和安琪说，别怪我翻脸不认人！"

"小李同志，你要是敢做对不起嫂子的事，我也翻脸不认人！"

电话挂了，我摇摇头，这小韩同志还真是个书呆子，什么年代了，还把这事看得如此重。

门开了，她走了进来，身上穿着安琪那件睡衣，有点瘦，她比安琪丰满，胸部都撑出来了，看着让人心荡神驰。

她坐到床前，看了我一眼，妩媚地一笑。然后对着床前的镜子，将湿湿的头发盘起，通常一个女孩子做这样的动作，都会引人遐想，特别是看到她高举的双臂，腋下洁净无毛，胳膊浑圆白润，更让人有种难以自持的感觉。

她回头看着我："我刚才进来时看了看你家里有酒柜的，咱们先喝点酒吧。"

"你想喝吗？"

"先喝一点，这会有点情调，我想你也不想搞得太生硬，太像一场交易吧。"

我走出去，从酒柜里拿出一瓶干红和两个杯子，这酒是我下午刚买的，趁着安琪不在，我本想享受一下一边喝着红酒一边看着美国大片的感觉的，但不曾想到，居然派上了别的用场。她的眼神还真的不错，一眼就发现了这柜子里的酒。我拿起酒瓶子，下意识地，来到窗前向外望了望，下面静静的，没有人。

一切都来得太顺利，有点像一个"仙人跳"的局，不过，这总是在我家里，总不能有人把我怎么样吧？

我把红酒打开，回屋的时候，发现她已经钻进被子里，正拿着一个相册翻。

她指着相册问我："这个是你老婆吗？"

我把相册拿过来："未经许可就看别人的相册，这不好吧。"

她吐了吐舌头，那一刻，她像个顽皮的孩子，我心动了一下，正在考虑上不上床，她很大方地把被掀开，从床上下来，把我手中的红酒和杯子接过来，把酒倒满，放到床头柜上。

她回过头来，看着我，眼睛很亮，里面充满着暧昧而又诱人的味道。她一只手伸了过来，环抱住我的脖子，用手轻轻推着我的胸膛，娇声说："躺下。我们躺着喝酒，先聊聊天，好吗？"

在一阵阵香水与女性体香混合的气味中，我被她轻轻推倒在了床上，她将身体压了上去，这种突然覆盖上去的重量感让人很舒服，再加上女孩子身上那种淡淡的体香，也的确让人心悸神驰。她贴了上来，用手蒙住了我的眼睛。"你闭上眼睛，我给你好东西。"她娇声地说。

她的舌头向下，向下……她的一只手始终压在我的眼睛上。我突然想起了什么，一把将她的手扯开，这一睁眼间就看见了对面的墙上，巨幅的结婚照上，安琪身穿红色婚纱，正在向我微笑。我叹了口气，心想说什么也不能在这里发生这件事，在安琪的"眼皮子"底下。我将她的头也扶了起来。"等等，等等。"我说，"你先停一下。"

"嗯？"她抬起头迷惘地看着我，嘴唇湿漉漉的，像一只可爱的小羊。

我把她的脸托了起来，说："你非要这样报答我吗？"

"嗯？"她瞪大眼睛看着我，有些不解。

我下定了决心，坐了起来，把她也扶起来："我还是给你找间旅馆，这样更好。"

她很委屈地看着我："怎么了，难道你不想要我？"

"不是。这个——"我摇摇头，不知如何表达，"我觉得这样不好，我不是很习惯。在我家里——"

"我明白了。"她点点头，"你是不想在自己家里做。我明白了。"她用手轻轻一推，又将我推倒在床上，说："那你在这里躺下等着我吧。我先去趟洗手间，咱们找个地方，我一定会让你满意的，真的。"

"我不是这个意思，我是说——"

她笑笑，用手在我脸上摸了一把说："我明白你的意思，坏哥哥。"然后就出去了。

我听见洗手间的门开了又关上的声音，无奈地叹口气。她一心要用她的身体报答我，这是一个听起来多么诱人的事，但我的潜意识里，却又觉得这件事似乎哪一个地方有了什么问题，我说不出来，但是我不喜欢这种感觉，肯定是的。

躺下来，头开始疼了起来。看看床头柜，那瓶红酒已经下去了大半瓶，怪不得头这么疼，红酒是有后劲的。我躺了下来，眼皮开始发沉。眼前的灯光恍惚起来，有种天旋地转的感觉。红酒真是上劲。我看着头顶的天花板，想今晚该怎样？是干还是不干？这是一个多么千载难逢的机会，和这样突然撞上来的看起来很面熟的女人。但是，安琪，一想起安琪，我的头更疼了。我们之间已经整整有六个月没有性生活了。自从那次煤矿塌方的事之后，我突然间就没有了性欲甚至没有了性能力，我们一年来的性生活都极不和谐，这不全怪我，她也有责任，她每天回来得晚，而且坚持只要双方任何一方喝酒就不行房，于是，我们之间的距离感越来越大，因为没有性，性是如此的重要……

我的眼皮发沉，天花板在眼前模糊起来，吊灯的灯光有如催眠曲，越看越觉得世界在渐渐地混乱，越来越混乱，就像我的生活，越来越混乱，越来越混乱……

12

睡醒过来的时候好像已经快到中午了。阳光暖暖地照进来，照得我满脸都是汗，我是被热醒的，我睁开眼睛，发现窗外天光大好阳光充足，这是一个适于郊游的日子。我挪一下身子，发现自己身上盖着厚厚的被，再看被里，竟然只穿着内衣裤。

这是怎么回事？我努力回忆，头痛如绞，侧过身去，猛然间看见了床头柜上放着的小半瓶红酒，突然间想起了什么，我坐了起来，环顾四周，下意识地把那瓶红酒拿过来，这才发现，酒瓶底下还有张纸条。

打开一看，上面写着几行字，字体还很娟秀：

"我已经走了。对不起，昨晚我在喂你酒时，在酒里下了一些药，但我保证除了让你睡得更香外那些药没有任何的副作用。谢谢你救了我，你是个好人。我一眼就看出了。所以我想你会帮人帮到底，刚才我从你钱包里拿了五百元钱，我现在得找个地方住。你放心我会还你的。我刚才打开了你的手机，把你的号码记下了。我过两天可能会给你打电话，找你还钱的。不必知道我是谁。再见。"

看着那张字条，我一阵阵地发愣。如果没有这张活生生的纸条，我一定是以为自己在做梦。

下了地，发现屋里已经被人收拾过了，很干净，安琪的那件睡衣也已经挂起来了。她在走之前，把这里收拾了一下，而且还把我的衣服脱了，她真是个细心人。

坐在客厅沙发上，我反复看那纸条，一时哭笑不得。

13

我打开电脑，进入"星期八聊吧"，在线的几十个视频女郎缺了几个人，原来有头像排列的地方现在一片空白了，下面有一行字：离线。她的头像也没有了。看来，虽然她们都暴露了，但是这个网站依然运行着，这可能是国外域名注册的，中国的网警对此是没办法的。

抓捕她们的人应该是我的朋友韩力他们。昨晚上的行动，肯定是针对这里的。

我打开窗子，外面高楼林立，店铺临街。三年前我们买这套房子的时候，把所有存款都动用了，还借了安琪她爸爸近十万块钱才凑足。三年前这里是这个城市的高尚住宅区，三年后已经沦落得如一个坠入风尘的贵族，这里至少有一层民居都空了，那些大款、高官搬到了更好的地方、更高尚的住宅。于是，几乎一栋楼都空了下来，租给了很多外地人、生意人、没房子住的人，和打工的人。这里环境嘈杂，人口密集，曾一度是事故案件多发地段，安琪一直想搬走，可是靠她一个人的收入很难住得起更高尚的住宅，她爸爸死后，很多不明来历的钱被冻结，也没有人再会一把拿出十万块钱让我们使。这个地方令她厌恶，这里来往的人群让她充满了不安全感。但这一切对我无所谓，在这个城市里，住在哪里都一样，你都将会看到、听到、遇到很多你意想不到的事情，再高尚的住宅也都会发生不那么高尚的事。

这也正如昨天，韩力他们袭击了曾经的高尚住宅，抓住了一群从事不那么高尚职业的人。她们就潜伏在这片住宅区的某一栋房子里，从事着在法律与道德领域里都不被允许的色情行业。她们是徘徊在法律与道德边缘的人。而最好笑的是，其中的一个人昨天跑了两条街，来到了其中的一个住户家里，与这家的男主人前戏一番后，早上又神秘地失踪了。

这个故事，要是拿到我曾经呆过的那家报社，我想一定会得个 A 稿，上头条。不，更可能是被我们那位总编毙掉，再批四个字，胡编乱造。

14

"你小子好像是没睡好，怎么，昨天在家挺快活吧。"韩力一边开车一边冷嘲热讽地说。

上午起来的时候，我给韩力打了电话，想请他吃饭。正好，他要开车去接顾襄，这是他们局领导的意思。因为这种网络犯罪在这里并不多见，所以这次主动联系了媒体。韩力要我等他，说接受顾襄采访的是他们中队长，没他什么事，把顾襄接到他就可以下班了。把电话放下后，我突然想起了什么，又给韩力打了电话，我要求搭车，和他一起去接顾襄，小韩同志本来不想拉我，但是在我一再地坚持下，才把我也捎上了。

一上车，就面对韩力的质疑，我没答话。我想韩力这小子真是白活在这个时代了。他对家庭的那种忠诚程度好像上个世纪五十年代的人，一点也不能容忍别人有稍微出格的事。不过，再怎么老旧他也得义气为先，我相信他不会把这事告诉我老婆的。在这个基础上，我以沉默回应他，不能多说，多说可能泄露得更多，就不敢担保他不会说走嘴。

车子开到了报社门口，顾襄正等着呢，他一见面先道歉，说他的车刚送厂修理，要不就不用接了。小韩说没事，我们三个人上了车，他一上来，大家反而都没话了。顾襄后来打破了僵局，问韩力昨晚怎么回事？说要先了解一下情况，反正我也不是外人，韩力把昨晚上的事都和他说了。

昨晚的经过很简单。韩力他们接到了一位居民的举报，说他们这层楼有一间房很奇怪，原来是空房，自从住进人后就有些不正常了。首先几个窗户就很少打开过，即使白天也挂着厚厚的窗帘，再就是几乎很难见到白天有人从里面出来。

这个反映情况的居民就在这层楼下，是个神经衰弱的老人。也该这几个女孩子倒霉，这个经常睡不着觉的老人在夜深人静的时候耳朵格外好，他总是隔着天花板能听见楼上有音乐声，有人说话，有人走动。他对这上面的住户留了心，经过观察发现，在里面住的都是女孩子，大约有五六个，她们平时都很少出来，结伴出来的时候几乎一次也没有过。经常地，半夜里还能听见有人开门。种种情况，使老人认为这上面可能住着一群卖淫的小姐。于是，基于正义感和为自己的安全着想，他报了案。

韩力他们听说这个讯息后很重视，联想到上午发现的那个可疑的本地服务器网址，他们认为这里可能从事的不是卖淫而是网络色情服务，于是马上接手。网警与刑警们中午赶到现场，因为案情的复杂性与特殊性，也为了更好的取证，他们没有打草惊蛇，而是分兵两路，一路候在对面的居民家里，一路在楼下的花园里，候了差不多一个小时，才见到那屋里出来了一个女孩，穿得很随便，好像是要去买东西。当然，她一到楼下，立刻就有便衣跟上。女孩在楼下的小超市里买了很多方便面，还有女性用的卫生巾等物件，就上了楼。警察们看着她进了屋，门立刻锁得死死的，接着就听见里面有说话的声音，应该是她们在吃饭。大家一直耐心等待，准备到夜里十一点以后才动手，因为通常这个时间，也是网络色情服务活动最猖獗的时间。

晚上十一点多一点，又有一个女孩子开门出来，把一个垃圾袋放到楼道里。这是一个绝好的时机，警察们突然出动，他们抓住了这个出来透风的女孩，顺便也破门而入，一进去就发现另外四个女孩子都只穿着三点式正对着可视头搔首弄姿……四个女孩子被当场抓了个正着。

警察们进去才发现，这个三居室的屋子除了五张床、一张桌子、几个椅子外，居然放了五台电脑，分别安放在这个屋子里的各个角落，甚至连卫生间里也有一台。这间房子的屋顶上钉着几根铁丝穿成的线，把几台电脑的位置用布帘隔开，就成了几个包间似的空间，四个女孩子各自在自己的位置上视频聊天，卫生间里的那个已经脱到胸罩的带子都解下来了。警察们一拥而入，她们几个吓得衣服也顾不得穿，连喊带叫，自然很容易被制服了。

不过，韩力很遗憾地说，虽然这次的搜捕非常成功，当场抓住了证据，但是还是漏跑了一个人。当他们进屋抓人的时候，其中一个躲在卫生间里的女孩子想要跳楼逃跑，与警员发生了争执，在争执的过程中把卫生间的玻璃打碎了。楼下守候的警察说，就在这个时候，一辆奥拓车刚刚开进院子，车子里的人看见楼上有玻璃掉了下来，马上掉头就走。守在楼下的警察感觉这里可能有问题，立刻开车去追，这辆奥拓车仗着地形熟，三拐两拐进了一个胡同，警车迅速追进去，就发现那辆车的前部正抵在墙上，已经熄火了。可能是车主过于慌乱，一下撞了墙才导致的熄火。警车追上了这辆车，但是车主跑了。这时韩力他们下了楼，上了车与第一辆警车会合，开出小区四处搜捕，可是一出了小区，人就不见了，只见街上有扔在地上的假发和外套。

那辆车已经被拉走了，牌子是假的，车也是旧的，根本查不出什么。几个女孩子当晚就被运到这里，其中一个因为在企图跳楼时与警察争执，被玻璃划伤了大腿，出了很多血，当场就由120派车接走，直接送医院去了。

对几个人的审讯全加起来不过三十分钟，她们基本上吓得已经没有了一点对抗能力，个个如实招供了。在她们的供词里，警方遗憾地得知，那个跑了的女人果然也是她们中的一员，而且是她们的组织者和负责人。

韩力详细地讲解了这些人的情况：

"她们五个人，大多数都不认识。其中有三个是从河南农村来的，是老乡，先是一个人出来打工，后来被人拉着干上了这个，于是也把另两个老乡拉进来了。另一个是社会上的闲散人员，本地人，在家待业两年没工作，因为和父母吵架，离家出走，没法生存，也就干起了这个。还有一个比较复杂，她以前就是足疗店的小姐，但是她好像是只做足疗，不卖。这个人是东北来的，是个渣子，就是她想跳楼逃跑，与警方发生了激烈对抗，不但伤了自己，还抓伤了一名警察的脸。她们五个，除了那三个是老乡外，以前从没见过面，大家都是以网名相称，连认识的那三个人也一样。这几个人都是最外围的人员，比较麻烦的是跑掉的那个，她是她们中间的负责人，也是把她们召集来的人，有关她的情况，这几个人也不太清楚，只知道她叫关莉，网上的名字叫粉红佳人，当然这个关莉的名字肯定也是假名。她们叫她莉姐，据几个人交代，这个莉姐也不是头头，她也是听指令干活，但是这个听指令的权力，她们几个人没有。所以除了她，没别的联系渠道。"

"这些人在这里从事表演，靠什么来获取报酬？"顾襄在那里不停地记，我插问了一句。

"那个叫关莉的人给她们开工资，按规矩，每小时付费 10 元，她们是从晚上九点钟开始工作的，这时就开始计时了，一般来说，大家想要多赚钱，就要尽量多和视频对手拖时间。她们结算的时间一般是十天一结。如果做得好，一个月赚两千块钱以上并不困难。"

"这些人是怎么被拉进来的呢？"我又问。

"最初把她们招进来的人也是关莉，当时关莉要她们做的职业是'网络广播主持人'，怎么样，听这个名字还不错吧。几个女孩子最初不知道要有色情表演，后来来了才知道，不过，这个按时计酬的方法把她们所有的顾虑与羞耻心都打没了。为了多赚点钱，她们最初也是有很多顾虑，但是关莉说服了她们。因为关莉自己也在靠这个方式来赚钱，也就是说，她也一样要表演。她这个示范作用很有效果，几个女孩子后来就都被拉进来了。她们都很年轻，也很单纯，包括那个东北来的当过足疗小姐的。这里还有一个农村来的，才十六岁，太年轻了。"

"她们会受到怎么样的惩罚？"我问。

韩力摇了摇头："她们不是主犯，只是表演者。从某种意义上讲，是受骗者也是受害者，而到目前为止，这种视频表演的性质还很难从司法的角度上给予定罪，我估计可能她们要被罚款、管制，之后还要遣送回原籍及通知家属。"

"都是二十几岁的姑娘，她们以后还能抬起头来见人吗？"顾襄问。

韩力说："我想她们可能早就已经想到了这点了，要不不会在网上做这种事。你想想，有时候这种黄色内容的网站一天点击率就能上万。加进来的人越多收入越高，没有一定心理承受能力的人，干不了这个。"

"我看也未必。这些女孩太傻了。我觉得她们可能压根也不知道自己在做什么。"顾襄说。

"对。"韩力同意，"但是有人知道，比如那个跑了的关莉。这个人是既做表演又做组织者，她的性质就比较严重。这个人应该比较难对付，她处事非常果断，看见情况不好马上开车就跑，车开不了马上下车逃走。和那几个吓破了胆的女孩不同，这人是个老手。而且，我们抓了人之后只不过几分钟时间，她们几个人的照片及资料信息就都让人删了，这人直接钩着这个网络色情组织的终端，她是个关键人物，甚至有可能是网络色情网站的首脑。"

我点了点头，脑海中浮现出她伏在我身上时的情景，那柔软的舌头，苦中带着甜味的红酒……没错，她真的、肯定是老手。

"据说网上有一种说法。你表演给别人脱不是高手，真正的高手是发动那些观看你的人也一起脱，现在有很多的视频聊天室，大家一起脱得光秃秃的，在那裸聊。现代人活得越来越变态，据说找这种刺激的还不少。在这几个女孩子的供词里，一致公认，关莉就是能操纵这种互动聊天的老手，因为她们都看见她怎么样让很多男人甚至是女人也一起脱掉衣服。"

我点了点头，我相信她有这种能力，应该有。

到了公安局大院停下，顾襄和韩力进去了。韩力问我现在去哪儿？我说我在这里等他，一会请他吃中饭。

"甭贿赂我，这套不好使！"韩力吓唬我，"在门口等我，我把顾襄安排好了，再出来教训你！"

我看着他们进去了，上了二楼，于是也下车跟进去了，门卫在传达室的窗子里看了我一眼，我指了指前面，他也看见我们是从一个车下来的，没当回事，放我进去了。

我走进去。挨着屋子找，最后在网警中心旁的一间小会议室里见到了夜半搜捕的成果。透过玻璃可以看见里面有四个女孩子，都穿着很性感的衣服坐成一排，统一把头低下，惊惶地缩成一团，不敢看进来的人。

我站在门口顺着门缝向里面瞅了一眼，她们都很年轻，有着良好的身材和皮肤，也有不俗的相貌，我觉得这些人基本上都在二十二三岁之间。还有几个警察也正在屋里，可能是看护她们的。经过一夜的审讯，女孩子们个个精神憔悴，茫然无助地坐在那里，等待着未知的命运。这里面有一个很小的女孩，因为恐惧，身体抖个不停，我轻轻将门推开了一些，门的响动声惊动了她，她下意识地抬头看了我一眼，她只有十六七岁的样子，很瘦，也很白净，有一双漂亮的大眼睛，但已经哭得肿成了桃子。她看着我，张开嘴想说什么，却没说出口，她看着站在门口的不穿制服的我，眼神里恐慌但又充满期待，我当然知道，这是一种求助的目光，在我曾经可以秉笔直言的岁月里，我看见过太多这样的目光了。

我们俩对视一眼，我叹口气，突然门被拉开了，一个警察出现在面前：

"你有事吗？"警察看着探头探脑的我，满脸怀疑。

"我是报社的。"我说，"想采访一下。"

"对不起，和我们宣教科联系了吗？"警察说，"你有记者证吗？要不先拿出来给我看看。"

我的记者证早就上缴了，上哪偷去？我急忙说："算了，我还是先上你们宣教科看看吧。"

我转身离去，听见那个警察在后面小声嘀咕着："神经病，一看就是冒充的。"

第三章

1

我梦见了那个倒塌的煤矿，烟尘滚滚中，很多人都被砸死在我的身边。他们的死相形态各异，都看不清脸。每个人的脸上都涂上了厚厚一层的黑煤灰，如一个个被炭火灼烧后的麻雀。我很恐惧，但是我的身体也被一块矿石压住了。这时我看见一个人向我爬来，他爬得很慢，一只手缓缓地伸过来，伸向我这里，我也把手伸出去抓他。但是我们俩的手始终不能会合，这时他抬起了头，直愣愣地看着我，他的眼神清澈如水。小石头，我使劲地喊他，但是张开嘴却发不出声音，他看着我，眼睛里迸射出无助而又充满着渴求的光芒，慢慢地那个眼神变了，变成了一个我不认识但似乎又在哪里见过的眼神。那是一个女性的眼神，她用求助的眼光看着我，充满恐惧，但是也有几分期许……

我从梦中惊醒，四周一片漆黑。我全身无力，坐在床前，眼前不断地浮现出那个无助的期待的眼神，很多年前，我看过很多很多这种眼神，这里面就有我永远愧对的人。如今，已经过了很长时间以后，这个眼神又回来了。她是谁？

我下了床，完全无意识地打开了电脑。在每个难眠的夜晚，能陪伴我的只有这台冰冷的电脑，它冰冷，但却似乎能容纳我所有的感情。

接上电源，等待着开机。我又下意识地拿起了手机，手机一直没关，那上面没有任何陌生的未接电话和短信息。

我闭上眼睛，那个眼神不断地在我的脑海里出现。我想起她是谁了，她是我白天在网警中心见到的那个女孩子。她最多只有十六岁，眼神里还有很多清纯的与稚嫩的东西。当时，她就是那样无助地望着我，有几分恐惧，有几分期待，这个眼神和梦中见到的小石头在那个倒塌的煤矿里看我的眼神完全一样。

我进入了收藏的网页。打开了"天天星期八"网站的链接，屏幕上出现了"错误、网页已过期"的字样。

有人把服务器内容删除了。

我坐在那里，看着面前的空白网页，我在想这个删改服务器内容的人是谁？

是她吗？她有这个能力把服务器内容删除吗？还是另有高人在幕后操纵这一切？

现在已经是第二天了。她知道我的手机号码，但是没有给我任何的讯息。可能，她已经落网了。

她会招出我吗？我又会犯了什么罪？

我反问自己，昨天为什么不对韩力说明一切，为什么我不告诉他其实他们要抓的人昨晚就在我这里，我又为什么冒着那么大的危险保护了她？难道仅仅是因为她很像那个人吗？

一边想着，我一边信手打开"搜索引擎"，在里面敲上"网络色情犯罪"的字样。

信息全涌了上来，都是全国各地网上扫黄的信息。武汉，警方抓捕了以自拍、偷拍、下载黄色电影为主要行为的"交友俱乐部"；上海，六名视频女郎落入法网，供出两名具有研究生学历的夫妻开设的色情视频聊天室；江苏，一名女大学生网上贩卖黄碟被抓获；福建，几名男子因链接黄色网站多达十几个，上传照片和电影多达万部而被抓获；南京，一群白领利用网络搞群交游戏和征友游戏，被当场抓获；石家庄，三名域外黄色网站分站的版主级成员在邮局取款时被抓获；昆明，十名妓女在网上组成卖淫团伙，利用网络卖淫被查获；合肥，一间网吧里发现了一群裸聊人群，他们包掉了整间网吧进行群体裸聊，网吧当场被封，网吧老板在逃；济南，一个在校学生筹建了大型的网站，表面上是反映大学生生活的，里面有大量的买春信息，该学生被警方在校舍里抓获……

无数的信息涌上来，令人目不暇接。

我关掉这些页面。百无聊赖间又进入了另一个比较大的门户网站。

这个网站专门有一个"同城约会"的主题聊天室很受欢迎，但是我只是听说从来没来过，我起了个网名进去，进入页面的加载程序，就看见很多古怪的名字挂在名字列表上，但是主页上却见不到有人对话，这种情况说明一个问题，大家都在自己的网上包厢里私聊。我查找着列表上那些古怪的名字，通常，如果大家都在私聊，你一般是不会约到聊天对象的。找来找去，我发现了一个名字，很直接的：二百元做一次。

我点击了她的名字，然后在对话框里打上一行话：

能告诉我你的名字是什么意思吗？

她迟疑了一会儿，回话：

就是说二百元你可以和我做一次爱。不过夜，你选地方。

我问她：我怎么知道这是不是骗局？

她回话：你告诉我你的电话号码，我给你打过来，你就知道了。

我没回话。

过了一会她又主动说了一句：

要不，我告诉你我的号，你给我打。你要是想做，就过来找我。你要是条子，就算我倒霉。

我打上一句：可是我没有合适的地方。

她回话：你要是没地方，我可提供地方。但要加收五十元房费，你放心，我经常出来做，这里也挂了不止一天了，不会骗你的。我感觉你不像条子，才和你说这些的。

我退出了这间聊天室。

我相信她说的都是真的。这个同城聊天室，是只有在同一城市的人才能在一起聊的。那么，这个网上妓女现在可能就潜伏在这城市的某一个角落里，也许是在家中，也许，在某一个网吧。在那里，她与很多成年、未成年的人都挤在一起，对着屏幕享受着另一个不为人知的世界，没人知道她是谁，这也正如没人知道、没人关心我是谁一样。在网络里，人们只关心一件事，你是为了什么目的来的？性就是一种目的，那些个沉溺其中的人，就是为了这个目的来的。

　　我把电脑关上，头昏脑胀，打开电脑没有让我稍微冷静反而更加混浊。人是一种什么样的动物，为了怕寂寞而整出许多事端，反过来又被这些事端搞得烦得要死。

　　正在胡思乱想间，手机突然响了。在午夜时分，手机铃声突然响起有种凄厉的感觉，令人心惊肉跳。

　　我打开手机，上面出现的是一个陌生的号码，接了来，一个柔媚的女声传了过来："喂！"

　　我的心跳倏然加剧，这个人肯定是她。她终于来电话了！

　　我接了电话："喂，你好，哪位？"

　　那女人轻声说："你好，你是李文波吧。我是胡一平的朋友，我姓万。你现在能不能来一下，胡一平喝得太多了，他的车开不走了，他让我给你打电话，把他的车开走。"

2

　　我打车赶到胡一平他们呆的那间歌厅时，已经是夜里十二点多了。一进屋就看见胡一平喝得东倒西歪的，和一个穿着很时尚的女郎靠在一起。里面还有几个人，也都喝得前仰后合的。

　　我一进去，胡一平就冲我大呼小叫起来："来，文波，来。我给你介绍一下，这是张局，马总，我是胡总，不对，你认识我，对，应该介绍的是这位，这位是刘局。"他一一指过去，这些总们局们站起来礼贤下士地与我一一握手，站不起来的就挥手致意。我观察了一下，他们个个贼不走空，怀里都有个千娇百媚的女孩子。屋里光线昏暗，虽然见不到她们的具体长相，但个个都长了一口白牙，一笑起来灿灿生光，都很青春时尚，一看就不是常出来混的小姐。

这里面尤其以胡一平身边搂着的那个女孩的牙齿最白，笑起来也最妩媚。她倒在胡一平的怀里，但是手很谨慎地环抱着护在胸前，显得身体很娇小，但也很自然挡住了胡一平的魔手，让他最多只能扣住她的小臂，这个截然不同的防狼姿势给我的印象深刻，甚至超过了她的明眸皓齿。胡一平见我观察她，很得意地说："文波，介绍一下。我新认识的女朋友，汇川房地产的万总，也就是我常给你说的囡囡。不过，这个名字，只有我才能叫，你可不能跟着叫。对了，囡囡，你叫什么来着，跟我好朋友说说——"胡一平在她脸上亲了一口。

"哎哟。"女郎娇嗔地一把将他推开，"老胡，你真是喝多了，让人家看见像什么。"面向我，她马上恢复了落落大方的劲头，伸出手来："我是万绮珊。你别听老胡瞎说，什么万总的，我也就是个打杂跑腿的。很高兴认识你，老胡常说你。"

我们两人握了手，她的手潮湿冰冷，握着很不舒服。我们的接触到此为止，接下来老胡喊了一瓶 XO，大家就开始连喝带唱了。我冷眼旁观，发现这个场合好像是胡一平做东，而这里面真正要请的人是那个叫张局的，胡一平不停地给他敬酒，其他人也随声附和，那个张局兴致很高，对万绮珊格外有好感，拉着万绮珊跳了几场舞。

一到这种场合我基本上就是那种自己放倒自己型的，除了干喝酒没什么话可说。

喝了不少酒，听一片片鬼哭狼嚎的声音，我的头有点晕。出来上趟洗手间。尿到一半，突然背后有人拍我，一回头酒气扑脸，胡一平贴上来了。

"哥们儿。"胡一平低声说，"一会开我车走啊。我老婆又去美国了，昨天走的。我刚在外面订了一间房，不回去了。"

"订房干什么？"我明知故问。

"妈的。你不知道我要干什么咋的？那个妹子盘子亮不亮，我在她身上搭了那么多钱，今晚天时地利人和，我今晚要不搞定她我是孙子！"

"谁呀？就是那个囡囡？你的梦中情人？"

胡一平得意地一笑："今晚我让她做床上情人。"看我直摇头，他推我一下："你不信？"

我说我信。胡一平又贴上来了："哥们儿，你把车开回去，今晚也别走了。就在我家住吧，东东就一个人，我怕他害怕。"

"你们家东东都十六了，他还怕呀！"

"这孩子胆小，长这么大就没一个人睡过。今儿你一定得陪他。反正你老婆也不在家。"胡一平拍拍我的头。

"我老婆不在家，你怎么知道的？"

胡一平诡秘地一笑："什么事瞒得了我？这事就这么定了，你呀，也别呆了，一会就散。你先走，回去看着我儿子睡觉。东东这小子见我不在，肯定又在那玩通宵游戏呢！"

我不满地说："我是你们家司机啊还是佣人？你在这快活，让我去回家替你哄儿子。"

胡一平直摆手："哎呀，你就去吧，哪儿那多废话？今晚要能玉成好事，哥永远忘不了你大恩大德。哎，要不这样，明晚咱富丽华快活一次，我给你找两个雏鸡，怎么样？"

"我怕得禽流感，你还是留给自己吧。"

胡一平把车钥匙车库钥匙家钥匙都给了我。正好，我也不去告别了。出了门，开他的车就走。

我打开车窗，任窗外的风吹着我的头发。我突然很想念安琪，现在要是安琪就坐在副驾的位子上，将头靠在我的肩上，我们俩驾车一起穿过这夜色下纵横平坦的街道，那将是多么美的事啊！

想当年，我们俩刚分到报社的时候，都跑社会新闻。那时候的交通工具就是自行车，安琪和我，在旧货市场买了两辆自行车，我还记得，我的是二八永久，她的是二六幸福，是两个老牌子了，安琪挑的，她说这两个车子的名字好，永久幸福。那时候，我们两个，骑着车子穿行在城市的每一个角落，雪天、雨天、雾天、弯路、崎路、坡路，为了一篇稿子、一个新闻、一些其他人的不平事，乐此不疲，穿梭不停。我们的脑子里装的都是永久幸福的梦想，还有秉笔直言的操守，现在想起来，那似乎已经很遥远了。因为一篇篇的批评报道，因为那次煤矿事件，因为小石头的死，因为安琪她爸爸最后的下场，我们之间有些东西已经再也难以愈合。现在的安琪，开着崭新的富康车，满脑子全是合同、协议、利润、提成还有升职，以及富康的梦想，也许是她进步了，也许是我越来越保守和滞后了，我只知道我们已经再也难以回到从前了。

车开到胡一平家时，因为满脑子都是对往昔的回忆，我险些开过站。胡一平家是一个两层的小楼，有两个车库，胡夫人只要一出国，她的那辆奥迪车也就搁置着。胡夫人与胡一平是大学同学，也是比较早的下海一族，现在是美国一家大的服装公司驻中国的总代理，经常往美国跑，她还说等东东高三毕业就带他出国。我很怀疑胡一平的婚姻已经名存实亡了，他老婆一心要出国，他从来没对此事发表过任何意见。而他们夫妻俩基本上也从不同时在一个场合出现，我一直怀疑，胡一平每天声色犬马与此有关。

我把车开进小院，放进车库，看胡家的两层小楼，一片漆黑。我估计这个时间胡东东肯定已经睡了。他明儿一早就得起来上学，没理由十二点多还不睡呀。

为了怕惊醒东东，我小心地把门开开。里面一片漆黑，我连灯都没开，摸着黑，把鞋换了。然后又进里屋，以前喝多了的时候也经常在胡一平家住宿，他家楼上有四间卧室，有一间就是专门待客用的。我在那间房里住过好多回，轻车熟路，我直接就上楼去了。

我尽量不发出声响，怕惊醒胡东东，小心地上了楼。上得楼来我发现有一间卧室还亮着灯，门也虚掩着。那是胡东东的卧室。

这小子没睡。我的好奇心和童心起来了，轻手轻脚地走了过来，我要看看这小子在干什么。

透过虚掩的门缝我看见胡东东背对着我坐着，在他面前的桌子上，是一台超大屏幕的电脑。胡东东坐在那里，盯着电脑，耸动着身体，嘴里还呼哧呼哧地喘着气。他的耳朵上还戴着一个大的耳机，似乎在听着什么。

他的动作非常奇怪。由于是背对，我只看见他的身体晃着，不知在干什么，但是往前一看，却不由得呆住了，在电脑屏幕上，一个女人正在解开胸罩，嘴里还在说着什么，当然，因为有耳机的缘故我听不到，但胡东东听得到，胡东东的身体不停地在动着，头也不停地点着。而他电脑上的可视摄像头也是开着的，正对着他的身体。

3

站在门口我犹豫了很久，最后决定不进去。我想我此时要是进去了，胡东东会怎样？他会难堪，会恐惧，更多的是会产生那种在他这种家庭出身的孩子身上从来没有过的羞耻感，这种羞耻感可能会永久地毁掉一个孩子的自尊心。

躺在胡一平家高档的胡桃木靠背、樱桃木做衬的床上，我怎么也不能入睡。在别人家里过夜也不是一回两回了，可是这次我突然非常想家，想我的妻子安琪。我给她拨了电话，还是关机的声音。我给她发了个短信，只有三个字：对不起。我想明天早上她要是起来看手机，她会发现的。

躺在床上，脑海中不断浮现出刚才见到的一幕。我对自己说：

从小到大，胡东东一直就是个品学兼优的好孩子。刚才的那一幕不过只是他成长过程中的一个小插曲，可视聊天，黄色网站对现在的中学生来说都不是什么新鲜事，他也不过是出于一种生理上的需要，这不能说明什么。自慰是一种极正常不过的生理行为，唯一不同的是，他只是看见了一般人看不到的东西而已。

我在心里这样的安慰自己，但不知为什么心里就是非常不舒服。我在想胡一平此时在干什么？他一定是在一家五星级的宾馆里，搂着万绮珊在那里翻云覆雨，而他十六岁的儿子，就在电脑里和人"裸频"。他老婆呢？也许现在在美国，但是鬼知道她现在在干什么？也没准她也在某一家五星宾馆的床上，和一个情人也在干着类似的事，这世上什么不可能发生？安琪呢？

一想到这，我心突然颤了一下。我反思起安琪近来和我其实是一种名存实亡的关系。我们之间真正的分歧在她爸爸死了以后，但出现隔阂的导火索还是她辞职去了宏天广告公司当副总，从那时起，我们正常的生活就被打乱，谈判、策划、出差、酒席，安琪分身乏术，半夜回来是常事。一回来她去的第一个地方是卫生间，然后就是床，我呢，则整夜整夜地在网上泡着，聊天，看乱七八糟的东西。我们比胡一平高明多少？

胡思乱想，一时难以入睡。突然手机响了，声音很刺耳，我一惊，以为是安琪打来的，急忙光着身子下地取出手机，上面的号码是胡一平的。

我接通电话。奇怪的是，胡一平的声音极其清醒，与刚才判若两人。

胡一平问："我儿子睡了吗？"

我撒了个谎："他屋里一直黑着灯，我估计他早就睡了。"

胡一平的声音在电话那头很颓丧："好的。你听着，十分钟以后我回家，你把门给我开开，注意别吵醒了东东。"

我吃惊地问："怎么？你自己回来？那位万小姐呢？"

胡一平愤愤地说："操他妈！她放我鸽子了。这事回来再说。

十分钟以后给我开门，动作要轻点。千万别把我儿子吵醒了。"

胡一平放下电话。我起身去看胡东东，他屋子里的灯还是开着的。我轻轻推开一条门缝，看见胡东东趴在桌上，两条胳膊软塌塌地垂了下来，耳朵上还挂着耳机，嘴里发出均匀的鼾声，他趴在桌上睡着了。

电脑还是开着的，已经进入了待机状态，屏幕是黑的。

我轻轻地进去，胡东东睡得很香。我从他床上拿了一床被子，给他盖上，他嗯了一声，身子动了动，还没醒。

我轻轻地点了一下鼠标，电脑从休眠状态中复苏，页面上什么也没有。所有的网页都关了，只有 QQ 还开着，一个头像在闪动着。

我轻轻点了点那个头像，是个女性的头像。上面有一句留言："好看不？"

那个女性的头像下面有个名字：芳姐姐。

我把胡东东耳朵上的耳机摘了下来，然后把电脑音量设置成静音状态，无声无息地给电脑关了机。

胡东东一直在睡着，一点醒来的迹象也没有，他太困了。

我看了看表，一点四十，明早七点钟，胡一平还要送他上学。我怀疑这父子俩谁能起来？

我把灯关上，然后又把门关死。回到客厅，开了台灯，等着胡一平到来。

⌗

胡一平很准时地回来了，门轻轻地响了一下。我看见他的身影闪了一下，进了客厅。

满身酒气的胡一平，表情却比我刚才在歌厅里见到他时清醒得多，他疲倦地把鞋脱下，连拖鞋也没穿，赤脚进了客厅，一屁股坐在沙发上。

"文波。"胡一平疲惫地说，"给我接杯水，我累坏了。"

我给他接了杯热水，胡一平一饮而尽，坐在沙发上沉思了一会，突然自嘲地笑了。

胡一平笑着说："他妈的，被人晃点了。"

老实说，胡一平突然说出"晃点"这个词，让我吃了一惊，这种网络流行语竟然从他那种除了生意就是生意的嘴里出来，也委实让人有些不习惯。

胡一平掏出手机，拨弄了几下，交给我，说："你看吧，这是那小妞给我发的短信。"

我打开看看，上面写着这样的话：

"胡总，不好意思，我得先走了。因为女人特有的生理上的问题，我今天很不舒服，不能陪你了。详情不便说，你是过来人也知道，为了不扫大家的兴，请原谅我不一一辞行了。绮珊。"

"哈，"我幸灾乐祸地说，"这么说你是赔了夫人又折兵？"

"是。"胡一平叹息一声，"她假装去洗手间的工夫就开闪了。可惜，五星级总统套间，三万元一套的水床，还有一瓶1903年的路易十四，还有我交了八百的订金，全他妈废了。"

我说："可是人家做的也没错，你没看写着，生理上的问题，今天不能和你开房，其实是替你省了。"

胡一平摇了摇头，说："聪明，她聪明，这叫我下次见了她也无话可说。一个女人大姨妈来了，拒绝你的理由就充分了，你还没法问。所以说，文波，在你没有钱的时候，千万别学我，没钱还想泡漂亮的妞，那就三个字——神经病。"

我讥讽地说："你放心，有钱我也不会找你那种漂亮妞。"

胡一平笑了："李文波呀李文波，你真是书呆子。你以为我真的对她有兴趣，我这就是一卖孩子买猴的勾当，玩！你以为她真冰清玉洁，她这就叫欲擒故纵，真那么清纯，她上这来干吗？这号女人，我见的不是一个两个。今晚你以为我真是为她？呵呵，那总统套房没浪费，有人住进去了。虽然不是我，比我住进去更好。"

胡一平得意极了。起身去厨房，不一会拿了一瓶杜松子酒和两个杯子进来了。

"你有病。"我说，"你都喝成啥样了，还喝？"

胡一平把杯子倒满，说："你以为我真的喝多了？这刚哪到哪？我要不醉他们能忘乎所以吗？今晚这几个主，白天都人五人六驴脸大挂的，你不比他们先醉，他们会放开吗？"

胡一平端起一杯一饮而尽，兴奋之情溢于言表："你知道今晚来的都是什么主？那张局是工商局一把手，刘局是文化局主管特行的局长，这两人是请都请不来的爷，今晚哥们全搞定了。"

我冷眼看着他说："我明白了，那总统套房里肯定空不住了。"

胡一平说："这你就错了。那房里住的人还真不是他们。"他突然话锋一转："文波，你老婆安琪在宏天那儿干，一个月能拿多少？"

"没问过。三四千吧。"

胡一平又倒了一杯酒，一口干了，站起来雄心勃勃地说："我敢打赌，你老婆给宏天当副总，月薪过不去四千。再加上分红、提成，一年她要是能赚十万，那她就得把命搭上。"

我说："好像是没你说的这么多。你问这干什么？"

胡一平恳切地说："我想让你老婆跟我干！"

我吃惊地说："跟你？倒煤？她哪会呀！"

胡一平阴阴一笑："你还不明白我的意思。我今晚为什么要请张局、刘局，那是因为我想注册一个广告公司，和宏天那帮人对着干！"

我十分不理解地说："干广告？你有病吧你，煤的生意多好做！广告市场现在都饱和成什么样子了？哪还有利润！"

胡一平说："这个你就不知了。过去我们做煤的生意是因为有很多政策上的空子可以钻，但是现在，国家对这块控得越来越死了，老关系们有的倒台有的被双规有的退下来了，不太好使了，这块钱其实不好赚了。广告这一块虽然赚钱少些，但是我们这里除了宏天，还没有一个大的有实力的广告公司。这对于我来说是一个优势。我决定做一家最大的，好好挖一下这个市场。再说，这里面还有个原因，也是我考虑了很久的。"胡一平停了下来，沉思了片刻，说，"文波，你是我的好哥们，我也不瞒你，这两年倒煤，我是赚了一些钱，但是有些钱赚得有点问题，见不得光，开个公司转转账，也是必要的。"

"我明白了，你是想开个公司把那些见不得光的钱洗干净了，对吗？"

"也可以这么说。不过，主要的原因还是广告那块利润还是很可观的。最近我刚打听好了，听说金鼎房地产正在搞一个广告招标活动，一年几十万的份额，谁要能拿下来谁就等于挖了个富矿。我听说安琪在这一块上下的功夫不小，金鼎的刘总对她的评价不错。"胡一平过来拍拍我的肩，"你老婆是把好手，搞策划搞营销搞公关都有一套，让她来跟我，前途无量。"

"嘿嘿，"我哼一声，说，"没看出来她有这两下子。"

胡一平说："你的眼珠都让猪油泡了，你老婆那两下子你竟然一无所知？这两年，市面上都传开了，说宏天的老莫找了一个公关大师，又漂亮又有才干又有头脑，你知道多少人想挖这个墙角吗？只有你这样的傻子才看不出来，当然，你老婆在家也不给你说这个，你这人不是清高吗？不过，这次的事，你们夫妻俩得帮我，我公司要是起来了，我给安琪月薪六千，不算提成不算分红，要是嫌少，咱再商量。"

我说："就别商量了。宏天的老莫对我们有救命之恩，当年安琪和我双双辞职，要不是他给安琪一碗饭吃，安琪能有今天？现在连她开着的车都是宏天提供的，人家宏天对我们不薄，安琪凭什么跟你？"

胡一平说："生意场上就没有什么永远的朋友恩人，只有两个字——利益。这事我也不和你说了，你脑子迂！安琪她懂，等我给安琪打电话，丑话说前头，你别跟着瞎搅和！"

"我跟着搅和什么？老莫在广告圈多少年了，你和他斗，你撼得动他？"

胡一平得意非凡地又倒上一杯酒："我撼不动他？你知道今晚那个刘总是什么人？"

"就是那个手老往女孩胸口里伸的家伙？那咸猪手不会是宏天的人吧？"

"聪明！他是宏天的副总，老莫手下的第一红人，也是业内有名的营销大师。听说每次招标都是他去谈的，但是过了今晚，他尝到了我给的甜头，他就是我未来的副总。"

"我知道了，那间总统套房你是给他留的？"

胡一平赞许地点头。我嘲讽地说："我明白了，所以今儿晚上万绮珊她那点小伎俩，你根本也没放在心上。"

胡一平说："那当然，她算老几？她的事过两天我保准摆平了，她不就是要钱吗？"

不知不觉间，我们又喝了半瓶杜松子酒，胡一平又开始兴奋起来了。我突然想起了一件事，就问他："老胡，你怎么知道我老婆今晚不在家？"

胡一平略一沉吟："我说过吗？噢，这事猜也猜出来了，要不你能这么痛快地半夜出来吗？"

我哼了一声："反正你这家伙，一到缺司机时基本上就忘不了我。"

胡一平搂住我的肩膀："我会补偿你的，要你老婆跟着我干，发大财，不就什么都有了。行了，咱都睡吧，今天还真他妈的累！"

我把胡一平的手推开，装作漫不经心地说："你睡吧。我也困得挺不住了，不过有个事提醒你一下，东东的卧室里最好别放电脑，我怕影响他休息。像电脑这种东西还是放厅里或书房里好，没有放孩子卧室的。"

胡一平比我还漫不经心地答应着："噢，好好。"

5

早上起来，胡家父子还在酣睡中，我打车先走了。

一夜无眠，我回到自己的窝里，倒头就睡，胡家设施一应俱全，但不知为什么，就是睡不踏实，一回到自己家就好了。

一觉到中午了。醒来时去楼下信箱取趟报纸，打开一看，一版有几张巨幅照片，画面上是几个低着头半蹲着的女人，眼睛处都被遮上一个黑条，看着都挺面熟。再看旁边的通栏标题：

"网络视频色情女主播惊现我市——四名女子昨晚被警方捕获"

这种"惊现"句式的标题一看就知道是谁写的，果然一看作者，就是他——顾襄。

我看了看内容，内容与韩力和我说的大致相同。不同的是，对四名被抓女子有了一个深度的采访，看来顾襄可能单独采访了她们。这里面特别提到一个只有十六岁的打工女张莉（化名），说她自从被警方抓住后就一直哭，还问能不能交完罚款后就放她走，说不想让自己的父母知道。顾襄特别着力地写了这个女孩的情况：说她家是农村的，就在本地的郊区，半年前离城来这里投奔老乡，本来是在一个小饭店里打工，后来就被店里的河南籍同事诱骗着干了这个。她现在后悔得要命，最怕的就是被她的家人知道了，再也没有脸见村里的人了。

我看了会儿报纸，自己热了杯奶，又随手打开电视，正演广告呢，看了几分钟，准备换台时，本地新闻开始了，头一条就是有关昨晚的搜捕行动的，一个记者手持话筒出来说了一下事情的经过，然后镜头推到一名警察身上，他先接受记者的采访，说了一些昨晚搜捕情况的大致经过。接着镜头一转，那几个可怜的女孩子就又出现在屏幕上，脸上都被打了马赛克，她们大都支支吾吾的，在记者的话筒面前闪烁其词，假装很镇定。只有一个女孩不停地哭，一句话也不说。我想她就是顾襄文中写到的那个十六岁的女孩，从她的衣服上我感觉，她也就是我那天看见的那个眼神恐惧而无助的女孩子，虽然她脸上被打了马赛克，但我还是很迅速地认出了她。这些人中她年纪最小，只有十六岁，也难怪顾襄和电视台的记者一眼就盯上了她。

这段采访结束后，韩力突然蹦了出来，电视上的韩力面有菜色，疲倦不堪地做了总结性发言。

韩力说："这是我市首次破获的以视频聊天形式进行色情活动的案件。从抓获的这几个人看，她们有个共同的特点，就是都有比较良好的出身，没有案底，从前也都没有从事过具体形式的卖淫活动，她们与传统意义上的色情犯罪有很大的区别，她们从事的是以表演为性质、赢利为目的的一种行为，这种行为是利用网络的互动性完成的，但是不发生直接的接触，这无疑为此案的定性带来了难度。作为表演者，她们之间对对方的情况也比较生疏，甚至连真名都互不知道，她们完全听命于组织者，因为完全的交互性的联系方式，她们也可能连组织者的真面目都从没见过。从外表上看来，她们几个人都是很年轻很单纯的女孩，对有关网络的法规一窍不通，也是在别人的诱骗下，心甘情愿地成了色情罪犯的帮凶和工具……"

我把电视关上，给安琪打电话，还是关机。

我很烦躁地在屋里走来走去。电话来了，又是胡一平的，他问我昨晚上东东睡得怎样？说早上送他时发现他精神很差。

我心想，他和人裸聊到半夜，精神能好吗？但嘴上说他可能是学习太刻苦了，所以才导致精神疲倦，胡一平表示同意，说会去药店买点补品给他吃，又问我这周日有没有时间，想带着东东去翡翠岛玩一天，钓钓鱼划划船什么的，我说到时再说吧。

放下胡一平的电话，我心里有了一个主意。我给赵清明打了电话，约他下午喝茶，顺便说说胡东东的事。

6

我们定在心香茶楼。定在这里是因为我有一张存茶卡，是安琪给我的，这茶楼的老板是他们一广告客户。

我整整睡了一下午，起来先洗了个澡，然后再给安琪打电话，还是关机。他妈的！不理她了。径直出了门。

那间茶楼离我们家不远，与其花十元钱打的，还不如走着去，我一边漫步一边想着怎么和赵清明说这事。

背后有车喇叭的鸣响声，回头看，一辆红色赛欧正在我身后缓缓贴近，车窗摇开，一个打扮得时尚靓丽的女人向我打招呼："嗨！"

阳光刺眼，我冷不丁没认出来她是谁，站那观望了一会才反应过来，她是万绮珊。

万绮珊将车靠在我身旁停下，没熄火，有点嗔怪地说："你真是贵人多忘事，怎么，不认识我了？"

"哪里，"我双手合十，做抱歉状，"关键是你太漂亮了，如此明艳动人的美女，怎能不让人多看几眼？"

万绮珊笑了："花言巧语。你们这些文人就是酸。来，上车吧，去哪儿我拉你。"

她把电动车门打开，我也不客气，上车坐在她身边。

万绮珊车里还放着音乐，音乐的旋律非常熟悉，我一下就听出来了。说："YESTERDAY，这是保罗麦卡特尼的作品。"

"行啊，"万绮珊说，"还挺专业的。"

"也不是，这曲子上大学时总听，当时真是百听不厌。"

万绮珊按了一个钮，那盘 CD 从汽车音响里弹了出来，她爽朗地说："那送你吧。反正我英文差，也听不出好来。"

我拿起那盘 CD，对着阳光扫了一眼，不错，光区平坦光滑，纹路细致，以我多年淘碟的经验，这绝对是正版的，相信价值不菲。我把那张盘放下说："君子不夺人所好，还是你留着吧。"

万绮珊呵呵一笑，说："我可没说我好这个。不过，你这人挺有意思，我倒是觉得，你和他们不太一样。"

"也没什么不一样的吧，我只是没你认识的那些人有钱罢了。"

"也不是。"万绮珊把盘又插进去，沉思了一下说，"我总觉得你这人身上有种属于过去的东西，真的，我一眼就发现了。你和他们真的不一样，你像是活在过去的某一个世界里的人。"

"没有吧，我天天都活得很现实，你看，胡一平那儿有免费的酒喝，一叫我我就过去了。"

万绮珊摇头："那不是你的真心话，我总觉得，其实他那样做有点欺负人，那样半夜叫一个人过去给他开车什么的。当然，你们是好朋友，义气为重，可是我总不相信你是那种可以接受这个的人。"

我干笑两声，以沉默应对万绮珊试探性的问题，有关我是个什么人这样的问题，其实说起来再深究起来都是世上最无聊的事。

车快到茶楼了，我给她指了指方向，万绮珊将车往里拐，一边打着方向盘一边漫不经心地说："我问你个事，希望你如实回答，好不好？"

"说吧。你要是问拉登在哪儿什么的，我就得编了。"

"是这样，"万绮珊把车停下，却不急于打开电动车门，"在你和那些人的心目中，是不是认为我和胡一平有那个关系？"

"哪个关系？"我明知故问。

万绮珊掠了掠头发，眼神有些迷离地望着窗外，必须承认，这个动作十分性感招人，连我的心都为之一颤，于是更充分理解了老胡为什么会对她如此穷追不舍！万绮珊望着窗外，语气更加漫不经心地说："我想昨天老胡一定是气坏了，他可能精心策划了这个局面，却让我给搅了局。不过，我可以实话告诉你，我真的不喜欢昨晚上的那种气氛，这个城市里的有钱人都是土包子，以为摆阔和粗俗就是一种可以征服别人的力量，我很反感。你认为呢?"

我摊开双手,假装若无其事地说:"我倒觉得还好。那气氛多热闹啊!"

万绮珊嘲讽地撇了一下嘴,说:"不会吧,当年以写批评报道而闻名一时的李文波大记者,现在怎么会变得这么虚伪?"

她这番话让我着实吃了一惊,难道她知道我的过去?我正想问她,万绮珊用手敲了敲车窗,然后向前一指说:"那人是谁,你朋友吧?"

我抬头看去,透过车窗看见赵清明正站在茶楼门口,向我们的车里望了一眼,眼神锐利而怀疑。

7

"我看过一份资料,说在中国是大学生们在制造着网络色情。"赵清明给我倒上一杯茶,分析说,"起先我觉得这个说法有些偏颇,但最近我信了。前两天我刚从浙江回来,听那里的高校负责人说,今年全省搞网上扫黄活动,法院处理了十几起网络贩黄案件,居然有80%的涉案人员都是大学在校生。我还看过一份资料统计,说是大学生中有40%的人曾上过黄色网站,我觉得那资料太保守和虚假了,事实上应该是80%甚至是100%。"

"大学生是网络色情的主力军,这个早已不是什么秘密,可是胡东东他刚上高二,这么小的孩子,现在就迷这个,那将来怎么得了?"我说。

赵清明说:"这也不稀奇,现在各地网吧成风,网吧里多大的孩子都有,但是主要的人群是高中生。大学生一般宿舍里都有个人电脑,上起来比较安全,就不去网吧了。现在的网吧被查得严,黄色网站的IP大都给封了,他们就用视频聊天钻这个空子。"

赵清明痛心地说:"不过,东东做这样的事还是让我很担忧的。他爸爸请我做他英语和电脑的家教,老实说是花了大价钱的,要不我不会干。我帮他购置和安装了可视头，原本是为了让他学英语和与人对话交流的，没想到他竟然干起这个，我今晚就把他那个可视头拆掉，看来这不是什么好东西。"

我喝了口茶说："也别太操之过急。我相信东东也是贪图好奇，他本质上是好孩子，可是网上的垃圾太多，我倒不怕他学坏，主要是怕影响他学业。这样的例子太多了。"

"对，"赵清明说，"这事不能操之过急，我会抽个时间和他谈谈，不行还是要把那个可视系统拆掉的。不过这事也先别和他爸说，那个人，我看对教育孩子这方面并不在行。"

"没错，"我赞同说，"我一直没和他说，也就是这个意思。他们两口子，现在心思全在钱上，对孩子基本只是物质上极大丰富地给予，缺少关心。我看他对你确实是很信服的，你要帮帮他。"

赵清明说："这个自然。东东是我的学生，我责无旁贷。"

我们俩在这呆了一个多小时，喝光了几壶茶，谈得很是愉悦。

赵清明呷了口茶，有点焦虑地说："我看现在的孩子是越来越难教了。我上学的时候，只有一个目的，学习是为了出人头地改变命运。不学我就要回家种地，不学就没出路，和我爹一样，一辈子面朝黄土背朝天。可是现在的孩子好像没这个顾虑。网络对他们的吸引力简直超过了一切东西。老实说，我每次打开电脑时也都会有种感觉，我面对的不是一个普通的公文处理机器，而是一个可怕的陷阱，也是一个极难战胜的敌人，他能满足我一切的潜在欲望，也能把我拉进我永远无法进入的另一个世界。我现在面对电脑时，也经常会静不下心来做学问，它太博大，太多元，太有诱惑力了。我很理解胡东东，要是我处在他这个年龄这种家庭，我一样会沉浸在里面，难以自拔。"

我深有同感，点头说："我也一样，其实我也很讨厌那种陷进去的感觉，但是现在好像上了瘾，只要一看见电脑，就难以抑制打开它的冲动，就像那些吸食了鸦片的人一样，戒也戒不掉。我一直问自己是怎么了，烟都可以戒了，可是为什么网却不行？"

赵清明尖锐地说："你听说过这样一种男人吗？他们常年上网，身体的各种机能已经退化，当然，主要退化的是性能力。但是，一打开电脑，只要一进入视频聊天的状态他们马上就能坚挺如初。现在对这种色情聊天有一种比较流行的说法，叫网络做爱。很多人只有在这个时候才有能力，一边聊天一边对着电脑自渎寻找高潮，这事说来很龌龊，但是真的很多人都是这么干的。我们系里有个副主任就喜欢这么干。后来被人发现了，传遍了整个校园。虚幻的东西居然战胜了实际存在的东西，还有比这个更荒谬的吗？"

我叹口气，突然想起自己那糟糕的性生活，顿觉赵清明的话放在我身上也很合适，于是发现很难把这个话题接下去。

"不过，"赵清明话锋一转，"我倒觉得东东还没到这个地步，或者说，远远不到。那种网络综合症型的学生我见过，东东绝不是这样的人。"

"所以这时才更需要你这样的人为他指点迷津，别让他走上歧途。"我说。

我们俩正说得投机，我的手机响了，一个很陌生的号码出现了。

"不好意思，我先接个电话。"我把电话放到耳边，"喂！"

没有声音。

有那么一刻，我以为这个电话是安琪来的，正想喊她的名字，那边突然传出一个谨慎的女人的声音，很低沉地："喂，你好。你还记得我吗？"

我的血液几乎一下冲到脑子里，这是她的声音，我当然记得她。

我站起来，走到卫生间没人的地方，悄悄地说："我记得你，你在哪？"

那边有短暂的沉默，接着说："我还在这个城市里。"

我说："还好吗？"

那边又是一阵沉默，也用很低的声音说："不太好。"

我说："我能帮你什么？"

她说："我怕不太可能吧。我给你电话不是想请你帮忙，我只是想约你一下，我要把钱还给你。今晚九点，在天岛咖啡厅二楼靠窗的一排座椅上，我等你。"

电话挂断了，远远的我看见赵清明已经走到柜台旁，掏出钱包买单。

第四章

1

九点钟我准时来到了天岛咖啡厅。

一般到了九点，市区里的咖啡厅就人满为患，她约我去的那间天岛咖啡厅远离市区，是在郊区附近的学院路上，比较高档，但是也很安静。我一上来时就感觉到了，一楼大厅里几乎没几个人，但是大厅演奏师依然在那里敬业地弹着李斯特的钢琴曲，很专业。上了二楼，经过一个又一个隔断，在最里面靠窗的一个隔断里，我看见了她。

她还是那副样子，短发，染成红黄色，在灯光下烟视媚行，闷闷不乐地喝着红茶，像个少不更事的假小子。

"嗨！"我冲她打个招呼，将椅子拉过来，"你早来了吧？"

她说："是啊，可是你迟到了，与女孩子第一次约会就迟到，这个习惯可不太好啊。"

我笑笑，拿来酒水单看看，说："主要是因为这里坐公车很不方便。再说，你也不是一般的女孩子，我想不会计较这些吧。"

"噢？"她盯视着我，"那我是什么样的女孩子？"

我笑笑，没回答，再看酒水单，基本上没有价格在二位数以下的饮品，这和我习惯的那种路边烧烤大相径庭，一时真不知选择什么好。

"你点吧。"她说，"今天我请你。"

"算了吧。我可不想迟到时被你说了一次，买单时再被你说一次。"我说。

她点点头："我忘了男人都是有自尊的。好吧，你来吧，反正我一会也是要还你钱的。"

我其实在这种地方还真他妈的不想要什么自尊。但既然她说了，就只能瘦驴拉硬屎了。我点了几样东西，吩咐侍者一会拿上来。

"等等，"她对即将离去的侍者说，"麻烦一会和吧台说一声，我想听那盘《Love will tear us apart》，让他一会放给我听好吗？"

有那么一刻，我突然有种恍如隔世的感觉，居然是《Love will tear us apart》，这世上会有那么巧的事吗？

我点头称赞说："不错，你真是够专业的。"

"怎么了？"

"如果我的英文还没有忘光的话，这应该是英国老牌摇滚歌手伊安·库提思的一首名曲，中文名字叫《爱会将我们分开》，这是他在八十年代初的一张专辑，距现在已经有很多年了，一般来说，很少有人会点这个曲子，这种场所也很少会有人听这个曲子。"

她点点头，说："没错。看不出你对英文歌曲还挺在行的。"

我当然在行。有件事情她永远不会知道，和她长得很像的那个人，也是喜欢听这支曲子的。

"你知道吧，"我说，"这首歌的主唱伊安在唱完这首歌之后就自杀了。"

她惊奇地瞪大了眼睛，说："为什么？"

"他为什么而死一直是个谜，但我想可能和他的艺术生命衰竭有关，也许是因为他对现实生活太失望了吧。艺术家总是多少有些不合群的。好像是 1980 年的 5 月 18 日，他自杀了。临死前留下了这首歌，名字就叫《爱会将我们分开》，我一直认为这不仅是他留给歌迷的，也是留给他的妻子和一岁多的孩子的。"

"天哪！"她惊叹地说，"没想到这里面有这么多悲伤的故事。"

"你怎么会知道这首歌的呢？"

她有点羞怯地低下头，说："在一个朋友那听过，就那么随口一点，我可不知这歌里有那么多伤感的故事，要不就不点这个了。"

"没关系，我喜欢。"我说，"爱会将我们分开，这句话很有哲理，有的时候人生真的是这样的，它会让两个人经常相聚，但爱，却会让人分开。"

她看了我一眼，说："你这个人挺有意思的。"

"怎么了？"

"你很伤感。你是个很伤感的人。"

"那你呢？"我笑着说，"那天你在我家听的可是邓丽君的《我只在乎你》。好像邓丽君也死了吧？"

"我知道，可能骨子里我也是个很伤感的人吧。"

"可是我觉得，这两首歌里说的都是一个意思，《爱会让我们分开》和《我只在乎你》一样，都是说的一些得不到的事情，得不到反而完美了。这多有意思。"

她没有回答，只是低下头，喝了一大口红茶，然后用双手压在额头上，沉默了。我把桌上的香蕉船冰淇淋盛了一大勺放在她的盘子里，她抬起头来看着我，我发现她的眼睛里充满泪水。

"你必须老实地告诉我，"她眼泪汪汪地说，"你是不是条子？"

"当然不是，你怎么会有这样的想法？"

她用双手捂住了脸，将头低下，说："你不知道，五分钟前我很害怕，我甚至不想再等你了。因为我一直认为你是个条子，从那天你救我开始我就认为这世上不会有这么巧的事，你一定是他们派来的，你今天来这里见我，一定会带着一大帮警察来的。他们现在都还没有出现，但是只要你一个暗示，他们就会从天而降，把我的双手用手铐铐上，真的，我一直很害怕。"

我说："我可以负责任地告诉你，我真的不是警察，你现在还怕吗？"

她看着我，尖刻地说："负责任，男人什么时候负过责任？"

我说："我不知道你想让我负什么责任，但在你说的这件事上，我可以负责任。"

她点点头，从口袋里拿出一个钱包，抽出几张票子，说："这里是五百块，前几天从你钱包里拿的，我现在还你，咱们两清了。"

我看了看桌上的钱，没动它，说："你找我来，就是还钱这么简单？"

"是。但是我也想验证一下，我看这个世界上是不是还有值得我信任的人。"

我把钱收了起来，说："那你现在验证完了，我是不是可以买单走人了？"

她冷静地看着我，一字一句地说："那天你没有睡我，你要是睡了我，我发誓一定要杀了你。"

"没有道理的，是你诱惑我在先，就算我真的那样做了，你也没情理杀了我吧？"

她冷笑地说："什么叫没情理？我从来没看到过这个世界有什么人讲情理，情理都是骗小孩子的。"

音乐声突然响起，正是那首《爱会将我们分开》，伊安的声音深情而又诡异。我们俩一时忘记了争吵，沉浸在音乐的旋律里，我看见她的眼睛里又蓄满了泪水。

我突然心生怜悯，用手拍了拍她的手说："好了，不要这么多愁善感了。"

她叹口气，掏出纸巾擦了擦眼镜，突然出其不意地问道："你叫什么？"

"李文波，你呢?"

"巧了，咱们的名字里有一个字是一样的。你就叫我雯雯吧。我老家的人从小就这么叫我，我外婆也这样叫，你也这样叫吧。"

"文，我是文化的文，你哪个文，也是文化的文?"

"不是，是上面一个雨字下面一个文字的雯，我奶奶在给我取这个名字的时候查过字典，这个字的意思是有花纹的云彩，奶奶说了，我一出生她就给我测过八字，说我将来一定是会远行的，就像云。奶奶希望我是一朵漂亮的云，在天上自由自在地飞着，让很多人看着都很喜欢。"

提起她的奶奶，她的脸上挂上了纯真的笑容。

"你奶奶真是有先见之明。"我说，"你现在是不是已经像她说的那样了。"

雯雯的脸色沉了下来，摇了摇头，说："我不想说这个。"

我们沉默了一会儿，空气又有些紧张了。

雯雯看着隔断上的画出了一会儿神，又转过头来看我，说："你来之前我一直在想一个问题，你为什么救我? 我想知道一个真实的理由。"

"因为，"我挠挠脑袋，"说真的，我也不知为什么。"

"这个回答我不满意。"

"对不起，我现在暂时想不出什么满意的回答，可能因为你长得漂亮吧。"

雯雯看着我，眼光充满了怀疑与不信任。

"不要这样看着我。"我说，"我奶奶说，如果一个女孩子老是盯着你，你会失眠的。"

雯雯噗地一笑，说："胡说。"

"这是真的。"

雯雯低下头去，玩弄桌上冰淇淋上插的一个小雨伞的造型，很低沉地说："我还是不能肯定你是不是条子。不过，我还是想再冒一下险，你能陪我去个地方吗?"

"什么地方?"

五分钟后,我结了账,决定和雯雯,这个刚刚知道名字的女孩子去她说的那个地方。我们刚一下楼,就碰见安琪和一个大腹便便的男人正往楼上走来。

2

人生有很多意想不到的事,近来在我的生命中一再的出现,比如与电脑中的人物相遇相识相互琢磨,比如偶然发现一个品学兼优的孩子一些不为人知的秘密,再比如,在一个著名的情人约会的地方听到了一首令人难忘的告别曲,然后又见到了我本应该在上海的老婆,和另一个男人。

我们两人在楼梯口撞见,她上我下,一瞬间眼神交会,都很诧异。我随后发现和她并排上来的是一个中年男人,有些谢顶,但衣着笔挺,气宇轩昂;她随后发现在我身旁也有一个如花似玉的时尚女孩,与我更是如影相随。眼神只一交会间,无数信息都涌了出来,我做了一个自己都没想到的决定,我侧身让过一旁,让他们从我身前经过。

安琪横扫我一眼,然后和那个男人从容地走了过去,消失在一个小隔断里。安琪不愧是安琪,很镇定,没有一丝慌乱,进了隔断,我听见她依然很镇定地说:"刘总,你要喝点什么?"

雯雯看我侧身站那没动,推了推我说:"怎么了?"

"没事。"我伸过手将她的胳膊抓住,装得有如一对亲热的情侣一样地走下楼去。

我们打了车,向我家的方向走去。我坐在前面,她坐在后面,我们两人都没说话。透过倒车镜我看她的脸,绷得紧紧的,看不出任何的表情。我抬头向前看,眼前是一片霓虹幻彩的世界,所有的夜场娱乐场所都在这个时候开放,酒店、歌厅、洗浴、茶室、按摩院、网吧、健身俱乐部、酒吧、迪厅、舞厅,车子向前穿行,

——经过这里，城市的夜晚霓虹幻彩，五光十色，人们在这些地方出出进进，车水马龙，这里也有我妻子安琪。她说她在上海，但却也在这城市的一个夜间娱乐场所里，与人约会。车轮飞转，思绪飘忽，我想像着她现在在干什么，也许已经订好了酒店，也许正在前往酒店的路上，也许，一切如胡一平说的，在广告界，最好的女公关高手都是在床上谈问题。

我打开手机，上面没有任何讯息，我想给她发个短信，可是手却僵硬了，我能说些什么？指责她，还是质问，或是假装不知？同样的问题她也会问我，我怎么回答。

胡思乱想间，车停了下来。我抬头看，她拉我来的这个地方原来离我家只隔了两层楼。

三十分钟前，在那个咖啡屋的包间里，雯雯对我说："我听说我男朋友已经被放出来了，我想和他分手，这个人太危险了。但是他不肯，还说如果那样做就杀了我，没办法，我就只能躲起来了。我现在不敢见他，但是我有很重要的东西留在他那儿，你要做的就是和我一起去他那儿，帮我把东西取回来。"

女人是天生的撒谎家，那时她在说这话的时候眼睛都没眨一下，真是气定神闲。

我当时莫名其妙地就答应了她，尽管明知道她是在说谎，是出于好奇还是另一种什么样的心理，我还真是说不清。

我们俩下了车，在楼与楼之间绕了几圈，好像是一对出来散步的情侣，她警觉地看了看四周，将我的胳膊揽住，低声地说："这是我和我那个吸毒的男朋友住过的房间。我把钥匙给你，你要去的地方是这栋楼的四层东室。但是我怀疑那里已经换了锁了，但也很可能根本没换。我会在底下帮你看着，你上去别急着开门，在楼道里稍微呆两分钟，然后敲敲门，如果没有人开门，你再进去。如果在这期间手机响了，你就赶快下楼，千万别开门。"

我点点头，说："可要是你男朋友躲在屋里呢？"

她很坚定地说："不会的，他已经好几天没来了，他一般不在这里住，只有我来了他才把我带到这里来。我早就打探好了，要不会这时候来这里的。你镇定些，要是有人抓了你，不管是我男友还是条子，你就说，你是一个网友，和我在这约过会，你告诉他们我的网名是毒药，就说钥匙是我给的，其他的事都不知道，我想他们不会难为你。"

他们不会难为我，是的，那个子虚乌有的男友肯定是不会难为我的，但是条子们就不一样了。

我说："听起来很冒险，不过，倒也挺好玩的。进了屋你要我帮你做什么？"

她说："那屋一进门左手处，有一个卫生间，里面有一个老式的抽水马桶，就是那种水箱挂在墙上的，你把水箱盖打开，里面有一个密封着的防水帆布包，你把它拿出来，赶快下楼，给我就行了。"

"那你会在哪里等我？"

"你上去时我在楼下帮你把风，你下来时，我也走。你拿了包去山西面馆找我，先别着急，在这里转一下，然后再过去。"

我笑着说："搞这么复杂，听来似乎很危险。我帮你这个忙，你男朋友知道了还不得杀了我？你要怎么谢我才行？"

她轻轻地将身子贴了过来："如果你帮了我这次，我答应你，一定和你睡觉。"

"你刚才不是说要是谁有这个想法就杀谁吗？现在反悔了？"

"这不是反悔不反悔，这是我对你为我做这些而给出的回报。"

"是这样，那就是说这也算是一种承诺吗？"

她拂了拂自己的头发，说："你不想吗？很多人都想我给他们这样的回报，他们用各种方式约我出来，说了很多好听的话，花了不少不该花的冤枉钱，都是为了这个。只要你帮我，我会心甘情愿地用这种方式报答你。"

她说这番话时表情很严肃，我不知道该说什么好了。

她冷静地看着我说："别和我说你不想。真的，这世界上有很多复杂的事，但再复杂的事其实也不过是男女之事。"她用手在我脸上轻抚了一下，"今晚我会把上次没做完的事做完。呵呵，去吧，回来后咱们就去你想去的任何一个地方。甚至我还可以成为你的情人，成为那种只保持肉体关系的情人，你不想吗?"

我冷冷地说："你今天会用什么样的药来对付我?"

她摇摇头："我起誓，今天我不会骗你。"

我说："可是我为什么要相信你?"

她说："不为什么。我只是直觉地感觉到，你想和我做这件事。你一定是很久没有做过了。我可以帮你呀，但是你也要帮我。"

"可是如果我不需要你给我的这种帮助，那怎么办?"

"没有这种可能，因为你对我有兴趣，并且已经有好奇心了。我相信一个人在这两种东西的驱使下，会做出他平时不敢做的事的。"

我明白她的意思，她其实就是活在人们的淫欲与好奇心里的，那些每个月用手机、用银行卡向她们寄钱的人，包括我在内，哪一个不是在淫欲与好奇心驱使下做这种事的呢?

她拉住我的胳膊，丰满的乳房紧紧地贴在了上面，她说："相信我，其实我也是在赌博，如果你和条子们是一伙的，我只有认栽了。真的，如果这次我输了，那我对这个世界就真的彻底地绝望了。这对我来说是个机会，虽然这个机会也可能让我坠入地狱，但是有机会总比没有的强。"

3

楼道里很黑，我在想韩力他们上次搜捕的时候会躲在什么地方，这里很窄，灯是声控的，人几乎没有地方可以藏住，但他们是警察，总会有办法打好这种埋伏的。

这是我今年以来最冒险的一次行为。我直到现在也搞不清为什么要帮她？也许这跟我两年来平淡得一点刺激也没有的生活有关系吧。这件事多少带来一些刺激，也许我现在的生活里就是需要一点刺激，哪怕这刺激其实既危险又不好玩。

我把这一切想法归结于好奇心，好奇心是我现在唯一没有丢掉的一种良好的品德，我认为一切都是好奇心在作祟。但是，其中一定还有更深层次的原因促使我帮助她完成这个危险的活动，但是现在，没有时间去想了。

我上到四楼时把手机拿出来，借着手机屏上的光亮我看见铁门紧关。手机已经调成震动的了，这是雯雯吩咐的。我敲了敲门，然后把身体向楼道口处站了站，等待着。

没人开门。

我又上到了五楼，然后站在五楼的楼道里，向下看。一片寂静的楼道里，没有任何动静。

两分钟的时间里，很幸运，没有人从屋里走出来，也没有人走上来。我轻手轻脚地下了楼，站在四层东室的门口侧着身子用钥匙开门，眼睛同时扫视着楼上与楼下的动静。钥匙插进钥匙孔里，几乎一点滞留都没有，就直接捅了进去，我再次向四周看了看，一片漆黑，没有任何动静。

沿着顺时针方向拧去，咔的一声，锁开了。里面没上保险。我向后退一步，随时准备冲下楼去。

里面黑糊糊的，没有任何动静。没有人冲出来。

我把门推开，里面虽然没开灯，但是因为窗帘已经拉开的缘故，并不是完全目不见物，还好，这屋子的洗手间就在前厅的左侧，只有几步距离。我把门轻轻地虚掩上，用手机屏幕上的光亮照着前方，小心地向洗手间挪去。

从门口到洗手间不过几步距离，但是这几步走得却很漫长，几乎是我一生中走过的最漫长的路。我侧着身子，随时注意着门口与里面的卧室的动静，小心地挪到了洗手间的门口。

手机突然震动起来，有电话来了！

在这个万籁俱寂、一步一杀机的时刻，突然有电话打进来，着实让人心口狂跳。我按捺不住紧张的情绪，手一抖，手机差点掉在地上。

　　我惶恐地向手机的屏幕上看去，那上面有一个熟悉的号。这个号码来自一个我做梦也想不到的人——韩力。

　　有那么一刻我还以为韩力洞察我做的事情，跟上来了呢。但稍稍平静一下，我就知道是纯属杞人忧天，我把电话挂掉。

　　电话又响了，不能关机。关机了万一真有情况雯雯通知我也就听不到了。

　　电话响了几遍，发出嗡嗡的震动声，我把手机裹进衣服里，这样动静就小了。震动了几下之后，手机又恢复平静了。

　　卫生间的门也是关着的，我把卫生间的门推开，这个卫生间里还真是宽敞，除了一个马桶、一个浴缸外，空间很宽阔，都可以摆一张小桌子了。

　　我想起韩力说过，这里也曾摆过一台电脑，在卫生间里做表演，也是现在色情视频的一种流行方式。

　　我看见了那个老式的挂箱，打开箱盖，把手伸进去，手很凉，这个挂箱又高又深，我跷起脚来将手向下伸，摸到了一个硬硬的东西。

　　看来韩力他们没有把这东西搜走，那东西还在。

　　现在要是有警察闯进来就坏了。一下子人赃俱获，我是跳进黄河也洗不清了。

　　但是什么事情也没有发生。

　　我拿了包出来，门口虚掩，楼道里一道微弱的光，我感到自己的心都要冲到嗓子眼了，小心地把手放在门上，我至少沉默了二十秒，才猛一下拉开门。

　　谢天谢地，没有任何人在外面。

　　带上门，下楼的时候，仍是一片寂静，我的心怦怦直跳，每一脚往下走的时候都感到这一脚就踏在了心尖上。我必须强力抑制才不会让自己一口气跑下楼去，要是那样的话，就有可能被人发现，到时我就惨了。可是现在我想我也好不到哪去，我现在算是什么？如果她是罪犯我就是从犯，我是不是疯了，居然帮着她来这里取罪证？

走出大门，外面天空月朗星稀，空气清新，两年来好像第一次呼吸到这么清新的空气，我大步流星地往山西面馆方向走，衣服里裹着的那个东西沉甸甸的，我感觉它就像一颗定时炸弹藏在我怀里，随时会引爆。我看看四周，没有人，身前身后，都没有人，我倒更希望有人在旁边走动，这样心里会好受些，这么死寂的夜晚，倒真让人有不安的感觉。

山西面馆就在眼前，我向四周看了看，有几辆车开过去了，但都是私车，是这里的住户，没有什么可疑的人注意我。我推门进去，老板一如既往地站在那里，但是她不在这里。

我向四周扫视了一眼，老板迎了上来："一碗米线?"

我点点头，找个地方坐下，这里面还有几个民工打扮的人，一个个目光呆滞，形容憔悴，怎么看怎么不像警察。

我要了碗米线，我想她现在在哪。她不会贸然出现的，一定会等一切都没有危险的时候再来见我。

电话又震动起来，我从衣服里把手机拿出，是一个陌生的座机号。

我接了，就听见里面一个急促的声音对我说："赶快离开这里，我男朋友来了。你快走，一会我再联系你。"

❦

我回家的时候，看见几辆警车正开了进来，警灯没响也没亮，一直开进我刚才去过的那栋楼，我看了看表，脚前脚后，只差不到二十分钟的时间，我逃脱了人赃并获的危险。

上楼，进屋，突然一身疲倦。我把衣服和那个从水中捞出来的帆布包扔下。先洗了个澡，电话一直没来，不论是她的还是安琪的，这都不重要了，重要的是我突然发现自己很累，也很疲倦，最需要的是洗个澡躺下好好地休息一下。

洗完澡，坐在沙发上，热了一杯奶。我才想起看看我刚才冒着人赃并获的危险拿来的东西到底是什么。我拿了过来，发现是一个比手掌大不了多少的帆布包，封得很结实，如果撕开它想要再恢复原样几乎是不可能的。

用手掂量一下，不轻。

这个一定是她们进行色情视频活动的最重要的证据，否则她不会还冒着那么大的危险，居然让我去帮她拿。

我在想自己如果把这个东西给了韩力，那对他一定是非常重大的收获，我有什么理由拿着一个犯罪证据不给他呢？

我到底交给他不交给他？

说到韩力，我突然想起刚才那个电话，于是给他拨了过去，我问问这家伙找我干什么？

电话响了好半天，韩力才接了。

"你刚才找我来着是吗？我和胡一平正一块儿唱歌呢，里面吵，也没看清就挂了，怎么，有事吗？"我先发制人地说。

"没事。刚刚想和你说个事，后来又有行动，就算了。"韩力说。

"怎么？还是那个色情案件吧？进展得怎么样了？"

"不怎么样。"韩力语音阴郁地说，"反而有了些麻烦。"

"是吗？我看你在电视和报纸上可都露了脸，你小子这会儿可成名人了，还有啥麻烦？"

"就是那些媒体报道把事搞砸了。昨天，那几个女孩子中的一个人上吊自杀了。"

"啊！是谁？"

"就是那个只有十六岁的女孩，化名张莉的那个。"

5

那天晚上，韩力的电话又让我想起了那天的情景，回想起了在公安局里见到的那个恐惧而又无助的稚嫩眼神，一个吓得全身缩成一团的未成年少女，正当如花似玉的年龄，她最后选择的是在房梁上系了一根绳子。

她自杀是因为这件事最后还是被她的父母得悉了。因为她刚满十六岁，还未成年，而且也没有经济来源，所以警方通知了她的家里，她的父母从报纸电视上得知消息后，来到城里，还替她凑足了一笔钱来交罚款，但是在她父母来的前一天晚上，她选择了用这种方式洗清自己的耻辱。她还小，不能承受这样的选择所带来的一切后果，也不敢想像今后如何面对别人非议的眼神。最重要的是，面对着淳朴的父母，她不知道要如何面对他们说明这一切，于是，她就这样结束了自己。

接完这个电话后，那个眼神又浮现在了我的脑海里，久久不能散去，但还没来得及想些什么，雯雯的电话也打来了，依然是个公用电话亭的号。她上来的第一句话就是："你取回那东西了吧？"我说取了，她又急忙问道："你没打开吧？"

我说："没有。"

"真的？"

我不是很高兴地说："你要是不相信我，就根本没有必要要我帮你去冒这个险。"

她在电话那头说："那好吧。还是去天岛咖啡厅，我刚才又订了座，在那会合，马上。"

我不是很喜欢她这种发号施令的口气，把我当成什么了？我说："可是我现在很累，我需要休息一会，明天好不好？"

她很干脆地说："拖一天都会发生变化。你还是来吧。"没等我回答，突然她语意一转，"再说你就不想知道，你老婆现在去了哪里吗?"

这话突如其来,完全出乎我意料,我惊异地说:"什么意思,我老婆?!"

她冷静地说:"刚才在天岛咖啡厅里我也看见了她,她可不是一个人来的。"

"你什么意思,你怎么认识我老婆?"

"别急,你忘了在你家里我看过你的相册,我认人的记性一向不错。"

我无言以对,一种悔之晚矣的感觉涌上心头。以后,坚决不能他妈的把女孩带到家里。

"我知道她去了哪,你现在来我就告诉你。再说,你老婆也看见我和你在一起,你总得给她个合理的解释吧。"

"这和你有什么关系?"

"你别忘了,我去过你家。你想让她知道吗?"

她的狐狸尾巴终于露出来,我痛骂着自己:李文波,你他妈的真是个超级白痴!

我说:"那好吧。我去找你,不过,有件事我要你明白,你要是想威胁我,我可不怕你。你不了解我的性格,我从来就没被任何威胁吓住过。更何况你身上也不干净。"

"你放心。"她说,"我可以对着天地良心说一句,我从来就没想过伤害你,而且我刚才对你说的那个承诺,肯定算数。"

"这事以后再说吧。我一会儿到。"

"那好,我在这里等你。"她的声音突然温柔起来,"我还可以告诉你一件事,其实,你不是条子,从一开始我就知道,要不我就不会找你了。我决不会害你,正如你也不会害我一样千真万确,我知道你是谁,也了解你是个什么样的人,你要是想知道为什么,就快过来与我会合吧。"

没等我再说什么,电话挂断了。

6

我最后决定先不把包交给韩力，我绝对无意当一个罪犯，或仅仅为了淫欲帮一个罪犯，只是这两个突然听到的电话让我的内心有了一些微妙的变化。

坐在屋里沉思了许久，我给安琪发了一个短信，写上这样一句话：上海不是很冷，天气预报说的。

短信发完后，我就出门打车上路了。

这时是夜里十一点三十分。刚才是夜场生活的序幕，现在则进入高潮，车向天岛咖啡厅驶去。一路灯火辉煌，比刚才更热闹了。司机见我一直沉默无语，想打破这沉闷的气氛，就故作幽默地说了一句："这点还去那儿干吗？人家该办正事的都走了。"

是啊，这个时间，咖啡厅里的男男女女们已经完成了由浪漫、情调、半推半就等成分勾兑好的前戏部分，开始进入正餐时间，他们离开咖啡厅，成双成对去了该去的地方，颠鸾倒凤，云雨交合。这里面，有很多白天道貌岸然晚上精力旺盛的人，也有那些一开始就低等下流且从未入流的人，他们在夜晚坚挺，早上萎谢，正午时复苏，这样的生活周而复始循环往复，他们活得极度变态但表现得却比谁都热爱生活，雄心勃勃。这些人中间有我的朋友，也有我的妻子，但没有我，没有韩力，没有那个今天把自己的脖颈交给了绳索的女孩，谁在幕后操纵这一切？我坐在车里想。

电话又响了，雯雯打来电话，告诉我她已经离开天岛，去天岛前面一个叫"蒙哥马利"的迪斯科舞厅了。她要我直接到那去找她，把手机调成震动，她一会儿会打电话给我告诉她在什么位置。

7

我在"蒙哥马利"门口买票时就听见里面音乐的热浪涌动不息，一浪高于一浪，还伴随着一阵阵的尖叫声，卖票的小子冲我挤眉弄眼地说："来得好，刚开始热舞，花活还没上呢。"我很严肃地质问他，为什么这里的票价这么贵，要六十元一张，我记得三年前只要二十元。那小子一脸的不屑回答说："靠，现在有艳舞，有粗口，要不谁上这来呀。"

"蒙哥马利"与市区的"花样年华"都是胡一平的一个黑道朋友开的，这里有艳舞早就不是秘密。三年前，我曾经就此采写过一篇报道，正在排版的当晚这位黑道哥们就把电话打来了："小弟，给点面子吧，都出来混不容易，谁也不想没事结个仇家吧。"一副江湖无赖嘴脸，后来这个稿还是发了，但第二天又跟进一篇稿，讲这个迪厅的老板如何改进了服务，提高了高雅的品位，把艳舞彻底清出去了，其间还列举了在这里发生的若干个拾金不昧的事迹等等，在报界，这种稿子叫补偿稿，稿子的作者写的是我，和一个没听说过的记者的名字。当然，这是胡一平搞的鬼，不过，也挺感谢他，那个黑道哥们确实也没找过我麻烦。

今天，要是这哥们儿知道我来了，而且无职无务，还不给我来个三刀六洞，按江湖规矩办了？

"你来了吗？"声浪滚滚中，雯雯的声音从电话那头传了过来。

我想我也得和她一样，必须狂热嘶喊着才能令其听见，于是扯着嗓子喊："我到了，你在哪？"

她在那头喊："你去卫生间那儿找我。"

卫生间？我四处环顾，这个迪厅够大的，鬼知道哪是卫生间。我喊侍者，他兴冲冲地拿着一袋爆米花过来，听说是找卫生间，脸上有些失望，但还是不失礼仪地带我去了。

这卫生间在一堵墙的拐角处，转过来，走过一个长长的走廊就到了，这堵墙看来很厚，挺隔音的，一转过去，声音明显就小了，我这才明白为什么雯雯要我来这里找她，在乱中有静的环境下交易，十分保险，'我现在越发地佩服她的精明强干，真是巾帼不让须眉呀！

不过，虽然这里不是那么混乱，但走过这条长廊也挺让人难受的。长廊两边也全是一对对男女，很多人神情迷幻地搂在一起。

我快到卫生间门口时就不小心撞到了一对，那女的靠着墙，男的贴着她，两人脸对脸地亲嘴，他们两人把过道堵上了，尽管我说了声借光，但还是不小心擦到了那男人的屁股，他立刻回过头瞪我一眼，一口浓重的东北话："你玻璃呀你！"

"玻璃"就是广东人说的"基佬"，也就是鸭子。我笑笑走开，心里骂，妈的，我要是玻璃一定干得你开花！

在卫生间门口我看见了雯雯，她已经换了一身衣服，是一件无袖吊带裙，很性感，手里拿着长长的东西，比划着，我以为是烟，走近一看，才发现是管口红。雯雯冲我招招手，用口红抹了抹嘴，一把将我拉过来，和她贴在一起。

雯雯指了指里面："我有个朋友在里面，咱们替她把把风。"

把风？什么意思？还不容我问，她又把我拉过来，手在我身上摸索："我的包呢？"

我告诉她在我衣服的内层里，她说好，一会等她朋友出来时再给她。

"这里怎么样？"她把头伏在我怀里说，"把你吓坏了吧。"

"哪里哪里，这里不错，我就喜欢这种声色场所，可以醉生梦死。"

外面的音乐声音小了，可能是迪曲放差不多了，要中场休息跳贴面舞了。我趁着声音小了，把她拉过来，贴着她耳朵说："包我拿来了，你能告诉我，我老婆去哪儿了吗？"

她暧昧地笑着看着我："很重要吗？"

"当然，"我说，"你要是骗我，我也一样可以把包交给警方——"

"好的，"她说，"你先把包给我，我马上告诉你。"

我把包交到她手里，她迅速地塞进了身上带的一个挎包里。我说："好了，现在我给你了，说吧。"

❖

我开着雨琦的车行驶在公路上，这是一辆很漂亮的雪佛兰，市场价要十九万多一点，自动挡，很好开。

雨琦在十分钟前高度兴奋。"我靠，大叔，你真酷！"她拉住我的手，连喊带叫。保安没有出来追我们。可能这种事每天都发生也不算事了。我们做逃亡状地上了车，我开车疯狂地奔驰的时候，把这个小骚货乐坏了。她在后面手舞足蹈，连喊带叫，后来还是雯雯强行把她按住了，按住没多一会，她就没动静了。回头看看，睡着了。

"她今天心情不好，喝多了，要不她不这样。"雯雯替她解释。

我说："看得出来，她不喝多时也好不到哪去。我说，这个小太妹是从哪认识的，也太疯了一点吧。"

雯雯说："这你可猜错了。你知道她是谁吗？她可不是小太妹，她爸爸是检察院的一个大头头，她本人现在是大学里的三年级学生。"

"噢，那还真是我少见多怪了。"

"不是你少见多怪，是你一直也没有进入到你所不熟悉的这个世界里来，我一直觉得，你像是活在过去里的人。"

这话听着似曾相识，我努力回忆，好像是谁这样说过我，是谁呢？

"我们去哪？"我问她。

"去她家吧。你今天晚上也别回去了。"

我摇摇头："不，我太累了，今晚再也折腾不起了。那个包你也拿了，我要你告诉我我应该知道的事情。"

她沉默了一会，说："你老婆没有背叛你，真的。我回到天岛的时候，正好看见他们两人出来，我看见她是一个人打车走的，去的就是往你家的方向。"

"那个男人呢？"

"他自己开车走的。我不知道为什么他没有送她，但是好像他们走的时候并不愉快。"

"你能肯定吗？"

"我能。"

我把车停了下来，打开了车门。

她惊奇地说："怎么？你要干什么？"

我把车钥匙扔给了她，说："你开车送她走吧！"

"为什么？你去哪？"

我没有理她，挥手拦了一辆出租车，上车时，我听见她在后面不停地按车喇叭。

司机也听见了，回头看了一眼，说："怎么着，有雪佛兰不坐，坐我这个？"

我面无表情地说："走吧，别理她。"

第五章

1

我回到家里的时候，安琪已经在床上睡了。

一进门我就感觉到她已经回来了，整个屋子里有一种非常熟悉的味道，这就是你和一个人呆久了以后才能闻到的味道。所以一进来我就断定，她在。

我看了看表，这时是晚上两点三十分。

我很迅速地洗完了澡后进了卧室，一进来就听见安琪发出均匀的呼吸声，她已经睡熟了吧？我坐在床上凝视着她。在黑暗中，我只能隐约地看见安琪脸部的轮廓，她喜欢侧身睡觉而且一般都是左侧，今天也不例外。我深深地凝视着她。这两年来我好像是越活越变态了，我和安琪白天在一起时很少交流，争吵多于正常的交谈，但是在夜晚，我却喜欢这样静静地看着她。看着她，我的心里会涌起一种非常奇怪的感觉，我感觉到只有这一刻，她才是真真正正属于我的，她不属于那个我所不能理解和认可的世界，她只有在此时，才仍然如从前一样，属于我。

安琪轻轻地翻了翻身，她的脸正对着我，黑暗中顺着猩红色的窗帘透过一点点月光，我看见她的表情很紧张，眉头微蹙嘴唇紧闭，似乎想起了什么不开心的事。她在想什么？是在想我吗？想我为什么活成这样，令她越来越失望吗？

安琪好像知道我在想什么，她停止了那均匀的鼾声，眉头皱得紧紧地动了几下，然后轻轻睁开了眼睛。

我们俩在黑暗中对视，我想此时我的目光应该是非常温柔的，我已经原谅她了，但是我不敢肯定她也会如此，因为她看着我时，眼神里还是充满了怀疑与嗔怪。

"琪琪，"我尽量让自己表现得很正常地说，"你是不是很累了？"

"你什么意思？"安琪的口气咄咄逼人。

我知道今晚的争吵是很难避免的，但是我要平息这种即将出现的争吵，哪怕为此要摆出低三下四息事宁人的姿态。我轻抚着她的脸说："我看你睡得很香。"

安琪把我的手推开，打开台灯，下了床。

"你干什么去？"我喊。

她没回答我，出去了，一会手拿着一个旅行袋回来了，在里面翻着。

我已经钻进被窝里去了，不知道她在翻什么，就说："算了，这么晚就别找东西了，咱们睡吧。"

安琪翻出一个信封，扔给我，气呼呼地说："给你，你自己看。"

我接过信封，打开，是一堆票据，有住宿发票、火车票、出租车票什么的，我说："这是什么?"

安琪说："这是我去上海的火车票、住宿发票什么的，你按日期看看，看和这几天对不对得上。"

我把信封扔下，说："你这是干什么? 我什么时候怀疑过你这几天不在上海?"

安琪说："我可以告诉你，你昨晚上看见我时我刚回来，那个男人是一个客户，因为一个很重要的合同的事要马上解决，我们才会在一起的，不是你想的那样。"

我哑然失笑，说："你也太多心了，我有怀疑过你这事吗?"

安琪说："可是你当时的表现就是你怀疑了。你知道吗? 我突然看见你时，本来想给你们做个介绍，但是你居然闪到一旁，用一种假装不认识我的样子来面对我，还那样地看着我，你在表现什么态度，是捉奸成功了的一种姿态吗?"

我笑笑说："谁也没有那么说，你也太多心了，我只是不想打扰你，你看我一回来不是什么也没问吗?"

安琪冷笑着说："你什么也没问，那不是因为你不怀疑，只是因为你自己也心里有鬼，你自己也不知道该怎么对我解释吧!"

我心里一冷，假装镇定地说："你这又是什么意思?"

安琪说："我也没什么意思。我可以解释清我刚才的行为，你能解释的清吗? 我现在听你解释。"

"这个，我——"我努力地想着措辞。

"先别急着编啊。"安琪鄙夷地说，"我让你先看件东西，你看好了再编得圆全点不好吗?"

她拉开床头抽屉，从里又翻出一个信封，扔给我。

我打开，里面有个小镊子，夹着几根头发，是短发，染成了红色的。

我心里一惊，看了安琪一眼，她是一头乌黑如水的长发，这几根头发是？我知道了，一定是雯雯那天晚上留下的。

安琪冷冷地说："这是在你枕头上发现的，还有两根是卫生间发现的，我还记得，今晚你在天岛那儿带的那个小姑娘好像就是短发吧，也是染的这种色彩吧？你说吧，这些事都是怎么回事？"

我在心里一万次地咒骂着自己一如往昔的粗心大意，但是面上还是假装出一副无辜的样子，说："琪琪，你知道我这个人，我从来没骗过你——"

"别说那些没用的话，我从来就不知道你这个人是怎样的，我现在想知道一下。"

我的大脑飞速运转，必须得编一个万全的理由，要不以后就麻烦了。"是这样，"我装得很难启齿地说："那个女人是在咱们家睡过，洗了澡，还在床上躲了那么一会儿，但是我敢保证，这和我没关系，你可以问一问胡一平。"

"胡一平？"

"是的，胡一平。"我看她似乎听进去了，立刻来了精神，有的时候，你认识一个放荡又有钱的朋友真是多了一个护身符啊！"那天在咱们家的不光是我，还有胡一平。她是胡一平新认识的一个小情人，但是胡一平把事搞砸了，她怀孕了。"

安琪看着我，脸上没有任何表情。

我只能自顾自地说下去，看能不能骗过她吧，要知道她以前也是记者，比猴都精："这事说来挺讨厌的。那天晚上，胡一平是想和她谈分手的事，他的意思给一笔钱就完了，他把我喊来也是为了有个见证。结果那女的不肯，说来说去女的喝多了，要胡一平娶她，胡一平当然推三阻四，于是，他们就在酒店里打起来了，把桌子都推翻了。那女的还要给胡一平他老婆打电话，没办法，我们只能把她扛出来了，这种情况，去哪都不稳妥，只好暂时先寄放在这了。"

安琪嘲讽地说："编故事编的不错啊，然后呢？你帮她洗了澡，再服侍她睡了觉是吗？"

"那都是胡一平做的，我发誓我只是提供了个场所，真没干别的事。其实这些事我本来早就想告诉你的，可是你一直关机，没办法啊。"我想起她关机这事，赶快就追上了一句。

安琪果然有了反应："我关机是因我生你气了，再说，那几天天天开会，根本不让开手机。"

我见她有点松动，赶快趁热打铁，继续编："天岛那件事也是胡一平安排的。他的意思是让我出面，帮他摆平这事。你也知道，他现在是决不敢见这女的了，只要一见，还是那天那结果。他委托我和那女的谈谈，不行就增加分手费什么的，我那天就是替他去谈的，没想到一下楼，就看见你了，咱们彼此在当时那种场景下，都是有点误会，才搞成这样的。"

安琪哼了一声，态度不置可否。我下了床，把手机取来，说："现在就给胡一平打个电话，省得因为这点事搞得咱夫妻间有什么隔阂。"我拨了电话，是已经关机的声音，真是谢天谢地啊！

"这么晚人家还开机，那不是有病啊！"安琪说。

"那好吧，明天一早你给他打电话，我把手机寄存在你那，省得你怕我和他暗中通气。"我欲擒故纵地说。心里已经想好了怎么神不知鬼不觉地暗中通知胡一平，从网上可以给他手机发信息，只要安琪一睡熟了，此计便可施矣。

安琪冷笑着说："什么事你只要一扯胡一平，那真实性就值得怀疑了，你怎么不说那人是韩力的情人啊？"

"你也知道，那韩力也不是那样的人，他那种妻管严，还有他那铁腕岳父，他敢吗？"

安琪揉了揉头发，站起来说："算了吧，还不是他那人古板，不肯替你背这个黑锅。我今天也累了，懒得和你再过问是非曲直了，反正你记着吧，你做的对不起我的事太多了，你自己好自为之吧。"

警报解除，我难以掩饰心中的狂喜，下了床，一把将她搂在怀里，说："琪琪，几天没见，一见就为这种烂事争吵，多扫兴啊！说真的，这几天你就没想过我？"

　　夫妻争吵后这种趁热打铁的后续工作水到渠成必不可少，这是防止事态扩大的必要手段，我是老江湖，还不懂得这个。

　　"算了吧，谁想你。"安琪依然有些生气地说，"一想你就来气，我想你干吗？"

　　我把她搂在怀里，她身子扭了扭，想挣脱出来，我哪能让她挣脱？我搂紧她，把脸贴近她香香的滑滑的脖颈里，说："我可是想得都要疯了，一天发十几个短信给你，也不知你收着没有。你知道我想你想到什么程度了吗？"

　　安琪用力地挣脱开我，红着脸说："最流氓了你。都把床给我整脏了吧。"

　　"这都怪你不理我。"我一把将她抱了起来，说，"今天说什么也不能再放过你。"

　　在安琪的尖叫声中，我们两人跌在了床上。

　　"算了吧，"安琪从我身子里挤了出来，说，"我还是睡吧，明早还要早起上班呢。我可不像你一天都不用做事。"

　　这个晚上，一下子又变得极其乏味了。

　　没多久，安琪就睡熟了。我却怎么也睡不着了。失望、懊丧的情绪席卷着我。突然，安琪翻了个身，嘴里喃喃地说了一句梦话。

　　她说的是一个人的名字，那名字是："胡一平。"

2

　　第二天早上我是被韩力的电话吵醒的。他问是不是泡个澡去？

　　我起来时发现安琪已经走了。桌上有她给我留的，我最讨厌吃的牛奶和蛋黄派。也真难为她，昨晚上那么晚睡的，一大早就走了，她的工作真的是很辛苦的。

韩力开着一辆二手的夏利车在我家楼下等我。早上的天气有些凉，我钻进他的车里时，发现车里似乎比外面的空气还冷，不禁打个寒战说："你玩啥呢？不能把暖风打开吗？"

韩力一边打火一边说："暖风打买那天起就没好使过。你又不是不知道，凑合吧，开起来就好了。"

我不满地埋怨一声说："啥破车，扔了得了。现在车价多便宜，也不换一个。"

韩力说："我要不是贷款还不清，我不知道买个新的？"

韩力这辆二手夏利开了快一年了，听说现在光修车就花了有几千块了。买的时候这车就快报废了，发动机一直有毛病，结果闹得韩力没成为理想中的"开车族"，反而成了"修车族"，有的时候我想想也替韩力不值，他当年要是辞职去那个什么软件公司，现在肯定不至于开这车吧。

韩力把车停在大众浴池门口，我想起了一事，就问他："那个事进展得怎么样了，我是说那个网络色情的案子。"

韩力说："抓的人都放了，她们都是小喽啰。"

"那个自杀的是怎么回事？"

"那个自杀者的身份已经搞清了，"韩力说，"她的真名叫安小红，今年十六岁，老家在城郊农村，家里一共三个孩子，有个弟弟在上高中，今年准备高考。她来城里是想打工赚点钱，给家里减轻点负担。她对网络上的事情原本是一窍不通的，后来被人拉下了水，就做了这行。"

我说："拉她下水的人找到了吗？"

韩力说："正在查。不过，即使是那些人，也不过是一些外围分子，网络犯罪是层次极复杂、隐蔽性极高、组织性极强的犯罪活动，一般来说，这种犯罪组织基本上都是金字塔结构，一层套一层，像安小红这样的人，只不过在最塔底。她们在网络上出卖色相，直接与人接触，但也不过是被人操纵的廉价赚钱机器而已，真正的核心层她们根本接触不上。"

我们俩进了大众浴池，先进了大池子里泡一泡，一晚上的倦意在这一泡之下，全都消散了。

韩力说："这两天那个晚报来的叫顾襄的记者老往我们这跑，可能想找点线索吧。"

我把身体在水中舒展开，说："顾襄他打算怎么做这个稿子。"

"不知道，"韩力说，"反正听说他采访了死者的家属，可能他要搞个什么社会关注之类的吧。"

我们俩洗完了，开始搓澡，韩力告诉我说，昨晚上又加了一夜班。

"昨天又接到了新的举报，说现在有个黄色网站在国内很火，叫性情世界。听说国内注册人数已经超过十万了，这个网站里面有个版块是买春信息网，上面我们这个省的信息特多，上级对此事很关注，下令全力调查。"韩力说。

"这个网站比你们查的那个天天星期八怎么样？"

"那根本就没法比，不过有个相同之处是，我们查的那个视频聊天网的代理服务器就是这个性情世界网站提供的，我怀疑这两个网站是子与母的关系。"韩力说，"这是一个国际化的大型色情网站，总服务器在美国，这个网站是境内外勾结的性质，很棘手的。"

"服务器在美国？是不是你们就很难查办它了？"

"当然，要彻底地摧毁这个网站，在技术上有很大的难度。如果在国内我们就很简单，我们切断它的服务，切断它跟电信或者跟互联网运营商的链接，就可以断了它的网站，但是现在我们做不到，所以这个打击的难度非常大。"

"怪不得这一阵子你老是加班。"

澡洗完了。我和韩力在外面的长椅上休息。椅子上有张人家用来包裹洗澡用具的报纸，我顺手扯过一张看看，上面有条新闻吸引了我的注意，说是一个高中生因玩游戏太过专注，玩了两天两夜，最后竟然猝死在家里。那篇稿子的作者是顾襄。

我指给韩力看，说："你看，又是顾襄写的，这家伙真是一天一篇稿。"

韩力说："我看这人跑新闻是把好手。他好像对网络犯罪这一块特有兴趣，我们下次再有行动，可能要带他了。"

我没说话，把报纸揉成一团，扔到了脚下。

"怎么？"韩力说，"小李同志，是不是听我夸人家，你这个前著名记者有点嫉妒了。"

"哪有？"我笑笑说，"嫉妒这个词怎么写，我现在都记不得了。这个顾襄我更嫉妒不上他，当年他来我们这里实习，还是我带他跑社会新闻的呢，我那时也比他大不了三四岁，就当他师傅了，我还会嫉妒他？"

"长江后浪推前浪，你现在出了圈，再回头看，可不一样了。现在的记者和你那时也不一样了。"

我们俩正谈着，电话响了，是胡一平打来的。

胡一平开门见山，不容我推托地说："你下午收拾一下，咱们明早去野外住一夜，主要是为东东，他这几天光忙着竞选学生会主席的事了，一直也没休息好。我想带他出去散散心，顺便哥儿几个也一块玩玩。"

"东东他竞选学生会主席呢？好事啊！"我说，"结果出来了吗？"

胡一平说："今天下午开始演讲，这孩子挺紧张的，我现在在家陪他呢。他们演讲稿不能超过十分钟，我这不正给他看稿修改呢。"

胡一平说的野外是指的离这城市四十公里外的徐庄，那块是片风水宝地，四面环山，植被茂密，还有条河从中间穿过，胡一平在那买了一块地，盖了一个两层小楼，就是当成乡间别墅造的，平时雇了个当地村民在那看守，春天一到，我们每隔一段时间都会去一次，大家吃点野味，再去山上转转，就当是踏青了。

"你这个当爹的是得尽点责任了。"我说，"东东他最近怎么样?"

胡一平说:"不错，挺知道要强的。要不这次竞选学生会主席他哪有那么大的劲头? 前两天他们校长也说了，这次的省级三好学生的名额已经定下来了，就是他，过两天去北京参加央视举办的一个什么少儿台的节目，可能还要上电视接受一个采访，为了这事，也得庆祝一下啊! 对了，有个事顺便和你说一下，那赵老师人真不错，前两天他来我家一次，也不知他怎么说的，东东主动把电脑从卧室搬到客厅里了，还把那个可视头也拆了，说怕影响学习。这几天他一直也没玩电脑，让我很开心。"

我听了很高兴，想赵清明还真是够朋友，也真挺有办法，居然这么顺利地就把这事办妥了。压抑不住喜悦，我说:"那赵老师就是个好榜样，让东东多和他学，没坏处。"

胡一平:"是。所以我也想了，这次去徐庄踏青，我也约了赵老师，他同意了。我还想叫着那个叫什么顾襄的记者，主要是有点事想求他，他和你没什么不对付的吧?"

又是顾襄，这个人真是无处不在。我对胡一平说:"没有。说来他还是我徒弟呢。"

胡一平说:"那就这么定了。今天下午我儿子演讲，我接赵老师和你去助威，咱一起给他打个气，要不这孩子脸儿太面，我怕他一上台就又紧张了。"

我说:"行，你儿子就是我儿子，这时候我们当叔的不支持他还行?"

胡一平很高兴地说:"这话我爱听。要我说咱也别等明天了，等东东讲完，今天晚上咱就去吧，反正是住的吃的用的都有，多住一两宿也没什么不方便。咱几个今天好好喝他一宿，明天一早起来就去钓鱼，东东挺喜欢钓鱼呢。"

"可是安琪——"一听说马上要走我有点为难。

胡一平说:"你把她也带上吧。正好，我也有事想找她。"

我警觉起来："你不是还想挖她墙角吧，我郑重声明，那可不行。"

胡一平呵呵地笑着说："这你就甭管了，反正安琪她做事有分寸，她要是坚持不让我挖，我也没法子。"

我说："安琪就不去了，我估计她也没空。"

胡一平有点遗憾地说："本来我想带着万囡囡去的，你家安琪要不去，我也没法叫她了，就她一个女的，也没什么意思啊。你给她做做工作不行吗？"

韩力听我这聊得欢，一直无精打采地坐在那打呵欠，看我打完电话了，就问我："和谁呀这是？又有活动了？"

"你认识的，胡一平，我一做生意的朋友，约我们去徐庄玩。"我说，"你去吗？带着你们家冷梅一块去，老胡好客着呢。"

韩力冷嘲热讽地说："算了吧，又是那种纸醉金迷的腐败度假吧，我无福消受，冷梅还要我陪她上街选沙发呢，我就不奉陪了。"

3

胡东东很紧张，汗把后背都浸湿了：

"我们的明天是美好而灿烂的，但是我们脚下的征途也是漫长而曲折的。今天，我自豪地站在这里，真诚地对所有和我一样的莘莘学子说一句：同学们，我愿和你们一起征服这脚下的路，踏上这曲折漫长的征途，迎接这美好灿烂的明天，请投我一票，相信我，支持我，鼓励我，鞭策我，我一定不会让校领导、不会让大家失望的……"

胡一平把头贴到我的耳朵上说："词怎么样，这段是我写的。"

我说："怪不得听着有点假大空的感觉，整个一言之无物啊胡总。"

胡一平捅了我一下说："你小子就是狗嘴吐不出象牙。"

胡东东讲完了，底下有一阵稀拉的掌声。胡东东走下来，脸涨得通红，情绪还很激动，胡一平抚着他的头说："儿子，讲得不错，老爸觉得不错。"

胡东东摇摇头说："我太紧张了，语速太快了，可能大家都没听清。老爸，要是选不上，一定是因为这个。"

胡一平一笑："不就是个破学生会主席吗？有爸爸在，你就放心吧。"

旁边有个同学听了这话向这边看了一下，胡东东看了他一样，有点心虚地说："爸，你声音别太大了，还没投票呢，让人家听见不好。"

胡一平低声嘀咕一句："搞得蛮正规的，有什么用？这种票投不投能起什么作用?!"

进入场上休息和统计票数时间。赵清明走了过来。

胡东东喊了一声"赵老师"，很亲切地走上前去，赵清明拍拍他的肩说："怎么，感觉如何啊？"

胡东东说："不是很好，我今天太紧张了，估计有点悬。"

赵清明说："什么事都是重在参与，你上去，其实就是为让大家记住你。赢与输那反倒不重要。"

我把赵清明拉过来，问他："你旁边坐着的是不是临海市同城中学的老师。"

赵清明看了看说："是。好像是兄弟学校过来学习经验的领导吧，怎么，李记者，你认识他？"

我说："当然，不过他是肯定不认识我的，这人原来是我老婆她们班的那个班主任，好像是姓严，教中文的。"

赵清明说："对，不过现在人家不教书了，是刚提上来的副校长兼校务处主任。"

我们谈了没几句，就开始大会的最后一项了——领导讲话。这个校的领导上来讲话，表扬这次敢于上台参加竞选学生会主席的同学们，说了些提纲挈领的话，然后又感谢了一下今天请来的几位客人，最后请上临海市同城中学的副校长——我省的十佳教师之一的严宏副校长，上台讲几句。

我现在才知道我老婆他们的班主任真名叫严宏，严宏上来说了几句谦虚的话，然后又讲了讲新时期如何更好地做好学生会干部之类的陈词滥调。这当口胡一平冲我使个眼色，让我出来。

我们俩走出学校，一直上了胡一平的车。

胡一平说："咱坐这等会吧。老了，露天坐一下午，身子吃不消啊。"

我们坐在车里等胡东东、赵清明他们出来。胡一平打开汽车CD，里面传出了一阵熟悉的音乐。我说："你也学高雅了，听英文歌了。"

"呵呵。"胡一平得意地说，"这不是我的，这是囡囡的，她送我的。"

我点点头，其实一听这歌我就知道，肯定是万绮珊的，像保罗·麦卡特尼的这首《昨天》我也只有在万绮珊的车里才听过。

"你和安琪说了吗？"胡一平说，"给她打一个电话，她要不去，我还得给囡囡找个伴。"

我给安琪打电话，电话响了两声，那边传来挂断的声音。

我说："她不接，多半是又开会呢！"

过了两分钟，我手机上有个短信，是安琪发来的，写着："我开会呢？你有事吗？"

我给她发回去："我们要去乡下玩，胡一平问你去吗？"

她回："可能不行，我中学时的老师来了，我可能要请他吃饭，你先去吧，到时我联系你吧。"

我想，看来她们严老师来的事，安琪已经知道了。应该请的那个老师也就是他了。

正发着，胡东东和赵清明出来了。胡一平的手机也响了。

胡一平接了电话，是万绮珊打来的，说那边有点事，让他先去，自己可能要晚点过去，可能还要带个女伴一起过去。

胡一平很高兴地说："那咱就先去吧。你们家安琪那边怎样，用不用接？"

我说："不用了，她肯定不去，刚才发短信了，她要请老师吃饭。"

车子开了将近五十分钟，到达终点。胡一平的别墅盖在半山腰间，按照风水学，半山建别墅是吉利之势，而背山面水、门前立树则是旺宅气象，胡一平的这个别墅全具备了这些条件。徐庄其实是在山脚之下的一个小村落，有一条河横穿其间称为响河。此处的山称为飞龙山，山势有如起伏的龙，宅建在龙身之半根腰，宅主则有御风而起之势，实为大吉之风水。胡一平把宅建在这里还有个想法，他想以此为基地，做一个度假村，他已经与当地村委会沟通好了，明年启动此事，所有贷款资金到位后，修路、通电、联网、兴修水利、贩养家畜，让这里成为大款们休闲度假的世外桃源。

胡一平的别墅门前平时铁门紧锁，门口有一个狗屋，两条狼狗拴在那里，生人一来就狂吠不已，他雇了一个看山老头，天天在这守着，今天因为我们来的缘故，门早就开了，狗也赶回窝里，以免乱叫扰人。看门人守在门口等待。

我们把车直接开进去。里面别有洞天，是六间房，还有个大庭院，住二三十个人没问题。屋里一应设施俱备，空调、电器、淋浴、热水、卡拉OK，甚至宽带上网都没问题。山鸡、野兔、野菜、野蘑等土特产都预备好了，冰箱还镇了两箱喜力啤酒。

我们下了车，这座乡间别墅后面就是山，胡一平提议先上山上绕绕，顺便等他们。我们就上山了。胡一平兴致不错，带着胡东东去山上采野蘑菇，采野菜，爷俩一会就走到山上了，我和赵清明跟在后面，看前面苍山翠谷，头顶风卷云舒，心情格外轻松。

我们俩爬上一座小山，边走边聊，无意间就说起了早上看到顾襄写的那篇稿子，说起有个学生因为上网玩游戏时间太长而猝死的事情，赵清明很气愤地说，对学生来说，游戏软件就是现代的鸦片，一旦迷上就很难戒掉，我说我有同感。CS 游戏刚兴起的时候，我也是整宿整宿地打，用了快两年的时间才戒掉。我们俩越谈越投机，后来连山也没兴趣爬了，就在半山腰上一棵小树前坐下，一边等胡一平爷俩一边胡天海地地倾谈。

正说着，听得山下有狗叫声，向下望去，一辆红色的赛欧停在了山下，看门人正在给她们开门。

胡一平带着儿子正好也从山上赶来与我们会合，他向山下望了一眼，掩饰不住心中的喜悦说："走，下去吧。囡囡她们来了，咱们和她们会合去。"

我们几个下了山，万绮珊的车子直接开了上来，看来她们也想上山看看，不过与我们相比，她们可能更懒得走，干脆把车直接开上来了。车开到山脚下，开到不能开的地方才停住了。这时我们正好也下来了，胡一平冲车里招手，车窗摇开，万绮珊的头伸了出来，她戴着蓝玻墨镜，向我们微笑，美目顾盼，风韵迷人。车门打开，伸出一条裹着茶色丝袜的修长的腿，她从车里下来，接着后面又下来了一对男女。这两人大家全认识，那男的是我原来的同事，现在的社会新闻部主任顾襄，女的则更是再熟悉不过，她是我的妻子安琪。

4

我老婆安琪和万绮珊原来一年前就相识，是在一次广告活动中认识的，后来两人也经常有接触。她们的年龄相仿，职业和地位也差不多，都是公司里的副手，具体跑业务的，一来二去，就熟了。

顾襄则是万绮珊邀来的，他本来自己也有公车可开，但是车进修理厂大修去了，就一起坐着万绮珊的车来了。顾襄和安琪也熟，当年我们都是同事，他们俩还一度在一个部里共过事，一起出去采写过不少稿子，以至当时很多人误以为他们俩是一家子，当时还有种传闻，说顾襄确实暗恋过安琪，这种传闻我听在耳中，当然一笑置之。对这两个人，我简直是太了解了。

既然都很熟，大家在一起，自然有很多话题。不过安琪突然出现，对我而言，倒也有几分新鲜感。

安琪告诉我，本来是要邀请她们中学的班主任严老师吃饭，可是这位老师忙得很，马上要回学校处理一起师生打架事件，只是在电话里说了两句就走了。所以她赶来了。

说来还真是很感谢这两位愤怒的师生，给我们两人一次难得的郊游机会。这两年我们夫妻俩共同出现的场合几乎是没有的，胡一平创造了这个机会。我和安琪手拉着手，胡一平跟着万绮珊，胡东东和赵清明一起，只有顾襄孤身一个人，有点落寞，跟在后面。我们一起爬了一座小山，看着头顶的残阳如血，一点点地向下坠落，胡一平戏称，说这就是"末日"到来的感觉。大家都笑，一直呆到晚上快六点的时候，才下来吃饭。

晚间吃的都是野味。赵清明不喝酒，除了胡东东以外，所有的人都喝起了啤酒，万绮珊说喝不习惯，从自己车里拿出了一瓶干红，于是她和安琪就喝起了干红。可能是下午爬山的缘故吧，大家都是又累又饿，不一会，就把桌上的东西吃光了，好在顾襄有准备，车里还有些小吃什么的，于是也拿了出来，安琪和万绮珊喝光了那一瓶干红，我们几个喝了一箱啤酒，都有些醉意。胡一平意犹未尽，提议打麻将，问有谁玩，赵清明弃权，我也没兴趣，于是就剩下顾襄、安琪、万绮珊，和胡一平他们正好凑成一桌。

"小赌怡情，大赌伤气。"胡一平说，"今天不玩太大的，二十元一炮，最高不能跑五十，现在是十点，打到两点散，明天上午还得再去爬几座山。"

于是收拾桌子，大家上楼上的棋牌室打牌。我们几个人的房间都准备出来了。胡东东要和赵清明睡在一起，胡一平和顾襄一个屋，我自然和安琪一个屋，万绮珊一个人占一间。

乡村的夜晚，非常沉静。与都市的喧嚣比起来，这里真是一片难得的静土。不过，这两年静土也不静了，徐庄飞龙山一带近几年成了大款金屋藏娇的风水宝地。据我所知，一到周末夜晚，来自京津一带的豪华轿车就会蜂拥而至，开车的司机通常都是大腹便便的中年男人，身旁坐着的就是貌美如花的女孩，大款们带着马子来度周末，白天上山折腾晚上上床折腾，反正这里就是一个供大家折腾的地方，就像我们今晚不也都各怀鬼胎地跑这里来折腾吗？

距徐庄三十里处是炎庄，著名的煤矿区，这两年煤铁走势好，开煤矿开铁矿和挖金子差不多。于是，为了争夺铁矿的开采区，发生过无数次争斗，炎庄就留下了我心头永远的痛。我的一位徒弟就是在那儿送了一条命。遥望对面层层的山脉，想起小石头的音容笑貌，我的心里那种隐痛的感觉又上来了。

胡一平的乡间别墅里现代化设备齐全，我的屋子里不但有热水器可以洗热水澡，还有一台电脑，居然可以上宽带，反正晚间也没事，安琪他们要打牌到挺晚，我打开电脑，还是上会儿网吧。

电脑开启，登录QQ，猝不及防的"嘀嘀"声响传来，有人和我打招呼，点一下，一看，是一个久违了的人——凤凰。

这些天来，总也不见凤凰上线，今天突然发现他了，意外之余，我心里倒真是有些高兴。

我敲上一个表情，咧嘴冲凤凰一笑。

凤凰：在哪儿？

我回话：乡村，一个朋友家里。

凤凰：够浪漫的。这一阵子我们总也没见了。

我：是啊，你在忙什么？

凤凰：没事啊。但是近来心情较差，不过，最近又调整过来了。你呢？

我：还行吧。

凤凰：近来生活中有没有特有趣的事？

我：有，不过，这些事说出来就无趣了。

凤凰：我猜你的生活应该是很有趣的。因为你本来就是一个有趣的人，你还想不想看点更有趣的？

我：什么意思？

凤凰打出一行字，是一个域名。

凤凰：打开，这里面是一个你意想不到的世界。

我：什么？又是那种视频聊天网站吗？

我点击了凤凰发给我的域名，很快的一个奇怪的标志出来了，只有几笔线条，好像是两个人纠缠在一起的造型，下面一行小字，是英文的，有个进入的标志。

我：这又是什么？

凤凰：点击吧，这是你需要的。

我点击了一下那个进入的英文，等待片刻，一个金灿灿的主页面出来了，最上面一排是一个条形的对话框，ID、注册、登录、取回密码等字样排成一条，下面则是几个泛着红光的大字：

性情世界。

5

必须承认，在我看过的众多的黄色网站中，这是一个极其庞大的、分工极其细致的网站。

我把所有的内容看了一遍。几乎与我看完的时间同步，凤凰又发出了信息。

凤凰：看了吗？作何感想？

我：很庞大的工程，很细致的分工，看来是国内规模比较大的黄色网站了。

凤凰：当然。不过，这个网站的总服务器在美国，据说它的总版主网名叫至尊，也在美国，这是一个面对中国网民的跨国性黄色网站，它的影响现在极大。听说注册会员已经达到三百万了，日均点击率最高的时候不算游客，仅会员就在两万以上。想一想，全国每天有几万人在这上面泡着，我要是这个网站的总版主，一定很有成就感。

我：如果它的注册会员有三百万人，日均上线数两万以上，那它一天要赚多少会员费呢？

凤凰：基本的会员费是月均三十元，这个叫注册费。但是这只限于主区和互动区，如果想要进入娱乐区和表演区，或是想看电影就必须注册为VIP会员，VIP会员的费用是两个月两百元，半年是四百元，一年是六百元。这些费用可以用手机充值的形式完成，也可以进入网上银行交易，不过，最常用和最方便的是直接在这里买充值点卡，所以你想想，如果这个网站的会员已经到了三百万人，每天又都能保持全国至少几千人上线，再加上广告与分销商的收入，一天会有多大的利润？

我：我看这比抢银行还快。

凤凰：在理论意义上讲，是这样的。

我：看这个网站的管理比较严密，版块这么多，参与者应该不少。

凤凰：是的，在国内外，管理这么严密的网站都是属于罕见的，可以不夸张地说，即使全国最大的门户网站，它的管理力度也不过如此。

我：凭什么这样说？

凤凰：因为这类网站管理与组织高度严密，绝非少数人力朝夕之间可以完成。你如果注册进去你就会发现，这里面的管理结构是呈金字塔形的，其中总版主设了一个，统摄全局，是第一层领导，相当于董事长或是总裁之类的地位。网站下共设有五个大区，每大区都有一个版主，这些人是网管，也是第二层领导，他们的地位相当于一个单位基层的领导，比如经理级人物什么的。再往下，各大区里还包括很多个专业版块，这一版块至少还有两个版主，这是第三层领导，相当于一个单位里的各部门的主任。

我：分工确实够细的。

凤凰：在这些专业版块里还包括很多细的划分，你比如说光买春信息这一块，北京、天津、上海、重庆四个直辖市各占一块内容，全国三十多个省份每省都占了一个版块，如果这其中的每个版块至少设两个版主，那么你想一想，光买春信息这一块内容就有多少个版主级人物在幕后操纵？这就是第四级管理层，应该是工组长这一类型的了。再往下还有一级，你看见那些个人博客了吧，那里面不设版主，但是每一个主页就是一个管理者，管理者把自己的形象贴上去，可以发帖也可以与她直接视频对话，但不是这样就完了，你可以与她直接视频对话，就意味着你不但可以与她进行网络做爱，她甚至可以上门提供性服务，只要你们都在一个城市。只要你肯付钱，她什么都会干。这是第五级管理层。再往下还有，表演区里那些进行表演的、作为视频主播出现的，这是第六个层次。这两个层次的人都是从事具体工作的办事人员，除他们以外，还有一种叫代理人的管理员，专门从事着充值卡销售、服务器租赁与网上银行的交易工作，这一批人就相当于一个单位里的销售部人员。还有一个层次的管理员是专门负责技术的，相当于单位里的技术部。有行政部门，有技术部门，有销售部门，这里建制非常清楚，和一个大型的单位一样。

我：这么多层次，这么多人，谁在这里集中管理呢？

凤凰：这么多人被捆在一起朝向一个目标使劲，其真正的管理因素只有一个，钱。在这里，真正掌握权力的人不是那些个做日常管理工作的版主总版主什么的，而是那些可以控制会费的人。有了强大的资金做后盾，才会有很多高水平的人愿意投入进来，这些人水平之高、能力之强、技术之过硬，远胜于你我之辈。我估计他们的人数总和不在百人之下，而且至少要跨全国二十个以上的省份，才可以把网站建设和管理成现在这样具有国际性跨地域的特点。

我：你告诉我这个网站，是不是因为你也是其中的一员，想把我也拉进去做会员？

凤凰：你错了，这个网站虽然经营得很好，但树大招风，版主级人物野心太大，设置的内容太多太细，最容易授人以柄，这种敛财不要命的方法，迟早会翻船，我对这种网站其实毫无兴趣。我本人更不会参与这类网站，因为我不需要用这个来刺激自己。

我：那你为什么还要介绍给我？

凤凰：因为我觉得你需要这个。

我：何以见得？你不是我，怎知我真正的需要是什么？

凤凰：这个城市里有很多人与你一样，他们在很多地方有欠缺，自然会需要在生活中用另一类东西来弥补，这也正如你看到的那些个黄色网站，它们之所以屡禁不止，是因为在网络人群中，隐藏着一个相当大的信仰缺失的社会空虚族。这些人白天道貌岸然仪表堂堂，但一到晚上却精神极度空虚渴望刺激。他们多数学历不低，有着受人尊敬的工作和社会地位，不缺乏金钱，永远不会去杀人放火，他们肯泡在这里的真正目的不是为了牟利，而是为了填补精神的空虚。在网站里，真正有牟利动机的只是极少数人，这些人是生意人，他们把这里当成了生意场，而能让他们把生意做下去的买家们，就是上面说过的那一群人，也就是说，其实是那批社会空虚族支撑起了这样一个网站。

我：看来，你对这些人很有研究。你是不是这些人中的一个呢？

凤凰：当然，我是。我想你也是，所以我才能理解你，所以我才会发现，其实我真正的乐趣就在于义务帮助你们这样的人，找到生命里真正欠缺的那部分快乐。

我：靠什么，靠这种黄色网站吗？难道你认为，我们欠缺的就是色情吗？难道色情是解决这一问题的良药吗？

凤凰：色情可能不是唯一的良药，但色情却是我们生命中不可缺少的那一部分，我们对色情的需要有时和吃饭一样重要。你想想看，这么多人每天泡在这个地方等着色情的出现，是为了什么？

我：你说说看。

凤凰：是为了解脱空虚。人类之间，之所以有人高贵有人低俗，划分了那么多等级，其主要原因是经济上的原因。但是，在经济上取得相对稳定状态后，羞耻感成为一个界尺。羞耻感让男人高贵得像个绅士，女人清高得如同个淑女，但你有没有想到，这种界尺出现的频率太多时，就令人烦了。于是，就会有人想借助于某一个空间，彻底地消灭羞耻感，来取得一种不用身份掩护的绝对自由。

我：靠什么来取得自由，色情？

凤凰：说色情有点难听和肤浅，我们就用性这个词吧。性的自由是我们内心都追求的一种事物，性的快乐应该是无国界、无尺度也无羞耻感的，人活着，有时这种空虚的感觉如天地一样广阔，无处不在，也许性就是最好的可以解脱那种空虚的方式。

我：我不知道他们是为什么，但是我绝不是为了色情而色情的人。

凤凰：有一种人很虚伪，就是像你这样的人，你们把色情当成了只有自己在极隐秘状态下才能享用的秘密。这是不对的。网络有一个好处，它的交互性可以让我们获得性的自由，这也是一种绝对的自由。这也正如色情这种东西，只有网络才让色情成为一种活生生的文化，一种互动的生活方式。色情可能不是唯一的，但其实色情也是神圣的，现在这个词经常被一些人给伪装和糟蹋，他们把这个词颠倒过来，用了一个很恶心的词——情色来取代它，在他们看来，只要用了这个词，就可以把自己那种内心卑劣的欲望以一种看起来有点高尚的形式表现出来。其实在我看来，这世上没有什么情色，只有色情。情色是一种造作的姿态，色情才是一种需要和真正的艺术。

我：你这个观点我不敢苟同。我对色情和情色这种划分没什么理解，也从来不觉得有什么意义去理解它们。

凤凰：你如果不是口是心非的人，最好就别用这种语气和我说话。我敢保证，在你看到了我给你介绍的这个网站，听到了我对这个网站的介绍后，你现在正在做的事，就是在页面上操作着，想要注册成为其中的一名会员，对不对？

我停止了键盘的敲打，看着电脑页面上不断出现的"注册失败"的字样，突然有种不寒而栗的感觉。他猜对了。

凤凰：我说对了吧，我怀疑你至少已经注册了三次，但结果是一样的，注册失败对吗？

我：我觉得你这个人非常可怕？你干吗要那么聪明呢？

凤凰打上一个笑的表情：我不可怕，其实相对于你来说，我才是最了解最关心你的人。甚至超过了你的妻子。

我：可是我需要吗？

凤凰：你当然需要。就像现在，你最需要的是什么我了如指掌，你需要一个会员的身份，这是你能够顺利进入这个色情王国的通行证。但是我要告诉你，在这个庞大的色情王国里，有非常严密的防范手段来确保安全和运行，凡是国内的邮箱地址都无法注册成功，除非是域外的，你有域外的邮箱吗？

我：没有。

凤凰：我刚刚已经用我在加拿大的邮箱给你注册成功了，你的密码已经打到了我的邮箱里，我现在就发给你。另外，在未经你同意的情况下，我还给你取了一个名字。

我：是吗？我叫什么？

凤凰：戏梦人生。这是我给你起的名字，你喜欢吗？

我：无所谓。

凤凰：这是我对人生最大的感觉。我现在觉得人生真的如一出戏一场梦一样，所以我现在只要那些抓得住、摸得着的东西。

我：比如说，色情？

凤凰沉默了一会儿，打上：也对。色情比较实在直接，至少可以控制。

我：凤凰，有件事我一直想问你。

凤凰：你说？

我：你到底是个什么样的人，我以前曾经认识你吗？

凤凰：你我之间谈这个问题非常多余。你我不会有超出这种方式以外的联系，可能永远都不会有，除非，你有一天能够真正进入到我的世界，我才有可能让你见到我。

我：要怎么样才能进入你的世界？

凤凰：我不是要你一个人进入我的世界，我是要你整个生活都进入到我的世界里，那样才行。

我：如果我对此没有兴趣呢？

凤凰：那就对了，你不该对我有兴趣。我现在把密码发给你。以后你的兴趣马上就要转移到另一件事上去了。

我：我希望如此吧。

凤凰：我要提醒你，以你现在的经济实力，你最好不要轻易以VIP的身份进入到表演区的包房里去，你成为普通会员后，可以先进入到交友区看看，那里面的买春信息是我见到的全国网站里做的最好的，我想你和你这种层次的朋友们需要的是这个。还有，那个个人主页区，你应该也会有收获。我从来没有在其他的这种网站里见到这种博客类的东西，那些色情博客们把自己的照片与一些心情故事写了进去，她们的行为应该是自愿的，这是这个网站与其他网站相比很有特色的地方，好了，今天不多说了。祝你玩的快乐，我要下了。

我：凤凰，总有一天我一定会知道你到底是个什么样的人。

6

进入性情世界里浏览，不觉间两个小时过去了。

我很惊异地发现，凤凰说的一点都没有错。这是一个真正的色情王国，从网站上出现的版主名字来看，至少有一百二十人在管理着各个版块的日常运行和维护。这一百多人，似乎都非常专业和敬业，他们恪尽职守，每帖必回，严格检查每个帖子的格式与每道程序的运转情况，凡有违规者立即整改，如果帖子中有水帖一经查处马上就会被封。特别是在买春网里发虚假信息的一经查处则马上封其 ID，相反要是信息实用的马上奖励点数与分数。这些版主级人物奖罚分明，措施得力，行动迅速，似乎个个都是人才。

而这里的管理机制很有意思，它模仿了学校的建制，总版主是一个网名叫至尊的人，他的职位是"校长"。第二层的各区版主的名字则是"教授"，再往下的是博士生、硕士生和大学生，只有这些级别的人才有资格报名成为版主，每个版块无论层次高低，至少设版主两人。然后就是会员，会员的身份依次是高中生、初中生、小学生和学龄前儿童，我新加入的，当然就是学龄前儿童。这里还有条规则，只要发帖或是跟帖出色的加分得到二十分以后，马上就成为小学生，以此类推，加分五十分以上，可进入初中，加分二百分可进入高中。

加分多的人，可以进入各级论坛，发表意见，观看信息，享受各种突破性的权限，还可享受赠送充值点卡的奖励。

这里的买春信息又全又多，我在这里很顺利地查到了我们省的买春信息网，顺着这个版块也找到了我们城市的买春信息，很意外地看到了在这些留帖中，有一个帖子提到了前几天我去过的那个蒙哥马利迪厅。有一个名叫"猩猩红"的人留下一个帖子详细地介绍了这里小姐的数量与价位，还有其从事色情服务的主要活动方式，发帖的格式很规范，当然，在这里格式不规范的结果就是封其 ID，所以没人敢不按格式发帖。全国各地的卖春场所在这里都有介绍，非常详细和具体，价位、服务、特色面面俱到，如同一张遍布全国的情色地图，真是让色狼级人物受益匪浅。

我挨个进入各区观看，最后进入"妹妹博客区"，这一区里面现在共有六个人的主页，她们全是年纪二十多岁的女孩子，个个相貌姣好，身材惹火，摆出的造型也开放大胆，毫不掩饰地在主页上贴满了个人的裸体照片，还有极具挑逗性的留言。在这里，有一个可以直接与其进行视频的屏幕，只要使用充值卡，即可与其直接对话。这六个女孩是另一种形式的网络视频女主播，相对来说，比在表演区和聊天屋的那些人要高级一些。我一一打开她们的个人主页，在其中的一页中停了下来，这张主页上的女孩看起来很面熟，好像在哪里见过，她的名字是"雨中宝贝"，我点开她的主页，各种样子的她的写真照呈现在我的面前，丰满的躯体和挑逗的神情让人血脉贲张，看了很久我才反应过来，这个人我确实见过。而我见她的地方就是也在这里出现过的蒙哥马利迪厅，当时她的名字叫雨琦。

第六章

1

这个叫雨琦的女孩也出现在了这个黄色网站的个人主页里，说明了什么问题？

我想起了雯雯。那天晚上她们始终在一起，她们最后也一起回的家。

看来现在她们也是住在一起的，这其实已经很明显地说明了，我所要知道的问题的答案。

雯雯应该也是这庞大的色情王国中的一员，虽然她现在还没有在这里露面，但她是其中的一分子，这是毫无疑问的。韩力说过，那个星期八聊天网的服务器就是在这里租赁的，很可能两个网站就是一回事。而雨琦与她，都是其中的一分子，这是一个毋庸置疑的事实。

但关键的是，雯雯在其中是什么样的一个位置？她在管理者的第几层？她与雨琦，是谁在控制着谁？

我有种不寒而栗的感觉，不是因为夜色深了，凉气袭人，而是突然发现自己卷入了一个从来没有进入过，也没有想到进入的世界。

雯雯，凤凰，雨琦，还有那个死掉的安小红，她们和楼上那批打麻将的人是两个世界的人，我不属于他们两个世界中的任何一方，但不幸的，却都卷了进去。

在雯雯她们的那个世界里，我卷得更深，我甚至帮她取出过她们的犯罪证据。

如果韩力知道了这件事，他会不会抓我？

那个死脑壳，他一定会抓我的。

可是我为什么要这么做？

我把电脑关上，披上件衣服，推开门走了出去。

这是一个春季的夜晚。有微凉的风，明媚的月光，和沁人心脾的美妙空气，漫步在乡间小路上，树影婆娑间，可以依稀见到黑暗处群山伫立的倩影，多么平静的一个夜晚，多么安谧的一个夜晚！谁会想到，竟然有那么多危险的东西在暗处，在地下的某一个角落里存在并影响着我们的生活？

我信步走着，顺着一条小路向前走，前面可以听见河水在潺潺流淌的声音，远处有一处水塔的灯光闪烁着，与月光交映，令这片安静的土地在静谧中并不显得黑暗，水塔的光芒引着我向传出水声的方向走去，那里有一条清澈的河水，永不疲倦地流着。

我来到小河前，黑洞洞的河水，在月光下泛起阵阵的波光，回头看，不远处我们居住的那栋小楼，有两间房仍亮着灯。

其中有一间是楼上的麻将室，两对男女在那里玩麻将，但那另一间亮着灯的房间，又是谁的呢？

我望着那片灯光，胡思乱想间有些出神。突然身后有动静传来，我警觉地拿起一块石头，向后望去，身后，一个黑影正在移动，动作很轻很轻，但向我缓缓走近。

我操起石头，心怦怦狂跳，喝了一声："谁?"

那黑影停了下来，一道手电光一闪，照在我的脸上，强光之下，我依稀见到一个苗条的身影，在不远处的地方伫立着。

"别怕，是我。"她一边走一边说。

她渐行渐近，在我身前几米处站住，在夜空之下，她咧开嘴一笑，雪白牙齿，深色嘴唇，在黑糊糊的脸上绽开，竟有种狰狞的感觉。

我也回之一笑，说："我最佩服那些胆大的女孩子了，万小姐，这么晚了，你还真有雅兴啊!"

2

我和万绮珊在小河边漫步，在这样安静的深夜，和一个美丽的女子这样悠闲地漫步，享受乡间清新的空气，不能不说，真是够浪漫的。

"看来这个夜晚，谁都睡不着啊。"万绮珊一语双关地说。

"他们麻将可能要打一宿了。"我说，"不过，你不一直也参与的吗? 什么时候下来的?"

万绮珊说："我打到二点左右，就没兴趣了。今天晚上，始终是胡一平一个人输，我们三个人赢他，我快赢到两千时，才发现里面有些东西不太对劲。"

"怎么?"

万绮珊回过头看我，她的眼睛在月光下闪烁出猫样的精灵："胡一平把我们几个叫到一起肯定是有他的目的的，包括今晚上他的这场麻将局，我看他根本就没上心打，起牌就诈胡，掏钱掏得痛快得不得了。这不是他的风格，我怀疑他是有目的的输。"

一阵阵的清风徐来，万绮珊用手拂了拂被夜风吹乱的长发。

我看了看前面，两个房间的灯光仍然都亮着。我说："那边还有一个房间也还亮着灯光，我知道是谁了，是胡东东，他也没睡。"

万绮珊说:"对,所以我说,今晚上所有的人都睡不着。"

我突然担心起来,胡东东在楼上这么晚没睡,他在干什么?会不会也在上我刚才上过的那个黄色网站?

这种想法如一道寒风吹过,令我禁不住打个寒战,我掏了掏口袋,发现手机没带。

万绮珊问我:"怎么了?"

我说:"我想给胡一平打个电话,让他们快散了吧。东东这么晚不睡,很伤身体。但是我的电话忘带了,你有吗?"

万绮珊摇摇头说:"我的也没带。我也是睡不着出来随便走走,没想着带那些东西出来。你要是急着打电话,我们就回去吧。风也有点大了。"

我们俩往回走,走在水塔的光芒里,影子被拖得很长。

沉默地走了一会,万绮珊突然说:"尊夫人真是个美人。而且精明强干,我很崇拜她呢。"

"她有什么好崇拜的,也不过一个凡夫俗子而已。"

"不是,她不但人长得漂亮,而且真是绝顶聪明,和她认识这么多年来,我一直自愧不如,就好像今晚的这场牌局,她就清楚得很。"

我有点惊讶,说:"是吗?怎么了?"

"没什么。"万绮珊笑笑说,"其实今晚上胡一平输钱输得非常明显,我想大家都看出来了。安琪也一样看出来了,但是她的定力比我好,或者说,她也知道胡一平想干什么,但她在给他这个机会。"

我心里想,我也知道胡一平为什么今晚会这么慷慨。

万绮珊见我没接话,又接着说下去了:"其实在你心里是不是一直都这样认为,我们都是出来混社会的女人,你可能不认可我们的做法吧?"

我说:"我从来没有这样想过,现在在外面做事很难。我理解你们这些女性的不易，只有我这样无所事事才是最容易的。"

万绮珊叹口气："李大记者，你真是十年如一日啊。"

听她的口气似乎对我的过去一直有所了解，我起了好奇心，就问她："何以见得？你见过十年前的我吗？"

万绮珊目光炯炯地望着我："我要告诉你，十年前我们真的见过面，只是你现在已经忘得一干二净了。"

"真的？"我努力回忆，但真是想不起来什么，我说，"在什么场合？"

万绮珊说："有件事你可能不知道，其实我也是学新闻的。九四届毕业生。和你一个学校。"

"是吗？"我说，"那你比我低两届，我是你学兄了。"

万绮珊眼光出神地望着天空上的那轮弯月，脚步慢了下来，似乎在回忆着过去的时光："毕业后我先是分到了电视台的采编部，上班第一天就去参加培训，那堂课就是你给我们上的。你当时和现在几乎完全不一样，比现在帅得多，也瘦得多。不过那时我和现在也大不一样，我当时不过是个一头黄毛的丑丫头。一个班四十多学生听你课，你也不会记得我。"

我说："真对不起。那几年，像这种培训授课，我参加了好几十次，给电视台的采编部讲课也有个十多回了，可是当时讲完就走，也真是记不住都有谁。"

万绮珊站住了，看着我，微笑着："可是我还记得。我还记得你当时给我讲的那堂课的名字，叫'新闻从业人员的职业操守'，你讲了很多例子，都是反面的，讲的是当新闻人员没有操守的时候，会做出什么样的劣迹，这些反面例子让人印象深刻。而更巧的是，你说的这些反面例子，在我后来的生活中都遇上了。"

我苦笑着说："所以你也可以想像，我只是个好的教师，但不是一个成功的职业人。"

万绮珊说："成功这个词，看你怎么看吧。我不认为我现在是成功的，也不认为你现在不成功，至少，你还有安琪陪着你，在这一点上我其实是一无所有。"

不知不觉间，我们两人站在一棵树下，谈起这些话题，谁也没有再往前走的念头了。

月光下，万绮珊的身上披上了一层薄雾似的光圈，很神秘，也很性感。也难怪胡一平会对她如此痴迷，她真是一个性感而又聪慧的女孩。

"别急啊。"我说，"你还有的是时间，和我们不一样，你身边都是出色的人，你可以尽情选择，其实真正羡慕你的人是我。"

万绮珊苦笑，摇了摇头："尽情选择？是啊，对我好的人真是太多了，比如这位胡先生，但是我会慎重作出这个决定。当年你曾说过做人要有操守，相信我，我一样有我的操守。"

我点点头："这一点我从来没有怀疑过。"

万绮珊指着前面说："走吧。你看，胡东东那房子的灯灭了。我估计他们要散了。"

3

我刚躺到床上，安琪就兴冲冲地进来了。

她一进来先伸个懒腰，然后迅速把衣服脱掉。

"累死了，困死了，这个胡一平，还要加圈，也不知他哪来那么大的精神。"她娇嗔地说，衣服脱了随便往沙发上一扔，只穿着内衣裤上了床，一边钻进被窝一边自言自语地说："今天不洗澡了，明天早上再洗吧。哎，你怎么还没睡？"

后一句话问的完全是种客套，不需回答。我直接问她："赢了多少？"

安琪难以掩饰心中的喜悦："有四千不到吧。这里就我赢得最多，顾襄赢了两千多，绮珊赢了两千，赵清明赢了一千多，胡一平一个人，今晚上输了小一万块。"

我伸了个懒腰说："好啊，大家的运气都好得很。"

安琪打个哈欠，翻个身说："人家是有钱，不在乎。什么时候我们也能这样，就上道了。"她突然想起了什么，一下子又坐了起来。

"你怎么了？"我问她，"赢钱赢得睡不着了吧。"

安琪白了我一眼，说："切！我没见过钱啊？我只是想问你个事，胡一平这人怎么样？"

我警觉地说："怎么样你不知道？你不是一直警告我，别和他出去吗？你不是说过他是醉生梦死声色犬马的人吗？"

安琪点点头，说："没错，我到现在也是这样看他的。不过，从今晚上他打牌的牌风上看，这人很沉得住气，也够气度，输到快一万还没有一点情绪，像是个做大事的人。"

我讽刺地说："赢一晚上对一个人的看法就改变了？你不是想和他合作干什么吧？"

安琪眼中发出光彩，说："合作？反正只要是有好的点子，这也不是不可能的。"

我说："我提醒你，胡一平这个人粘上毛比猴都精，他的提议，你最好小心，不管什么好的点子，你要记住，宏天的老莫对我们不薄，要是对他有伤害的事，就不能做。"

安琪脸一沉，不高兴地说："老莫是帮过我们，可是这两年我给他赚的钱，也够还他人情了。"

"反正我是丑话说在前，胡一平要拉拢你，你以为是看中你的才华了？还不是看中了你手头上做金鼎地产的那笔生意。你别以为我不知道，那笔生意下来，光广告费你们至少能赚三十万，胡一平今天输你，我看是看在那三十万的面子上了。"

安琪把灯啪地关上了，赌气地说："得了，得了。我不用你教育！怎么做人我清楚，广告这一行我也比你清楚，谁是好人谁是坏人我更清楚！你有你的事我有我的事，咱们最好别扯一块去。我就烦你动不动就给人下结论这个毛病，你总是这样，就不改改！"

"我说的不对吗？我只是好心提醒你。反正你现在一走，就是给老莫出难题，就是卷人家的生意投诚，我可不想让人背后说我忘恩负义。"我反唇相讥。

安琪把被子用力拉到头顶，不耐烦地说："今天我累了，咱别说这事直接睡觉行吗？"

灯光灭了，一片沉寂。我却睡不着了。

4

第二天所有的人都没能起来。这是肯定的，昨晚上大家全都没休息好，打牌的，上网的，都是熬夜之人，起来看日出的梦想注定要搁浅。

我在中间醒了一次，安琪靠在我的肩上，睡得很香，酣畅淋漓。这一次她没有说梦话，没有喊出别的男人的名字，她太累了。我凝视着她的睡态，近来我发现自己越来越变态了，特别喜欢看安琪熟睡的样子。她在熟睡的时候，给我一种很清新的感觉，这种感觉随着她的醒来会一扫而空，我也不知是为什么。

凝视了一会，我又沉沉地睡去了。电话铃声响起的时候，我们都醒了。安琪睁开惺忪的睡眼，迷迷糊糊地说了一声"你电话"，翻个身又睡了。

我下了地，从沙发上拿起手机，打开看，一个很陌生的市话号码，接了一下，里面传出一个熟悉的女性的声音："早上好，我是雯雯。"

我的睡意一下子全消了，情不自禁地回头看了一眼安琪，她躺在床上，呼呼睡得正香。我走到窗口，小声地说："你在哪？"

电话里那头说："我在一个网吧，昨晚上了通宵。"

"你找我有什么事吗？"

电话那头沉默了好一会，然后她说："我还欠你一个人情。"

我说："算了，那不算人情，你也不用还了。"

她说："不，我从来不欠别人的东西。我一定会还。但是在我报答你之前，你还是要再帮我一个忙。"

我晕！我的头都大了，我说："又要帮什么忙？我可不是上帝啊。"

她说："这个忙你非帮不可。也只有你能帮。你还记得我上次让你拿的那个包吗？"

"记得。我不是在那个迪厅里亲手给了你了吗？"

"是的。"她语速迟缓，不带一丝感情地说，"可是又丢了。"

"丢了？"我的头更晕了，"丢哪了？"

"就是在那家迪厅里。我们在往外跑的时候，我的手包拉链开了，里面的东西都没丢，只有那个包不见了。我敢肯定，一定是掉在那间迪厅了。你再帮我一次，帮我找回来。"

我无可奈何地说："你自己怎么不去？"

她沉默了一会，说："我去很不安全。我已经开始想改邪归正了，我不想在我刚刚有这个念头的时候，就被条子把手铐上。"

"那我呢？我也不愿让条子抓个现行啊。"

她似乎在那边摇头，我听见话筒里有一阵衣服擦动的响声，接着她异常冷静地说："你不一样。你从来没卷进我的事情里来，你是不知情的人，你也不是条子们要找的那种人。你帮我最后一次，我今晚上见你，我一定兑现我的承诺。"

电话挂断了。

5

中午不到大家都已经开始厌倦，先是胡一平接到了几个电话，是广告公司开业的具体事务，要他回去。接着是顾襄，单位有采访要去，然后是安琪，宏天的老莫直接打了电话，说金鼎那儿没谈妥，老总指名要安琪过去。然后是万绮珊，有两套现房要卖，下午客户来谈。

这么多人同时有事，闲人如我，如赵清明胡东东之流，当然只能随大家意愿。我们连中饭都没吃就往回赶，胡一平说中饭各自解决吧，因为他中午约了一个文化部门的官员谈事。车开得飞快，两旁的景物倒退如风。我和安琪、赵清明、胡东东坐在了胡一平的车上，车刚开没多一会儿，胡东东就睡着了，这孩子昨天上了一夜的网，看来是困得不轻。

回到城市，大家全都行动起来了。先把胡东东送回了家，然后送我和赵清明两个闲人，我们都主张别送了。于是他们也没坚持，下了车互相告别，其余诸人乘车继续奔赴各自的战场。

鬼使神差的，我打了个车，直奔蒙哥马利迪厅。

白天的蒙哥马利迪厅，死气沉沉，怪里怪气。门口冷冷清清，不像是曾被条子光顾过的模样。门半虚掩着，我本来想敲敲门，后来想干脆直接进去吧。一进去，一片黑洞洞的，有个门卫无精打采地出来问找谁。我说找前台，他说负责人正在睡觉，要我下午来。我从口袋里拿出二十元钱塞给他，这人马上来精神，要我等一下。

事情进展得极度顺利，出乎我的想像。前台出来一个女孩，我把丢东西的事和她说了一遍。她说不知道，那天她不值班，值班人的手机号她知道。我把手机给了她，她打了个电话，对方说有这事，那晚上清洁工确实是捡到了一个包，和我说的一样。那女孩对我说，像这种地方，几乎每天都能拾到客人丢的各种各样的东西，甚至包括内衣裤，为此他们专门设了失物台，就等着我们这样的人来认领。

我们来到失物台。很顺利地找到了那个帆布包，密封地依然很严实。看来没有被人打开过，我掂了掂，手感和当时刚拿到时也差不多。谢了那个前台小姐，出来的时候艳阳高照，已经到了正午。

我自己来到一个小饭店，要了一瓶啤酒，一个熘三样，吃了起来，那个包就放在我旁边的椅子上，灰头土脸，极不起眼，有那么一刻，我有一种冲动，我想马上给韩力打一个电话，告诉他我这里有一个很有用的证据。我已经开始对这件事厌倦了，我不想被卷入一个我根本就不能参与的事情里去。干脆把这事转给韩力他们得了。

正在我思想徘徊的时候，电话又响了，这次还是一个陌生的市内电话，不用猜，一看这种生号我就知道是谁的了。接了电话，雯雯的声音就传了过来："拿到了？"

"是啊。"我无精打采地说。

"你看了吗？"电话那头她很紧张地问。

"看了。"我撒了个谎。

电话里一阵沉默。她没说话。我等了一会，笑着说："看了怎么样？你会不会找个人灭我的口？"

她长叹了一口气，然后很坚定地说："我相信你没看。你要是看了，你不会还用这种口气和我说话的。我相信我的直觉，你肯定没看。"

我说："随便你吧。我只想知道，只要把包给你，我们是不是就不用再见面了？"

她说："你就那么讨厌我吗？"

我不知如何回答，干脆以沉默表示赞同。她听不到我的回答，似乎很失望，又接上一句："如果你不想见我，过了今天你就不会见到我了。但是在这之前，我只想要我的东西。"

"那你现在打个车过来拿吧。我告诉你我在哪？"

"还是你来找我吧。"她说，"你下午三点钟去蓝色宾馆。我在那开了一个三小时的钟点房。从三点到六点，我们有足够的时间可以把这些事了断清楚。"

"什么宾馆？我从没听说过有这么个宾馆，你告诉我它在什么位置上。"

"你只要打车一说去蓝色，司机就会很快地把你拉过去。这是这个城市最著名的宾馆之一，那里面很有特色，保证你从来没见过。你去那里等我。我们有三小时的时间，我会在这段时间里让你永远记住今天这个日子。"

6

一切如雯雯说的，当我说起要去蓝色宾馆的时候，司机二话没说，马上发动车子就走。

开到一半，司机回头看我一眼，有点暧昧地说："今儿准备泡几点？"

我不明白他话的意思，问："什么泡几点？"

"呵呵。"司机乐了，"装糊涂呢您？那可是咱这有名的地方啊。"

我没插话，听得云山雾罩，干脆不和他说了。

到了蓝色宾馆，我才明白司机的话是什么意思。所谓的宾馆不过是一个简陋的招待所样的设施。一幢三层小楼，门口挂着大牌子，上面写着一行大字"六十八元免费冲浪上网包房。"

我递钱给司机，问："这什么地方，宾馆还是网吧？"

司机一边找钱一边说："天知道，反正这是个逍遥地儿，天天满员，什么人都有。你没看，那还有学生进进出出呢！"

我顺着他的手指看，真是有几个学生打扮的人正在往外走，个个都是没精打采的，估计可能"冲"了一天"浪"了。

"有意思。"我自言自语，下了车。

一进去，里面是个前台，三个中学生模样的男孩正在那儿和服务员讨价还价。

"大哥，你就行行好吧。三间房一百五行吗？"一个学生正在那儿苦苦哀求。

女服务员有些粗暴地说："不行不行。68元的都满了，最低的也是80元的了，你们给二百，三个人包三间房。我告诉你，这也得抓紧，一会儿还来人，连这样标准的房都没有了。"

一个操东北口音的学生说:"大姐,俺们都是学生,拿点钱也不易,再说也总来,宽限一下不行吗?"

女服务员摇头,几个学生还在纠缠,另一个女服务员看我进来了,迎上前去问我要什么服务。我告诉她我已经订了房间了,并告诉了她门牌号,她看了看,说是88元的那间。

"您跟我上去吧。"女服务员说,"具体里面的情况我会和您介绍清楚的。"

我们两人向楼上走去,下面几个学生还在和服务员纠缠,这时从楼上下来一个浓妆艳抹的女人,后面跟着一个英俊而年轻的男人,两人手携着手下楼来,正好与我们擦肩而过。那个女人斜了我一眼,突然满脸通红,低下头去,急忙地抓着那个男人下了楼。

我一开始没反应过来这人是谁,直到走上一层楼才突然意识到,她是卢燕,胡一平的夫人。

这个胡夫人一直是个神秘人物,每年有一半多的时间都在国外,很少在家呆着,老实说我见她的次数也有限,要不就不会一下子没认出来了。前两天胡一平告诉我,说她又出国了,没想到在这个如此低级的小宾馆里竟然遇见了她,身边还跟着一个明显比她小得多的小帅哥,这些有钱人啊!我一时百感交集,不知说什么好了。

我们一直走上三楼,女服务员边走边介绍:"您订的那间88元的房间,条件很好,68的和它没法比。里面有热水,有空调,有双人床,关键是网速特别快,一定能让您满意。"

楼道里一扇门突然开了,一个光着上身的十五六岁的小男孩伸出脑袋,喊:"上不去网了,服务员,过来看看。"

我向他房子里扫了一眼,看见房间里面还坐着一个女孩子,穿件吊带裙,袒露着很瘦的肩膀,背对我们,正坐在一台电脑旁在键盘上敲打着什么。男孩子见我向里瞅,很不满地瞪了我一眼,将房门啪地关上了。

"你这里学生不少啊?"我笑着说。

服务员点头说:"咱这里服务周到,网站全,特招人。多大岁数的人都有。"

我们进了雯雯先订的那个房间。推门进去,里面是一个很简陋的单间,有一张双人床和一个卫生间,比较醒目的是床前的写字台上有一台十七寸屏的电脑,已经打开了,上面还有一个可视头,镜头对着我们,像个圆圆的眼睛。

服务员过去,点了电脑一下,里面谈出两个对话框,一个写的是"普通客人",一个写的是"会员名单"。

我说:"你们这条件很简陋啊。"

女服务员笑笑:"到咱这来的都是为了上网方便,没人挑住的,再说,有床,能洗澡就行呗,要别的东西干吗?"

我看了电脑上有"会员名单"的对话框,问她:"这什么意思,你们这还有会员啊?"

女服务员一笑:"您还是点普通客人那个吧。您要是会员就不和我提这个问题了。"

她指了指床头的一台电话,说:"我们的电脑都没屏蔽,您一定会玩得高兴的。您有什么事就打电话吧。那床头柜里有个服务单,上面写着都有什么服务的。"她看着我,意味深长地补充了一句:"我们的服务可是全方位的。你有什么需要一定要抓紧打电话,今天包房都满了,找人都不好找。"

她出去时把门带上了。我打开床头柜,里面果然有个服务单,上面写的是一些"按摩、推油、足疗"什么的名单,上面有费用和电话号码。我当然知道这里有什么猫腻,这小宾馆藏污纳垢,这些号码都是给打真军的人准备的。

坐在电脑旁等雯雯,这时我发现桌子底下有个废纸篓,里面扔的全是卫生纸、避孕套什么的。看来这地方,发生过不少事啊。

电脑上网速度确实很快,打开,查看历史记录,清一色黄色网站和视频聊天网站,一点就进去,小电影下载的速度极快,而这些历史记录里一周里排在前几名的就是我昨天刚进入的那个性情世界网站。看来，这里的"特色"就是这个。

没看一会儿，房间电话响了。我接了，里面是一个嗲声嗲气的声音："你好，先生，不知你是不是在包房里上网呢？不知你是不是找到了合适的网友呢？如果没有，需不需要我给你介绍一下呢？如果需要，请拨打"1"号键，按"井"字键结束。"

这是一个电话录音，可能是宾馆内部安装的。我这会儿真的明白了，怪不得这里的包房这么受欢迎，原来可以打着见网友的旗号在这里正大光明地召妓，这也真是有"自己特色"的宾馆了。

雯雯指名要我来这里，可能她也是这里的常客吧。我想起了胡夫人，头有些晕了，胡夫人腰缠万贯，却也在这种地方出没。看她身边的小帅哥，顶多也不超过二十五岁，他们可能就在这儿的某一间房子里做过什么，而与此同时，她老公还以为她在美国，这一家人！

我进入到"性情世界"的网站里，点击进买春信息网，找本地的信息，今天又多了至少十条帖子。在很显眼的地方，我发现了名为"蓝色销魂夜"的一个帖子，介绍的居然是我呆在这里的蓝色宾馆。打开进去，我才知道这个宾馆在网友中间大名鼎鼎，这里不但可以通宵上网，而且是这个城市里一处公开与网友约会上床的佳地，这个帖子后面有很多跟帖，对这里的一些服务进行了补充说明。原来那个会员名单的对话框是给常驻用户准备的，会员们可以进入宾馆内部设定的一个网页，那上面有不少本地的美女的头像，只要点击任意一人，她马上会打来电话问你需要什么，最迟半小时她就会来到这里提供你所需要的一切服务，这就是网络时代召妓的新手段，看后真让人大开眼界。

我正在看得津津有味，有人敲门。

我问："是谁？"

门外有个娇滴滴的声音说："需要钟点服务吗？"

我说："不需要，我等人呢！"门外有人吃吃地笑，没走，不一会又敲上门了。

我有点恼怒地打开门，两个女孩站在门外，都戴着黑墨镜，穿得很时尚，裙子短得仅遮住腿根，露着两条光光的大腿。我一开始眼拙，没认出来是谁，仔细看了一下，才发现原来是雯雯和雨琦。

雨琦吃吃笑着说："大叔，还真挺正经的。一个人不寂寞吗?"

雯雯笑着说："他在网上冲浪，肯定不寂寞。"

我冷冷地看了她们一眼，没说话。雯雯说："开个玩笑，你别介意。"我身子一侧，做了一个让她们进来的手势。

雨琦说："你们先呆着吧。我去隔壁，会一个网友去。"她转身走到另一间房门前，敲门，门开了，一只手伸出来把她拉了进去，门啪的一声关上了，依稀可以听见雨琦放肆的笑声。

雯雯进来后，很随便地靠在床上，把高跟鞋脱掉，笑着问我："怎么样，这地方是不是很有特色?"

她意味深长地看了我的电脑一眼，笑容暧昧。我看了电脑一下，屏幕上显示的是雨琦的一张裸照，我刚才正在看她的个人主页。真惭愧，刚才只顾着开门居然忘了关，让她看笑话了。

我走过去，把那个网页关上了。雯雯理解地说："没关系，食色性也。我理解你们男人的心理。"

"咱还是言归正传吧。"我说，"干吗非要在这样的地方见面。"

"安全。"雯雯说，"这里的老板是一朋友。要是有条子来，他马上就会电话通知我。我根本就不会上来了。"

我哼了一声，说："你倒是很小心，我要是告诉你，我就是条子派来的，你怎么办?"

雯雯摇头，说："不信，我相信自己的眼睛，你肯定不是。"

我从自己的背包里把那个包取出来，扔给她。她拿来看了看，脸上舒展笑容，说："完璧归赵，一点变化都没有。你真是个君子。"

我说："我是君子，但你是什么人? 能说说吗?"

雯雯眼神很专注地看着我，缓缓地说："你真的不知道我是什么人吗？当你对着屏幕看我脱衣服的时候，你难道也像现在这样，很关心我是什么人吗？"

？

真相其实有时候很简单，世界上有很多事变得很复杂，完全是因为人的缘故。就像如今，雯雯将要说出来的这番话。

"你有一个很坏的毛病。"雯雯说，"你总是忘记关上电脑，就像刚才，那天晚上也是如此。那天我把你整得睡着了以后，发现你的电脑是开着的，于是，我就看了看你的电脑。很巧，你那天的电脑屏幕上正好有我们的网页，这一看我才知道，原来你也是我的主顾。"

当雯雯突然说出这番话时，我发现自己很可笑地成了真相面前的一颗盲棋，说是棋，是因为我一直被别人摆布着，说盲，是说我自以为一直游离在外面看着这盘棋局，但其实，真正看不见东西的是我。

我无可奈何地摇了摇头，他妈的人要想犯错误，有多么容易啊，而且是一错下去就会一错再错，大错特错。

雯雯说："不好意思，我偷看了你的电脑。当然不只是看到了你是我的主顾这么简单。那天我在你电脑旁呆了近一个小时，我还看了很多别的东西，你有一个博客主页，里面都是你这几年写过的东西，我基本上全看了，这才知道你曾经做过什么，现在又在干什么。当我知道你不是条子时我真的松了一口气。我也有把握，你不会卖了我的。"

我还能说什么呢，我输得一败涂地。我说："于是你就利用我，编了一个什么男朋友之类的谎言，让我把证据取出来是吗？"

雯雯举起了手中的包，说："那个男朋友的谎不可能骗过你，所以你要是肯帮我，就根本不是因为我撒的那个谎，你这人靠得住，我一看就知道。你放心，这个包里装的不是你想的什么犯罪证据。其实也没有什么证据可以留在那里，我们都是小人物，连版主级的人物都算不上，更别提管理员那一层的了。就算是条子抓住了我，我也没什么大事，最多是罚款吧。不过，这个包虽然不是证据，但它是我今生最重要的东西，这里隐藏着我今生的秘密，永远不愿与人分享的秘密，这比什么都重要。"

我颓然地倒在椅子上，为自己的粗心大意，同样，也为这个女人的精明而颓然。"现在好了，"我说，"包拿走了，你可以成功脱身了，我们是不是可以说拜拜了。"

雯雯神色黯然地望着我，说："你不要这样说。我是利用了你，可是我一直也没想过伤害你。真的，我知道，其实你心里一直喜欢我，要不你不会老是在那里等着我了。你能告诉我，你为什么喜欢我吗？"

我转过身去，装作漫不经心的样子，用手在键盘上瞎敲打着，打开了一个又一个网页，我说："因为你身材好吧。"

雯雯摇了摇头，说："我的身体你曾经看过。很多男人都看过，但是我从来没有和别人袒露过内心，每天坐在电脑前，我就是一个机器，我只要拖长一分钟，都会多赚一分钱。在那里我是没有内心的。可是我还是想知道，你为什么会喜欢我？为什么？"

"知道这个有什么意义吗？"

"有。"雯雯的眼圈红了，"至少让我知道，有人还真的喜欢我，不是喜欢看我的身体，而是喜欢我这个人。"

我冷静地望着她的眼睛，说："你觉得这世上有这个可能吗？你觉得我仅仅和你视频过几次，看过你的上半身一眼，就会喜欢上你吗？我可以负责任地告诉你，我只是好奇，只是对你们这种职业的女人感到好奇而已。我个人认为，网上从来没有爱情，有的只是色情。"

雯雯很痛苦地把头低了下去，说："我明白了，一切都是我自作多情。"

有那么一刻，一种很柔软的感觉突然出现在我的心里，但是我必须强迫自己硬下心来，我刚才说的都是真的，面前这个女人狡猾而危险，她虽然长了一张我曾经喜欢过的脸，但毕竟不是那个人，喜欢她，这是不可想像而且又很麻烦的事。

雯雯再次抬起头来，已经非常镇静了。"色情有色情的玩法。"她说，"咱们一起去洗个澡吧，这次我保证我会把上次没有做完的事情做完。"

她走上前来，用胳膊钩住我的脖子，将脸贴近我，用一种很嗲的声音说："既然没有爱情，那我们就只要色情吧。你要我怎么样的服务才能满意？"

我看着她，强力抑制自己不去碰她已经快要贴上来的丰满乳房。我说："我们都需要色情是吧？可是，也有人需要的是另一种东西。比如安小红，你知道她现在需要什么吗，当她把脖子套进那个绳圈里的时候，她需要什么？"

雯雯的脸色变了，她把胳膊从我的脖子上拿下来，踉跄地坐回了床上。

她低下头去，用手捂住了脸，沉默了一会儿，轻声地抽泣了起来。我静静地看着她哭泣，刚才涌上来的欲望都消退了。

雯雯抬起头，一大滴泪痕顺着她的眼角缓缓流下来，把眼睛上的妆全部冲下来了。

"她死了。我知道你会用这件事来谴责我。可是你知道吗？"雯雯抽泣着说，"我其实很羡慕她，活着的人更难受。比她还要难受。"

❖

雯雯语音低沉，对我倾诉着心声：

"我们五个人决定一起干这个的时候，谁也没想把它当成一个真正的职业来干，大家就是想赚一笔钱就走。你不知道，做这个真是很来钱，而且不用出力气，也没什么技术含量。在网上脱衣服，扭来扭去，说起来很难为情，可是怎么也比出卖自己强吧，起码不用真的跟人上床吧？我们做这件事都有各自的原因，比如说我，我干这个是为了还债，我现在还欠着一大笔债没还清呢。一开始我们几个给自己定了目标，赚多少钱就收手，到后来，我们已经无法摆脱这件事了。不是钱，是另一种力量在左右着我们。我们不能摆脱了。"

我说："是什么力量左右着你们？"

"控制我们的人不仅仅是用钱来控制。他还把我们视频的情况制成了光盘来要挟我们，他主要是要挟我。他命令我组织视频表演队伍，如果我不从，他会把这些光盘四处散发、出售，因为他知道我的身份证号码，也知道我的真实身份，这个世界上没几个人知道我的真实身份，他就是其中的一个。如果我不从，他会把这些东西寄到我的家里。如果他这么做，我就全完了。在网上毕竟是偷偷摸摸的，下线了就完事了，但是这些东西要是四处流通出售，成为一种商品，再让我家人知道，我就全毁了。"

"那个控制你的人，他是谁？"

雯雯摇头，一脸迷惘地说："你相信吗？除了一个网名、一个账号，我不知道他是谁，但是他知道我是谁。他一定是很了解我的人。可是我对他一无所知，从未见过面，但是却被他牢牢地控制住了，我没有办法。这就是网络的可怕，一切都在虚拟状态中完成，成功或是毁灭，由不得你，却又不知是谁在操纵。"

我说："就是在这种虚拟的状态里，你为了怕被他毁灭，就帮他毁灭了别人，对吗？"

雯雯激动起来。她走到我的身前，点了一下电脑，上面弹出一个窗口，自小变大，是"性情世界"的主页。

"在我来之前，你一定是在看这个吧。"她讥讽地说，"这是他的杰作，不，是他们的杰作。在这里，只要我愿意，我一天可以赚到两百元，甚至两千元，还不用跟人睡觉。雨琦比我赚的还要多，但是你相信吗？她其实是被我拉下水的，不同的是，她真的喜欢这个，她喜欢被人注视，被人垂涎，被很多男人在床上干来干去，然后再把他们像扔块抹布一样地丢弃。她干这个不是为了钱，她很富有，也很变态，但我和她不一样，我一直讨厌这个，我不喜欢这个，可是我是拉她们下水的人，把她们毁了的人也是我。"

雯雯的情绪突然激动起来，她眼含泪水，恨恨地用力敲击着电脑的键盘，哭道："你相信吗？我恨我自己，我恨这个破东西，恨这个破东西里面隐藏着的那个肮脏的世界。我恨死它了，我恨死它了！"

她用力地敲打着键盘，发出很大的声响，我拉住她的手，将她的身体扶起来，想让她稍微平静一下，她就势倒在我的怀里，搂住了我的脖子。当她松软的胸脯贴在我的身体上时，我突然感到，刚刚消失的欲望倏然间胀满了身体的每一个细胞。

她把头埋在我的怀里，紧紧地搂着我的脖子，轻声地、柔弱地说："你知道吗？我怕死了，每一个走近我的人，我都害怕，我怕他们是警察，怕他们是那些看过我的主顾，我怕在人多的地方被他们发现，怕他们对大家说，我就是每天晚上都在那儿脱衣服的那个人。我很怕，我想让你对我说，你不在乎我这一切儿，你说啊。"

我搂紧了她，她的发际有一股淡淡的香味，这香味属于一个纯洁的女孩，不应该是她这样的女孩。"我不在乎。"我说。

"不！你在乎。"她的眼泪湿了我的衣服，"没有人不在乎，我知道。我几乎每隔一周就要改一种发型，我是怕被人认出来，我们几个人都那样，上网的时候我们戴假发，不断变换衣服，就是怕被人认出来。有的时候真羡慕那些妓女，她们比我们活得更光明正大。"

我搂紧她，她的眼泪浸湿了我的衣服，也浸湿了我的心，这一刻，她是如此的柔弱，所有的伪装似乎都不见了，我说："你不用怕，其实你可以离开这一切，只要你愿意。"

她在我怀里猛烈地摇头："离不开了，离开了又怎样，当人们知道我曾经干过这个，我还能有正常的生活吗？我们的视频表演都被制成了光盘，随时可以在市场上买到，只要五元钱，就可以让人翻来覆去地看。谁还会要这样的人？"

我无言以对。

她低声地说："其实我渴望爱情。真的，虽然我每天都在出售色情，但是我渴望爱情。"她抬起头来，眼泪汪汪地看着我："我想听你说一声你爱我，真的，哪怕是骗我的也行。虽然我不爱你，现在不会，以后也不会，可是还想听你说，说爱我，喜欢我，随便什么，骗骗我好吗？"

我们四目相对。她红红的嘴唇就在我眼前绽放，泪水顺着眼眶一直滑到了唇边，晶莹的泪珠淌落到含苞欲放的红唇上，诱人而又令人垂怜，情不自禁间，我的嘴唇也贴了上去。

热吻中，她把我的衣服褪下。

敲门声突然急促地响起，把我们从欲望的热浪中惊醒，只听门外雨琦急促地喊道："你们别在那儿快活个没完了，刚才接到老板电话。警车在门口出现了。我们赶快从后门走！"

第七章

1

我在第二天早上看到了有关昨晚的报道。是顾襄写的。蓝色宾馆被捣毁了。

顾襄在文章中介绍，蓝色宾馆是一个新兴的色情场所，利用网络的特点，以网友约会为幌子，组织妓女卖淫。在这里，会员们可以直接进入宾馆设置的一个网站，只要点击网页上的女网友，她们就会在三十分钟内出现，这些人全是妓女。当然，真正的一夜情也经常在这里发生，那些网络上相识的男女以此来做为交欢的场所。这里是网友们性爱的大本营。而且最严重的是，很多大学生甚至高中生也把这里当成了约会网友的基地，这些未成年人在这里的性活动尤其令人关注，在捣毁这个宾馆的当晚，就抓住了六名中学生、两名大学生，还有若干涉及网络卖淫的妓女，其中还有两个男妓，与一对阔太。男妓，我想起了神秘的几乎从不露面的胡夫人，那天晚上，她和我一样逃过了一劫。

我们是从后门出去的。与我们一起跑掉的还有这座宾馆的老板。报上的文章也说明了这件事情，老板是四川人，大学文化。他在这个城市里开了三个宾馆，一个叫蓝色，一个叫红色，一个叫白色，白色宾馆还正在筹建中。顾襄在文中提到，这位老板平时还是一个DV电影的爱好者，曾经开创过类似的电影网站。当看到这里时我立刻想到他为什么把自己旗下的三个旅馆起了这样的名字——红、白、蓝，这是著名的波兰籍导演基斯洛夫斯基"人性三部曲"的电影片名，他用来做了宾馆的名字，很有情调。这也说明了这位网络性爱营的建造者是一个相当有品味的艺术青年。当然，他在逃后，红色宾馆与白色宾馆也被查封，这三个宾馆都是做这个的，在这个城市的网络青年中很有名。

那天在警笛的呼啸声中，我们各自打车走了。雨琦和雯雯上了一辆车，我自己上了一辆车，那天晚上突然下起了雨。安琪发个短信，说她不回来了，要加班。近来她不回来的时候很多，我也懒得再问她去干什么了。

雨后来大了起来，我坐在窗前，一个人，喝着一瓶啤酒，坐在电脑前听我下载的伊安·库提思的名曲——《Love will tear us a-part》，这曾经是我上大学时最喜欢的一张专辑，听着主唱伊安深情而略带点诡异的演唱我突然怀念起雯雯来了。我们第一次在那个茶楼里单独会面时，她就点了这首歌，她不但长得和我曾经爱过的人如此地相像，而且居然也和她一样，喜欢听这种老旧的英文歌曲。

我在一张纸上画雯雯的素描，她长得非常像一个人，那是一个叫麦芽的女孩，我的第一个女朋友。我一直把她埋藏在心里，已经快十年了。我们大学是同一学校的，我比她大了整整一届，大三那年，我快毕业时她去了美国，从此我们就再没有了联系。麦芽是我给她取的外号，她的真名叫麦家慧，说来好笑，她在高中的时候和安琪是同学，但是安琪和她上的不是一个系，彼此都有印象，但也只是点头之交。

麦芽去了美国，我们的关系就断了。我不能离开这个国家，陪她一起去海外，她的父母都移民到了那边，那是她的家。我的父母全在河北省一个小县城里，年事已高，体弱多病，要靠我养老送终。这是命中注定了的，我和她，是两条平行的永远不可能交会的线。

我们最后在一起喝茶的时候，已经预告了分手的信息。她把她高中时所有的音带都送给我了，其中就有这盘《Love will tear us apart》——《爱会将我们分开》，这曾是她高中时最喜欢听的一盘打口带。在那个时候，这种英文的歌曲带只有靠打口的形式才会流传过来。我们都曾经是打口青年，交换磁带是 80 年代青年人的一种时尚，我和麦芽就是这样相遇相识相爱的。她还给了我一张她的毕业照片，那张照片上有她们这一年级的所有同学，安琪应该也在，但是我没有找到她。在这张照片上，麦芽不知为什么被安排在了正中的位置，她那时还梳着一个大辫子，眼神非常清纯，很美丽。

那天，麦芽坐在那里很艰难地想和我说明这些，她反复地说她知道我一直很爱她，我们之间从来没有出现过什么问题——但这恰恰就是问题。她说她很想出去看看外面的世界，很想出去走走，她问我可以等她吗？但她又说，她并不敢保证一切不会发生变化，尤其是在另一个时间空间里，什么是永恒的？爱情也一样。很难永恒。

这世界从来就没有什么可以永恒，这首我们从高中时候就喜欢的歌其实已经预言了我们的结局。我知道。我接受了她全部的馈赠，并真诚地祝福她一切顺利，麦芽哭了，在我起身要走的那一刻，她站了起来。我知道接下来的事情就是她要扑倒在我的怀里，但那天的情节却没有这样的庸俗。她没有向我走过来，只是呆呆地站在那里看着我的背影，好像要走的人，不是她，是我。

她走的时候我没送她。我坐在屋里一遍遍地听着她送我的这盘《爱会将我们分开》，反复地看着她送给我的那张毕业照片，想像着她就要上飞机了，提着很多的行李，在机场的大厅里东张西望，以为我会出现，和她相拥离别。

我讨厌离别，特别讨厌那种因为不得不离别的原因而做出的离别姿态。所以我没去。我想她一定很失望。毕竟两年来，我们携手走过的地方太多，在一起热吻互相抚摸的时候也太多太多了。我想她一定哭得泪如雨下，也许不会，因为有一种说法，在校园中流传，说麦芽其实在美国早就有了一个男友，与她父母的关系也很好，他们是通过网络熟悉的，经常在网上聊天解慰相思之情，麦芽出国，也有与他相聚的意思。我从来没有因为这些传言而追问过麦芽，这种追问对我来说毫无意义，一个人已经决定在你的生活里消失的时候，任何追问与真相都没意义，最有意义的只有一件事，那就是她要走了。她要走了。我听着那些歌曲，不知什么时候泪流满面。我最后的决定是把那张照片撕掉了，这并不代表我要和她决裂，只是我不想再次看到这些东西，每次看到照片上的那个人时我就会想起那些未竟的感情，这让人很伤感，我宁愿最后只把那些旋律与感觉留下，而把她的形象淡化掉。

今天晚上，伊安的歌声响彻了整个屋子，我格外地怀念起当年和麦芽一起听这首歌的岁月。

"When the routine bites hard, and ambitions are low. And the resentment rides high but emotions won't grow. And we're changing our ways, taking different roads. Then love, love will tear us apart a-gain. Why is the bedroom so cold. Turned away on your side? Is my tim-ing that flawed, our respect run so dry? Yet there's still this ap-peal. That we've kept through our lives. Love, love will tear us apart a-gain…"

我们曾经在一起试图把这首英文歌词的中文意思翻译出来，但是我们的英文都不太好，中文系的学生就是这样，一般英文好的都很少，我们找了一个理科班正在考研的师兄，让他把这首歌的中文意思翻译出来了：

"乏味的生活一如既往，少年的雄心壮志已成过眼云烟。愤怒积聚到了极限，反而对一切都无所谓。我们被生活所改变，方向也随之而改变。这时，爱会将我们分开！

冰冷的房间空无他人，你终将踏上自己的道路。我的生命开始分裂，我们之间的共同感觉丧失殆尽。只是这无聊的日子还在继续。爱，爱会将我们分开！

你在睡梦里开始哭泣，我的过失暴露无遗。绝望将我深深拽紧！当爱，爱将我们分开时，生命中一切美丽都已失去！"

我想起那天晚上就是这样，我拿着这首歌的中文歌词反复地听着，听着，然后，安琪来到了我的房间。很巧合，那天她的情绪比我还要低落，那天她本来应该在老家探亲，但是因为思念她的男友，就提前赶回来。她没有和男友通话，主要是想给他一个惊喜。打开男朋友单身宿舍的门，先发现了门口丢着一个避孕套，然后她锁上门，去了洗手间，刚一进去，男友宿舍的门就开了。男友和另一个女孩笑闹着进来了。谁也没意识到洗手间里还有人，男友和那个女生打闹着滚到了床上，然后开始由嬉闹的声音变成了呻吟、喘息，最后是悸动的惊叫。安琪坐在马桶上，呆若木鸡地听着他们发出的动静与淫荡的叫声，一直坐了三十分钟，整整三十分钟过去后，屋里只剩下了她一个人。粗心的男友始终也没有发现洗手间还有他的女友。他们两个人出去吃饭了。安琪就那样，一直坐了两个小时，两小时后，她把钥匙放到门外，发誓再也不来这里了。

那天晚上，因为同病相怜，我们俩坐在那里，在这首伤感音乐的陪伴下，讲起了各自落于俗套的爱情，本来应该是很感伤的，却又觉得很好笑，最后我们笑了起来，笑彼此的故事都太老套且庸俗，笑得前仰后合，然后，安琪的眼泪就流下来了。

忘了是谁先主动的，反正安琪在床上非常拘束，手脚僵硬，似乎是个处女，但是当我要离开她时，她反而紧紧抱住我不让我走。于是我们就那样，在我宿舍的木板床上，发生了关系。事后，安琪很羞怯地告诉我说，她不是处女，其实早就和那个前男友上过床，但是性上并不和谐。可能这也是造成他移情别恋的一个因素。我却没有告诉她，其实我还真是一个处男。

那天晚上安琪来找我干什么，我已经忘了，好像是借笔记吧，反正也是个很俗套的事。后来我们好了起来，但是有整整半年的时间，我无法忘掉麦芽，安琪却很快地忘掉了她的那个男友，有些事，女人比男人做得更绝。

后来，我的那盘磁带莫名其妙地没了。我一直怀疑这是安琪做的手脚，但是她矢口否认，后来我又买到了相同内容的 CD，音质很棒，但是听着总没有那种味道了。安琪很讨厌我听这个，一听这个，她就一个人进屋，不出来了。我知道她是嫉妒，于是就不再听了。后来我在网上下载了这首歌，只有在她不在的时候，我才拿出来听一听。

撕掉了那张相片是我至今都很后悔的事，因为事实证明，相片虽然被撕毁了，但是麦芽的形象不但没有忘掉，反而在我的心里愈发地清晰了。

今天，我整晚整晚地听着这个曲子，眼前不断浮现雯雯的影子，其实在现实生活中的她，不是很像麦芽，可是每次在电脑上看见她时，我都以为是麦芽在和我面对。但是她们肯定不是一个人，她们的气质、脾性、身材全都不是一样的，只有相貌有些相似。可是，无可救药的是，这两个人都让我难以忘怀，一见之下，就难以忘怀。

我一晚上都在听这曲子，然后坐在沙发上睡着了。早上起来的时候，去楼下报箱取报纸，看到了蓝色被捣毁的消息。我给韩力打了一个电话，询问这事的情况。韩力态度很生硬，问我打听这个干什么？他昨晚又加班了，一夜未睡，早晨又开始工作，态度难免会不好。我告诉他没什么，好奇。他告诉我，蓝色被捣毁不仅仅是组织卖淫这么简单，那个老板其实是黄色网站"性情世界"里"硕士生级别"的人物，管理着至少三个版块的内容。

韩力简单地说了一些情况就把电话挂断了。他很忙。

那个上午我的一切都像是电影里的慢镜头，慢吞吞地吃饭，慢吞吞地看报，慢吞吞地打开电脑，查看一些什么叫动态 IP 地址之类的网络知识，然后找了一盘基斯洛夫斯基的 DVD 看一看，如果不是宏天的老莫突然间来了一个电话，这一天一定会平淡无奇地过去。

2

老莫把电话打到我手机上，声音很急迫。

"看来这事得找你了。"老莫说，"安琪要拆我的台。"

我的心里一惊，但是还是肯定地说："不可能，她不是这样的人。"

老莫语速极快，根本不容我插话："你听着文波，安琪已经有一周没上班了，手机也不开。今天早上来了，递了辞呈，她要辞去副总的职务，怎么说也没用，加薪、给她涨提成，都没用。她是铁心要走了。她要攀高枝，我可以放，但是她手上至少有三单大的买卖，特别是金鼎房地产那笔十年庆典的大买卖，都没有收尾。这些全是她在宏天时建立的关系和业务联系，我们一块儿谈下来的，现在她走了，那三大笔生意全跟着她给了胡一平。这损失不是个小数目，你劝劝她，要走，也得做完了再走。这是宏天的生意，不是胡一平飞宇广告公司的。她这样做不仗义。"

我对老莫说："别急，我会劝她的，你放心吧。"

放下电话，我心里一阵地抽紧。老莫是我大学同学，当年安琪和我双双辞职时，我托他给安琪找份工作，他二话没说，把安琪接纳过去。一年后，委以重任，成为副总。对我们他是有恩情的，还不光是这一件事。我们买房时，装修的工人是他找的，装修费都是他出的，我阑尾炎手术时他还陪过三天床，虽然这些年联系少了，但朋友之谊不能不讲。安琪她不听我的话，看来还是跟了胡一平了。可是这事，也得和我商量一下啊！这样做对不起朋友啊！

我给安琪打电话，关机。我查114，查到了胡一平新开的飞宇文化广告传播公司的电话。打过去，一个女声接的。

"喂，请问一下宏天广告公司的安琪是不是来过这里？"我说。

"您找我们安总，她在开会，我给您转一下她办公室的电话，会有人接待您的。"对面回答。

安总?！他妈的，看来她已经上任了。我放下电话，出门打了一个车，去胡一平的飞宇公司找她。

胡一平的飞宇广告公司在市中心的一座四十层高的发展大厦里。胡一平财大气粗，租了四层，我打听了一下，副总安琪在第十三层。

到了十三层，我问了一下安琪的办公室，就要进去，一个女秘书样的人马上过来挡住我，说："对不起先生，我们安总正在会客，你能不能先到我房里等一下，有什么事先和我说？"

我说："不用等了，我是她老公，她会什么客人也不用挡着我吧。"女秘书惊愕地张大了嘴，我没理她，一直走到安琪办公室门前，推门走去。

一进屋就闻到了很浓郁的咖啡味道，这是那种蓝山咖啡精工细磨出来的味道，我的鼻子对这类东西一向敏感，一下子就闻出来了，这种咖啡价格不菲。

环顾一下，发现安琪这个新办公室真是够气派的，是里外套间的，胡桃木制成的办公桌豪华高雅，对面的落地窗可以直接眺望城市的全景，比起宏天那间十二平方米的小办公室，实在是有天壤之别。屋里没有人，但是里面套间传来说话声，咖啡的香味也从那边飘来，看来她在里间密谈。

我进了里间，很惊奇地发现安琪正靠在沙发上，和一个背对着我的男人一边喝着咖啡一边热烈地谈着什么。见我突然进来，他们都吃了一惊，那男人回过头来看我，我一看认识，是我从前的同事顾襄。

安琪很惊奇地问我："你怎么来了？"

顾襄也很有礼貌地站了起来，说："李哥，你好，我正和嫂子谈笔业务上的事。我给你倒杯咖啡吧。"

我说："谢了，不用了。"对安琪说："你出来一下，我有个事要和你谈谈。"

安琪不悦地说："有什么事回去说不行吗？你没看我正在谈事呢？"

我说："那就在这儿说吧，反正我也不会说太长的。你什么时候到胡一平这儿上班了，怎么不和我商量一下。"

安琪冷笑一声："商量什么？做我们这行跳槽是常事啊！"

"可是老莫他——"我瞅了一眼很不自在地站在那里的顾襄，顾襄很礼貌地说："那这样吧，安琪，你们先说着吧，你要搞的那个策划，我回去和老总说一下，一定帮你做成吧。"

安琪瞪了我一眼，回头满脸笑容地看着顾襄说："要不这样，细节问题我还想再谈一下。你先去我秘书的办公室里等我，一会儿我去找你。咱今天就把这事落实了，回头我叫上胡总，你叫上你们老总，还有金鼎那个刘总，中午咱去大富豪，边吃边谈。"

顾襄说："好的，那我就等你一下吧。"和我点个头，出去了。

顾襄一走，安琪立刻发作了："你是不是有病啊，李文波，我正在这谈事呢，你就闯进来，连门都不敲一下，让客人看了什么样子嘛！"

我反唇相讥："客人？谁，小顾？你别忘了，他是我徒弟，他算哪门子客人？"

"你——"安琪脸一下涨红了，"别哪壶不开提哪壶！他是做过你的下属，可是人家现在和以前不一样了。我是求人家帮我办事，利用报社的影响共同搞一个策划活动。你总是这样，谁也瞧不起，谁也不如你，可是你能帮我办成什么事？"

"咱不说这个好吗？"我说，"我只有一个意见，你可以离开老莫，但是得帮他把那些收尾工作摆平了再走吧。你不能拿着人家的生意到胡一平这儿投诚吧？"

"你懂不懂广告是什么？"安琪说，"这是有实力的、有头脑的人玩的活计，什么你的我的，谁更强、谁更有好创意、谁能把主顾拉来就是谁的，你以为是喝酒呢，喝不了找个哥儿们替你喝?！老莫的生意，哪写着是他的呢？再说，他要是有那个本事，他靠我干什么？他可以自己再把生意抢回去的。"

"话不是这么说的，我认为，做人要厚道——"我说。

安琪不耐烦地摆手："你别和我这儿演《手机》了。算了，你也别和我争了，广告的事你不懂，生意的事你不懂，你回家吧，今天中午我不回去了，我请人家，请你徒弟他们吃饭，有什么事，等我回家再说。"

我把手机拿出来，放到她眼前，说："给你。"

"干什么？"

我说："现在给老莫打电话，道个歉，把金鼎房地产那笔大活给人家退回去。"

安琪哼了一声："退回去？你脑子真是进水了，你以为这是买东西呢？买多了，退一个就完了？"

我急了："你打不打？"

安琪冷冷地看着我："你别命令我行吗？打不打是我的自由，

你天天在家坐享其成，我在外面挡风遮雨，你没资格要求我什么。"

安琪的手机突然响了，她接过电话，声音马上为之一变："胡总，我在。我知道，已经说好了，中午大富豪，对对，顾襄，还有他们李总、汪总。对对，你放心吧，已经十拿九稳了。金鼎的老总也会来的。"

安琪把电话放下，说："我要走了，没什么事你回去吧。走时把门给我锁上。中午自己解决饭吧。"

门关上了，她走了。一边走一边又开始接电话。

我坐在沙发上，颓然而又无计可施。

3

晚上接到了胡一平的电话。他在电话里很急迫，说东东已经一天没回家了，打他的手机也关机了。晚上七点钟时接到了他一个短信，写的是："爸爸，我要平静一下，请不要等我吃饭了。"再打过去，是关机的声音。

现在是晚上十点。也就是说，自发短信后三个小时了，东东也没有出现。

胡一平很急："他妈妈现在在北京昌平跟一个服装商谈生意，听说后也急了，现在正开车从北京往这儿赶。我已经给110打电话了，你说他会在哪?"

我说："你先别急，是不是这两天东东身边发生了什么事，让他受刺激了。"

胡一平说："我估计是学生会主席竞选那事。我从侧面听说，好像他落选了。昨天晚上他回家时情绪很低落，一头扎进屋里一晚上没出来。我当时有应酬，也就没管他。"

我说："你这个当爹的太粗心了。你现在哪? 我们一起去找找他。"

胡一平说："我现在还出不去。一会有个山西来的客户，有煤要走，今天晚上必须得谈妥这件事。文波，就请你辛苦一趟，你现在就去他们学校，找找他们老师，问问情况。我估计要两小时以后才能过来找你。"

"都什么时候了，你还有心思谈买卖。"

胡一平叹口气："没法子，人家老总来了，我不露面，几十万的签单就可能没了。人在江湖，身不由己，文波你理解我吧，赚钱也不易。最多两小时，之后我跟你联系。"

理解，理解，都他妈的需要人理解，谁理解我！放下电话，我忍不住骂了一句。

这种事不是一回两回了。胡东东现在简直成了我的儿子，前几年他在外面迷电子游戏，玩得晚了没回家，胡一平在山西跑煤，就是我代他把儿子找回的。还有一年，他们同学聚会，在酒吧跟几个青年打架，惊动了110，胡夫人出国了，胡一平喝醉了，又是我去取的人。我简直成了他们家的保姆了，隔三差五的就得给我找点事。

气归气，孩子还是要找的。现在去学校不现实，都十点了，哪有人呢？我想起了一个人，把电话打给了他。

十分钟以后，赵清明开着车在楼下等我。我上了他的车，把情况简单地和他说了说。

"一定是学生会主席落选的事对他打击太大了。"赵清明果断地说，"他本来以为自己很有把握的。也是，他在班上三好学生当的时间最长，又一直是优秀班干部，他们教务处主任私底下还给他做了承诺，我听说他爸爸还为他这次竞选也活动了。准备了这么多，这次没选上，这孩子可能是想不开了。"

"现在的高中生也太把这种虚职当回事了。"我不理解地说，"不就是一次选举吗，谁当还不一样？胡一平也是，儿子的事，他跟着掺和什么？"

赵清明说："你不了解现在的这批孩子。他们是吃着麦当劳、听着周杰伦长大的，从小没吃过苦，衣食无忧，做什么事都讲排场、讲面子、讲人气、讲攀比，竞选学生会主席，在他们眼里，就是看谁更有面子、谁更有人气的一个事，我听说很多学生的老爸为了这事都找了校领导了。胡东东在学校一直优越感特强，他爸爸更是手眼通天，和校领导们关系也不错，他是志在必得。我估计这次落选他是万万没想到的。"

我们开车前往胡东东学校附近的网吧一条街，这是高中生们经常光顾的地方，赵清明提议去那里找一找，多半胡东东就在那里呢。

车开到学院路，就开不进去了。马路口停着一排车，赵清明把车停到了那一排车的后面，领我进了一个小胡同，这个胡同口很窄，但进去就豁然开朗，里面是一条长街，马路两旁都是高矮不等的小房子，门口的招牌各式各样，写的都是什么"网上冲浪"、"极速光纤"、"宽带视频"、"狂聊狂视"之类的字样。

赵清明边走边介绍："这就是著名的网吧一条街，你从这路口往里看，一直走到头，两旁全是网吧，没有一百家，也得有个七八十家。"

我们顺着路口往里走，一个个网吧地找。每个网吧里面全都是人，大部分都是年轻人。学生居多，看打扮有高中生，也有大学生，还有一部分像是社会青年，偶尔也可以见到一些中年男女。现在是晚上十一点左右，正是人满为患的高峰期。

赵清明说："这里面来的大部分都是学生。你仔细看看，有不少也是和我当年一样的农家子，不过，这些人和我们当年真的不一样。我当时一门心思学习，就是为了摆脱那种穷困的生活，除了学习，没别的出路。可是你看他们，天天泡在这里，却不知是为了发泄什么？"

我顺着赵清明说的地方看，真的发现有不少穿着很土气、样貌很朴实的男孩子女孩子坐在那里，睡眼惺忪地望着屏幕。

"很多人喜欢趴在这里，就是以为会找到生活中找不到的东西。比如说友谊、爱情，或者是假想中的成功。"赵清明说，"这就是虚拟世界的可怕之处，一切都是在假想中，孩子们喜欢在梦幻里生活，可是一旦真的面对了和梦幻完全不一样的生活，就马上无所适从了，脆弱到底了，胡东东就是这样，这里泡着的孩子们也好不了多少。"

我们进了十几个网吧，一无所获，也惹了不少网吧主的白眼。再往前走，我突然发现了一个很残破的小旅馆，上面的招牌都要掉了，但是门前却清晰地打着一个横幅："包房两小时五十元，老客户八五折起价。"

"这还有旅馆？"我指着那招牌问。

赵清明讥讽地说："是啊，语音、视频完后，总得找个地方见面吧。你没看吗？两小时五十元，还打八五折，这就是给他们预备的，多便宜经济啊！"

再往前，赫然又见到了几个洗脚屋，门口坐着几个衣着袒露的女孩，很年轻，也不过十八九岁至二十二岁之间，看我们来了，马上站起来招呼："泡吧的，让美眉们来按摩一下肩吧。你们多累啊。"

我感慨地说："这要是顾襄来了，又能写篇报道。古人说有井水处必有人居住，现在是有人聚集处必有色情侵入。"

我们在马路东头的一个网吧里终于找到了线索。赵清明发现了胡东东平时的一个密友，正戴着耳麦，在那儿和一个女孩视频聊天呢。

赵清明拍了拍他的肩，这孩子一见是赵清明，很不自在，急忙摘下耳麦，解释说："赵辅导员，今天周末，我们刚考完试，放松一下，我一会就回去。"

赵清明说："我又不是你们老师，你紧张什么？你玩你的，我只想问你，你看见胡东东了吗？"

那孩子说："我们今天是在一起来的。刚才我们还在这打 CS，不过他今天情绪不好，打几局都输了，还连累了我们，大家说了他几句，他一生气自己就跑了。他这人就这样，小气，容不得人家说。"

"大家？"我狐疑地说，"你不是一个人来的。"

那个孩子说不是，我们问话的时候，他旁边的几个男孩女孩也都抬起头来看，他们是一起来的。

我和赵清明简单问了一下。大家七嘴八舌地讲起了这件事，果然是赵清明猜的那样。胡东东这次竞选失利了，他得的票数连一半都不够。许多学生私下都说，他爸爸那么有钱，还经常请校领导吃饭什么的，在底下搞暗箱操作，就是不选他。

胡东东听到这种私下的传闻，好像是找那个传话的人对质去了，结果让人打了，还被大家起了哄，一气之下，就走了。

赵清明问："附近有酒吧什么的吗？"

一个孩子说："有，前面不远的地方，往东一走，就有一堆小酒吧，我们同学有次过生日，去过一个叫蓝宝石的酒吧，那里基本都是大学生，也有高中生什么的，他可能是上那儿去了。"

赵清明说："走，咱去那儿看看。"

我们俩回去开车往东走，没两分钟就看见了街两旁酒吧林立，都是那种外面很简陋、装饰得俗里俗气的小酒吧。这种地方我也来过，是专为学生们开的，酒水很便宜，设施很简陋，点一首歌两三元钱，但是里面大都设有专为学生情侣们准备的包厢，所以很受欢迎。

我们俩找着了蓝宝石，这是这里的众多小酒吧中很有规模的一个，外面装饰得挺典雅，一进去，发现空间很大，里面人也不少，一个吉他手正在舞台上唱歌，吧台上坐了不少青年男男女女。屋里光线很暗，我们适应了好一会才见到了胡东东。他一个人坐在角落里，桌上放着两瓶喜力，垂头丧气。

胡东东看来是不胜酒力，喝得已经有些醉了，他的脸颊红肿的印迹还没消，一看就是和人打过架了。

我和赵清明要了几瓶啤酒，和他坐到了一起。

"李叔，赵老师。"胡东东带着哭腔说，"他们欺负人，我没在背后搞什么鬼。他们是嫉妒我！"

赵清明说："流言蜚语那都是常有的事，你要是天天计较这个，那还有个完吗？"

我说："就是，东东，你也不小了，你不说一声就玩起失踪了，你知道你爸他急成什么样子了吗？"

胡东东脸上带着愧疚的神色，说："我就是不想让我爸看见我现在这个样子。"他指了指自己的脸，"我想等这些肿的地方都消了再回去。要不，就等我爸睡着了再回去。反正，我不想让我爸看我这个鬼样子，我不想他看不起我。"

"傻孩子。"赵清明揉了揉他的头，"没有任何人看不起你，一个学生会主席说明不了什么，今年不行，明年再来呗。你爸他在外面受的挫折受的苦比你多多少你想过吗？要是一有点事就喝成这样，和人打架，那他能有今天？"

胡东东辩解说："可是我爸他也总喝醉了回去，我想学学他，喝完了就把那些腻心的事都忘了。"

我和赵清明忍不住都笑了。

我说："孩子，你爸他喝酒是为了做事。你爸是喝醉过，可是他做了多少大事、难办的事你知道吗？你喝醉了就是为了逃避，那可不一样啊！"

我手机突然响了，一个陌生的手机号出现在我手机上。我一接，是个女人的声音。

"喂，是文波吗？我是胡嫂。"胡夫人是上海人，声音里有很明显的吴侬软语的味道。

"嫂子，是我。东东找到了！"

胡夫人很激动地说："谢天谢地，我就知道文波你是个有法子的人。我们全家有点事，你一来就都解决了。那个该死的老胡，这时候他还在外面喝酒，我刚把他叫出来了，我们现在在一块呢。你们在哪？我们马上过去。"

"不用了，嫂子，我和清明在一起，我们一会儿开车把东东送回去。"

电话换了一个男人的声音，是胡一平："文波，谢谢了。"

"谢谢，还缘分哪，老胡。"我讥讽地说，"你喝差不多了吧。我们这就送东东回去，你回去别说他，东东今天确实是受委屈了。"

"哪个敢给我儿子委屈？我一会儿给他们校长打电话，问问他这校长怎么当的，他妈的吃老子喝老子时没问题，却让我儿子受委屈！"

我说："你算了吧你，别瞎搅和了，你别总把社会上那套庸俗的东西带到学校去，你以为学生们也吃你那一套啊！"

赵清明扶起胡东东，我们往外走，快走到门口了，突然背后响起一个熟悉的声音："大叔！"

我心头一震，回过头去，只见吧台高高的圆凳上坐着的一排男女，一个女孩夹着一根烟，神态轻佻、烟视媚行地看着我。

她是雨琦。

赵清明见我停在那里，很奇怪地问："怎么？有人喊你吗？"

我拍拍他的肩说："你先走吧，我看见一个熟人，再坐一会儿，我打车回去。"

赵清明说："你小心吧，快十二点了，一到这个时候，人的情绪就容易失控，你别待的时间太长了就好。"

我说了一声"好"，赵清明他们走了。

我走到吧台上，见雨琦身边坐着一排人，个个年轻叛逆，不过，眼神里却流露着难以掩饰的稚气。

雨琦将手一挥说："这都是我哥们儿。"指着我："这位是李大叔。过去也是一人物，现在和咱们一样，也飘着呢。"

雨琦冲吧台打个响指，侍者送来一杯伏特加，雨琦递给我："大叔，我请你，来点烈酒，就不知你喝不喝得习惯。"

我说："雨琦，咱能不能找个地方坐坐。这吧台上的座太高，我有恐高症，有点不习惯。"

雨琦一笑，端着酒杯下来，我们找着刚才胡东东坐着的那个角落，坐了下来。

雨琦和我碰了一下杯，把抽了一半的烟随手一扔，说："大叔，也喜欢泡学生吧？"

"我是来找人的。"我说，"看来你是这儿的常客啊。"

"也不是。"雨琦指了指身后那一排人，"这都是我们设计院的同学，今天周末，大家放松放松，我一般不来这种地方，都是小孩，没品味。"

"那天晚上，你们走了，没出什么事吧？"

雨琦冷笑一声："有什么事啊？条子来了也无所谓，我老爸一个电话，还不赶快放人啊？！条子们也是多事，人家网友约会，又不是嫖客买春，抓什么抓啊！"

我笑笑，说："今晚雯雯怎么没和你在一起？"

雨琦笑："你想她了？她可想你了。我和你说，昨天晚上她喝多了，喊你名字来着。"

我的心头一动，脸上不动声色，但是心里起了波澜。

雨琦嘻嘻一笑，说："其实你有什么好啊！"她突然出手，在我肚子上拍了一下，很重，搞得我差点把一口酒喷出来。"你看你这肚子，大叔，都快赶上我爸了。"

我手捂肚子，说："你这孩子怎么这么没轻没重的。"

雨琦说："人家和你开个玩笑，别板脸行吧，你一板脸更像我爸了。"她从口袋里取出一包烟，递给我。我摆手拒绝了。

　　我看着她把烟点上，放进嘴里，忍不住说："我看你抽烟够勤的。"

　　雨琦说："一般般吧。我其实没瘾，高兴时抽，烦了也抽，平时还真不沾。"

　　"你这样抽烟，你老爸知道吗？"

　　雨琦摇摇头："也许吧，无所谓，知不知道都无所谓。他比我抽得还凶，他怎么不管管他自己啊?!不过，我老爸和我说过，烟抽可以，但是要抽自己的，千万别抽别人的，要防止人家害你。这一点我听他的。"

　　我嘲讽地说："不错，你还真有能听进去话的时候。"

　　雨琦说："你把我想成什么了？以为我是叛逆啊?!白天我在老爸那，在我老师那，我可都是乖女孩，昨天写毕业论文我还熬了一宿呢，你信吗？等毕业论文一写完了我就出国玩一圈去，先去欧洲五国绕绕，不过我不会花我老爸的钱，省得他总拿这事唠叨我。"

　　"不花你老爸的钱，你上哪儿去赚钱？去那几个国家还不得几万？"

　　雨琦狠狠抽了一口烟，从鼻孔里喷出烟来，随意地说："我自然有办法赚到钱。"

　　我想起了我在网上看到的她的个人主页，不知那个是不是也是她赚钱的一种方法呢？

　　雨琦看着我，说："你不信？"我摇摇头。

　　她从口袋里翻了一会，拿出一个十分精美小巧的手机来。

　　"喀"的一声，她给我拍了照。我吃了一惊，问："你干什么你？"

　　雨琦打开手机屏幕，指着上面我呆若木鸡的相片说："120万像素，清晰吧。这是现在出的最贵的一款手机，也是我换过的第十二个手机。不过，只有这个手机是我用我自己的钱买的，我自己赚的，我不靠我老爸，我也照样能赚来。你以为我是那种拿着老子的钱在外面耍的孩子，我告诉你，本小姐不是！"

我点头，说："我信我信，还是把东西收起来吧，你老照我我可受不了。"

雨琦呵呵笑了，我们俩开始喝酒，看来她已经喝了不少，一杯烈性伏特加进肚，开始见多了。

吧台上，一男一女突然争吵起来，啪的一声，那女的打了那男的一记耳光，骂："你好啊你！背着我睡别的女人，咱们俩完了！"说完气呼呼地走了，那男人追了出去。

雨琦鄙夷地看着他们的身影："男人都这个德性，见了女人就想上。偏偏还有这种傻女，一遍一遍地让他欺骗，还那么天真！"

我问："你认识他们？"

"这两人是我们学校的，一对冤家，打了吵吵了打，那男的睡了很多女生了，这女的都知道，打完还是要回来，也不知他哪点好。"雨琦掸掸烟灰，基本上全落在我裤子上了，我忍着没发作。

我说："可能人家那就是爱情吧。"

"爱情是个屁！"雨琦哼了一声，粗俗地说，"还是及时行乐吧。什么爱情？狗屁！我也相信过这个，可是最后发现都他妈的是色情，大家其实是把色情当成爱情，最后的目的还不都是一样。"

"我看你像受过刺激，怎么，是不是失恋过很多次，对爱情绝望了？"我呷口酒，讽刺地说了一句。

雨琦瞪了我一眼："失恋，别用这么高雅的词，是分手，分过手而已。你说我受过刺激，你算说对了，我不是受了刺激，我是从小到大真没受过刺激！从小到大，都是我老爸在那儿坐镇，他是党我是枪，他指哪我打哪，上学、高考、恋爱、工作，一切的道路都安排好了，如果这算是刺激，那我就是一直在刺激中活着呢！"

"这挺好的，很多人做梦都想这样活呢！"

雨琦狠狠地抽了几口烟，可能是用力太猛，呛着了，她剧烈地咳了几声，把头低下去，再抬起头来，我惊异地发现她的脸上竟然有了泪痕。

"可是我觉得我活得像个傻逼。"她喷了一口烟，玩世不恭地说，"这么活着还不如死了。我尝试着换种活法，白天装成好学生样，晚上我就来点刺激的，你看过化身博士那电影吧，我就那样，换来换去。我还拿化身博士当过网名呢。"

"是吗？"我说，"没想到你也混过社会啊，都玩过什么，说来给大叔听听？"

"你想听吗？大叔。"雨琦的眼中立刻放出了光彩，"哎，对了，你不是会写吗？哪天写写我吧。我干过不少事，嗑过药，玩过一夜情，跟那些搞摇滚、搞行为艺术的，什么狗屁先锋青年们混在一起过，可是我还是觉得，一切都还是太傻逼了。大叔，你是不是笑我？你别摇头，你笑了，你脸上没笑，但是你心里在笑，我能看到你心里去。"雨琦一口将杯中酒喝干，好像是酒精开始起作用了，她的身子开始摇晃了。"你笑吧，我知道你在笑。你其实也是个傻逼，你笑什么？你现在不想雯雯吗？你不想上她吗？你不就是为了这个接近她的吗？"

"说话还是不要这么难听吧。你喝多了，我看你现在需要的是清醒一下。"

雨琦说："我是喝多了，可是比你喝了还装样的强吧。想了就想了，别掩饰了，告诉你，你心爱的人一会儿就会来了。"

"什么？"我吃惊地说，"你给她打电话了？"

雨琦说："不是电话，我是发了短信，从你一进来我就给她发了短信。她一会儿就会来，不管是色情还是爱情，我想你们最需要是见一面吧。"

我站了起来，说："好的。我先去趟洗手间，咱们一会再聊。"

从洗手间出来，我感到自己有点头重脚轻，伏特加的后劲太大了，雨琦已经被干倒了，我也快了，眼前一阵模糊，我有些失控的感觉，趁着现在还没有完全失控，我提醒自己做了个决定。

我看见雨琦趴在桌上，已经睡着了。吧台上几个男人不怀好意的眼神在她丰满的躯体上转来转去。一会儿，雯雯要来了，以她的精明和能力，不会让这个傻妹妹吃亏的吧。

我打开酒吧的大门，一股冷风迎面吹来，酒开始往脑子里冲，现在，是该回去的时候了，要不就会和雨琦一样了。我叫了一辆出租车。刚一上车，就看见另一辆出租车停在门口，雯雯从车上下来，她的发型换了，换成了一种更蓬松更时尚的发型，显得更加野性和性感了。看着她走进酒吧的大门时，我醉吃般地发出了一个声音："麦芽。"这声音似乎从遥远的地方传来，简直不像我的了。

5

伏特加的后劲真的很厉害，整个早上，我被头疼折腾醒，然后又睡，醒了睡，睡了醒，再睁眼时，已经是快十一点了。

拿起手机看表的时候我发现我的手机上差不多有十个未接电话，大部分都是胡一平的，我懒得给他回话。还有一个是赵清明的，再有就是老莫的。但是，唯一没有的是安琪的。

安琪？她近来对我真是越来越不关心了，不是不关心，是简直就像没有我这个人一样，她从来不问我到哪去？和谁？在干什么？这倒好，落个清静。

我泡了杯咖啡，打开电视，只见正在播本市新闻，我看见胡一平在电视上出现了，正在那指手画脚，接着镜头一变，几个大腹便便的人正在轮着接受采访，其中有一个很面熟，他上镜的时间最长，讲的也最多，好像他是什么总，身后的背景是彩虹门，上面挂着巨型条幅，写着"金鼎房地产创业十周年庆典活动开幕式"的字样。这人讲了大约有五分钟，我突然想起他是谁了，他是那天和安琪在天岛咖啡厅一起上楼的那个男人，那个让我一度误会了的男人。他竟然是金鼎的老总。

　　这人讲完，胡一平又跑了出来，原来他是这场活动的总监和总策划，胡一平说了几句这次金鼎房地产庆典的规模与意义之类的废话，接着就大力吹嘘，这次他的飞宇广告公司为之投入了什么样的人力、物力和做出什么样空前绝后的努力等等。不用说我也看得出来，这条新闻典型是一个有偿新闻，肯定是胡一平买下了这段播出权，整个节目就是给他的飞宇公司做广告呢。胡一平还没讲完，我在电视上又发现了安琪的影子，她在胡一平身后不远处，正手拿着一个笔记本，对着几个西装革履的男青年们布置着什么，她的突然出现让我的心里有些发慌，我站起来把电视关了。

　　这次庆典活动的出资者金鼎房地产是这座城市房地产商中的头牌，这次的庆典活动他们的老总极其重视，很多媒体都来了，由飞宇广告公司策划。听说晚上的开幕式表演将请来歌星刘德华、孙楠、郑秀文、王菲等人，胡一平刚才在电视上还说，如有可能，闭幕式表演将把周润发和成龙也请来，这是今年本市最大型的一次公益庆典活动，将持续两周。好像还是在半月前，这次活动一直有意向是交给宏天做的，当时安琪几乎天天晚上加班，和老莫商量如何把庆典活动做大做好，以便在招标中胜出。金鼎的老总和安琪也就此沟通过很多次，私下都同意把庆典交给他们做，只是要履行一个招标仪式，以便对其他股东有个交代。可以说，如果安琪不在关键时刻投向胡一平的飞宇公司，现在在电视上吹大牛的人就是宏天的老莫了。我听说，胡一平拿来的招标书都是老莫他们当时起草的那个。

　　这事让老莫上大火了，我坐在那里想，不管怎么说，安琪在半路拆台，是有些对不起他的，尤其是老莫对安琪其实一直很器重的。

　　我拿起电话，鬼使神差地给老莫打了个电话。

　　里面一片喧哗，好像是在个饭店，乱得很。

　　老莫许久才接电话，在里面喊了一声："喂，又是哪个爷啊！"

声音里有些许醉意，似乎他喝多了。

我说是我。老莫听出了我的声音，说："是文波啊，刚才的电视新闻你看了吗？"

我说看了。老莫问我有何感想？

我沉吟了一下，说："老莫，我想对你说声对不起。但我想你们都是做生意的，有竞争，也就有失败，这一行就这样。你不会因此怨恨安琪吧？"

老莫说对，那哪能？商场如战场，这都是小CASE，接着问我吃中饭了吗？我说还没有。

"那就打个车过来吧，我们在仙岛日本料理喝清酒呢，你来过的，快点过来，五分钟就过来。"

我打车过去，到仙岛时发现老莫已经喝多了，两眼血红，身形踉跄，在那里狂喊狂叫着，身边有几个人，瞅着都挺面生的，但是意外的是我竟然发现里面还有万绮珊。

老莫一见我来了，立刻站了起来，貌似亲密地一把将我扯了过来，说："文波来了，大家认识一下，我大学最好的同学，文波。"

我还没来得及说话，老莫已经把清酒倒满了塞到我嘴边，醉意颇浓地说："来，喝了，是兄弟的就喝了，不喝是王八蛋。"

我摇摇头说："这话怎么说的，那我只能喝了。"

我把酒干了。老莫搂住我的肩膀说："大家看了吧，这就是我兄弟，实在人一个。当时也是我们大学同学里的四大才子之一，泡妞本事一流，我一直特嫉妒我这个兄弟呢，我这方面简直就是弱智啊。不过，你们都没见过我弟妹吧，与我这个兄弟相比，那可更是个人物，以前跟我混的，现在跟了胡一平，攀高枝了。我嫉妒我兄弟，但我更嫉妒的是我弟妹。"

万绮珊说："老莫，你有点多了吧，弟妹没在这，你就口没遮拦了。"看意思，他们似乎也挺熟。

老莫摆手："我没多，我没多。"老莫一只手搂着我脖子把我拉到他嘴边来，一只手向众人摆着，一股刺鼻的酒气传来，令人作呕。老莫说："文波，我是真羡慕你，我怎么就娶不到你这么好的老婆呢？能干，漂亮，精明，能替你赚钱养家，人又生得美，上得厅堂下得厨房入得洞房，我真羡慕得眼都绿了啊文波，你怎么泡上她的，快把这经验和大家谈谈。"

我有点不太高兴了，老莫的话里有话，令人听了不太受用。我把他的手推开了，说："老莫，我找你就是为了来喝酒的，你要是翻小肠子，能不能改个清醒点的日子。"

"你他妈的少教训我！"老莫突然发作了，"操性，你看你那操性！安琪怎么不和你一起来，胡一平那儿比你重要是不？呵呵，兄弟，哥哥的老婆虽然差得多了，但就有一点好使，我让她上东，她就不敢上西。你呢，你现在把安琪叫来，你要是能把她叫来，我就真服了你！"

我的脸色拉下来，说："比这事有意思吗？"

"就是。"万绮珊说，"老莫你是喝太多了，咱今天不是图个高兴吗？你干吗老挤兑文波？我看哪，咱大家还是一起坐下喝几杯，说点高兴的事吧。"

大家都随声附和，劝老莫。

我站了起来，说："几位，不好意思，我先走一步。家里还有点事。"我看了老莫一眼，说："老莫，我来是想当面和你说声对不起的，但你今天喝得太多了，可能也听不进去。我知道安琪有些事做得不够地道，但是这是生意，生意就是生意，你胜我输，勾心斗角，是常有的事，我希望你想开点。"

老莫怪笑了一声，睁着血红的眼睛瞪着我说："想开点，我可不是你李文波，女人把你卖了，你都能想开。你知道你老婆玩的是哪一手吗？她告诉我她要去上海出差，是为了宏天的业务。可是她其实根本就没走，她那几天天天和胡一平泡在一起，就是研究怎么把生意从我手里抢过去。她怎么把金鼎的老总拉过去的？用的什么手段？她怎么和胡一平玩的空手道？他们私下会了几次？

你是一无所知。我告诉你，他们狼狈为奸不是一天两天了，我他妈的是内行输给了外行，因为我的地盘有内鬼！你让我想开，你自己想去吧你！"

我的头轰的一声，站在那里一句话也说不出来了。

万绮珊过来拉着我，说："他喝多了，整个一胡言乱语，你可别信他的。"

我脸色铁青，推开她的手，说："我先走了。"

走出仙岛的大门，外面正午的阳光刺进我的眼睛里，我的头开始剧烈地疼了起来。

我掏出手机，给安琪打电话。她不接，一遍一遍地打，她还是不接，我不停地打，她终于接了。

"喂。"那边很乱很嘈杂，我突然想起，今天是金鼎房地产的庆典典礼开幕式，安琪一定是在现场忙这个呢。

"你找我有事吗？"安琪说。

我本来很想质问她的，但不知为什么，一听到她冷静的声音，所有问询的话竟然都说不出口了。"我想见你，"我说。

"现在不行。"安琪说，听得出来她似乎情绪很兴奋，"今天的开幕式应该说开得很成功，最后的收尾我也得盯着啊。"

"可是我想见你，非常想。"

安琪激动地说："晚上吧。等开幕式演出结束后，我也很想和你坐坐。忙活了快一个月了，总算有眉目了。胡一平今天很高兴，他又提给我加薪的事了。我告诉你，照这样下去，今年年底咱们不用贷款就可以买开发区的那套房子了。"

"什么房子？"我问。

"我一直忘了告诉你。我看中了一套房子，三室一厅，双卫生间，一百三十平方米，在开发区东边的孟河小区，很静，交通也很方便。金鼎的事做下来，我就能把首期的钱赚出来了。到时咱们付了首期，年底就能住进去了。"

"是吗？"

"是。我一直没和你说这事，你不会因为我自作主张就不高兴吧？"

真是言重了。我有资格不高兴吗？我有什么资格？赚了首期就买房子，这是她赚的钱，这是她的事，我有什么资格说三道四？

我干巴巴地说："怎么会呢？我很高兴。"

"那我不和你说了，晚上我请你夜宵吧。吃法式大餐，在圣路易餐厅。你等我电话。"她把电话挂了。

我拿着手机，呆立在城市正午的街头，突然有种无所适从的感伤。

车笛在我身后鸣叫。回头看，车窗摇开，万绮珊探出头来微笑。"上车吧。"她说。

我坐在她的车上，车缓缓前行。万绮珊侧头看我一眼，笑了。

"笑什么？"我问。

万绮珊说："我笑你拉长了脸的样子，不至于吧。老莫也就是酒后失言。你放心吧，我了解安琪，她和我一样，我们都是以事业为重的女人，即使每天都和男人吃饭密谈，那也肯定都是业务上的事，不可能是其他的事。"

我笑笑说："我从来没怀疑过安琪。"

"那为什么还这么不开心？不会因为安琪太能干了吧？"万绮珊说，"娶个能干的老婆，有压力吧？"

"她能干吗？"我自嘲地说，"想当年她也是我的兵，她就是再能干，现在不也是得养着我吗？老莫这一点说得倒是不错，我真的都有点羡慕我自己了。"

万绮珊说："胡说。其实我看你也不是甘心让别人养着的人吧。干脆我给你找点活干吧。"

"噢，"我好奇了，"你这不是救我命吗？快说说，什么好活？"

万绮珊沉思了一下，突然变得很冷静地说："我们的房地产公司需要一个企划部主任，月薪不高，三千左右，但是发展潜力挺大，你要是有兴趣，我就和我们的老总说说。"

"你们的房地产公司？"

"是啊。我们的老总今年定下一个目标，要用一年的时间，集中全部力量，追上金鼎地产，迎头赶上，打垮金鼎，这是我们今年的口号。你帮我一把，咱们联手打垮金鼎。"

"呵呵。"我忍不住笑了，"听起来怎么像是黑社会混战啊！"

万绮珊说："你别管这个那个，要是有兴趣，明天就和我面试去吧。"

"再说吧。"我说，"我已经与世隔绝太久了，我要缓一缓，然后再看自己是不是到了能出山的时候。"

万绮珊嘴角挂上一丝笑意："我就知道你不会答应我的。你和我们不一样，和安琪更不一样，你一直活在过去的阴影里，一直在人为地控制着自己不进入到崭新的生活中去。我看你刚才劝别人的话送给自己最合适，那就是，想开点吧。因为你从来也没有想开过。"

第八章

1

几次推脱不掉，我无奈地和安琪去看了房子。

安琪拿出十四万块，交清了首付。房子很大，一百三十平方米，比我们现在住的整整大出六十平方米，全下来要五十万多一点。在这个房价日益坚挺人们的腰包日益阳痿的时代里，这个价格不算贵了。

房子还没有盖好，正在打地基。要想住进去，至少一年以后，但是钱要先交。这是他妈的什么样的混蛋逻辑，没人告知！站在那钢筋水泥、滚滚黄沙中间，安琪用手指着我们未来的家在那里臆想着将来都要怎么布局，怎么装修，怎么设计出有个性的风格。

她的表情很痴迷，甚至我觉得比我进入到她身体里时更兴奋，她和我一样，也在虚幻中找到了自己的高潮，所不同的是，我面对着的是一台电脑，她则面对着假想中的房子。我们两人都是意淫家，都是自渎者。

我假装很感兴趣地听着安琪设计美好蓝图，强忍着不打哈欠。我对房子从来没有兴趣，也根本就不认为为了多出几十平方米，为了多出一个车库什么的背上几十万的债务这件事多么有意义。但这是一种主流的姿态，我不喜欢，但也只能假装感兴趣，在自己的妻子面前我假装出很感兴趣的样子。

这期间宏天的老莫打过一回电话，要请我和安琪吃饭，说是上回喝多了，说了很多不该说的话，要弥补一下。我和他在电话里互相检讨了一遍之后，拒绝了他的要求。这拒绝令老莫很没面子，他原本以为这种大度的做法可能会让我们夫妻感激涕零呢，但是没想到的是我们竟不领情。老莫很没面子，自然也不会再来骚扰，我后来想，我们至少十年的交情可能就因为这点小事，宣告终结了。

这一段的生活非常平静。胡一平的广告公司刚刚开张，安琪照例很忙，不过，我感觉她似乎在胡一平那拿到了极高的月薪，她身上的名牌衣服越来越多了，而且居然开上了极其费油的越野车。她开车上路时的回头率比去年同期增长了两个百分点。但这一切与我毫无关系。这是她的高潮时分，不是我的。这也正如我的高潮时分同样不能和她同步一样。我每天还是那样的生活。我发现凤凰给我介绍的那个网站真的很有意思。我几乎天天都在"性情世界"里泡着，看来自全国各地的买春信息和黄色资讯，看贴图，后来看小电影，再看 BT 类的帖子，后来也试着回了一些帖，不回不行啊，很多好的帖子都加密了，不回复不能看，我只能回。这里的版主们非常活跃，对发帖的要求极其苛刻，只要格式错误马上封其 ID，水帖亦如此处理。每天都有人被彻底踢出，也都不断地有人加进来，后来网站干脆有一段停止注册了。因为注册的人太多了，它真是火暴大发了。

我一直作为一名普通会员在低层次的区域泡着。对于那些个被凤凰称为只有千万富翁级的人才消费得起的"视频表演区"基本不涉足。虽然没有进去，但是我有种直觉，雯雯就在那里潜伏着，从事着老本行。她不会离开这个领域的，因为她也要生活，对于一个只能靠出卖色相才能生存的人来说，没有什么比这个赚钱更容易的了，她一定就在那些个我不能注册进去的区域里潜伏着，随时出来，露一下脸。

看不见她，其实挺好，看见了能干什么？相见不如怀念，这是多好的一句歌词。

生活很平静，我每天泡在网上，生活越来越平静，内心越来越变态，但平静的生活总会被一些突如其来的事情打断，我也不例外。有天接了胡一平一个电话，平静被打破了。

2

胡一平约我晚上喝咖啡，这让我多少有些奇怪。这么多年来我们在一起不是喝酒就是胡闹，喝咖啡还真是头一次。

我已经有快半个月没见到胡一平了。这一阵子他天天在忙他那个广告公司，接了几个大单的生意。听安琪说发展势头不错。

我来到胡一平说的那个喝咖啡的地方，发现这似乎是一个适合情侣约会的地方，里面全是小包间，一个接一个挨得很近，门都关得紧紧的，灯光也很暗。因为隔音效果好，从外面走时几乎听不见屋里有什么动静。

这样的地方，居然是两个男人在这里约会，尤其是和胡一平这样一直喜欢声色犬马生活的男人，真是太令人难以置信了。

更令人难以置信的是，当我打开胡一平包的那个房间的门时，我竟然发现胡一平已经在里面了。一般来说，有钱有地位的人在约会时总会有意识地迟到，胡一平也是如此，但今天他却破例了。

胡一平面色凝重，招招手让我坐下，按电铃，服务员进来询问，他说："两杯蓝山咖啡，再来一包玉溪烟吧。"

服务员走后，胡一平开门见山地说："我怀疑东东得了自闭症，上回那件事对他打击挺大，他现在不怎么爱参加学校的活动，也很少出去，天天就在电脑上泡着，话也少了很多，我很担心。"

我问这一切是从什么时候开始的，胡一平说从那次他离家出走以后就这样了。而这里还有一些深层次的原因是孩子不知道的，他们学校的那个校长因为在校园基建工程上的一些问题已经被双规了。与他一同被审查的还有其他一些学校的主管，校领导现在基本上全都换了人了，这是导致胡东东落选的原因。

"学校领导下台后，我为东东做的那些努力基本上都白费了。他参加竞选前，很多校领导都做了承诺，但是现在这些事都被人漏了出去，东东在学校里被人非议。我原以为可以给他申请个保送上大学的名额，但是现在看也费劲了。他现在甚至对去上学这件事都很反感，我准备为他换一个学校。"胡一平说。

我忍不住说："我认为东东这次是受你的牵累了。学生最大的事情是学习，我个人认为，就是你们这些人的这些行为把学校搞得乌七八糟的了。我看换校没必要，你就让他以后把精力放到学习上比什么都强。他要是学习好，干吗非要保送？"

胡一平烦躁地说："这里面有些事情你不清楚，我告诉你，换校没什么问题。这事好办。但是现在的问题是我儿子很不开心，我总得想个办法让他的心情好起来吧。我看你和赵清明的话他比较听，我希望你们多关心他一下就行，我平时太忙，没什么时间可以陪他，这事就靠你们帮忙了。"

我说没问题。门外有人敲门，胡一平让进来，服务员端着两杯咖啡，几样小吃和一包烟进来了。

胡一平伸手取过一杯咖啡，无精打采地喝了一口，脸色依然很沉重。

我也喝了一口，咖啡很地道，相信价格不菲，我问胡一平：

"你请我到这儿喝这么名贵的咖啡，就是为了东东的事？"

胡一平说："当然不是。小孩子的事，再大也不过小小的家事而已。我找你来是因为还有件事，很麻烦，也很让我头疼。"他从桌上放着的手包里拿出一个信封，扔给我，说："打开看看，你就知道是什么事让我如此麻烦了。"

我把信封打开，里面是一叠相片。我抽出最上面的一张相片看了一下，顿时目瞪口呆，简直不能相信自己的眼睛。

照片是那种数码格式，不是很清晰。照片上面是一对男女赤身裸体搂在一起的场面，背景好像是在某个宾馆。这种照片我在性情世界网站的偷拍版块上见过，是用那种针孔式摄像头藏在暗处拍下的。被偷拍上去的男女显然不知情，他们的身体纠缠在一起，摆出各种动作，很少有正面对着镜头的照片，但是也有几张，女性的脸直接对着镜头，可以分辨其模样。虽然光线很不清楚，且人的脸也有些变形，但是我还是一眼就可以看出，那个女人是胡一平的夫人——卢燕。

我愣在那里，手里拿着这些照片，不知该做什么好。

"看下去。"胡一平冷冷地说，"一张一张地看，看看我老婆，床上技巧真是突飞猛进啊！"

3

我把照片放回信封里，看着胡一平，百感交集。

"已经没有退路了。"胡一平说，"你也知道，我和我老婆之间其实一直是名存实亡的关系。这两年她总是要去美国公派，但鬼知道她都做了些什么在什么地方混？不过，我不管她，要不是为了孩子，我们早就离了。可是现在没有退路了，这些照片是昨天中午有人直接寄到我公司里去的，是直接寄给我的。"

我倒吸了一口冷气："是谁要这么干的？有什么动机吗？"

胡一平说："我昨晚上想了一个晚上，有很多人可能会这么干。在这个城市，一个人太有钱了就会遭人嫉恨。我也不例外，我甚至怀疑这事都有可能是宏天的老莫干的。"

我摇头："老莫不可能，他好歹也是个受过大学教育的文化人，不会干这种下作事的。"

"生意场上只有利益，没有什么文化与不文化的。"胡一平狠狠地把杯里的咖啡饮尽，说，"不管是谁干的，肯定是有人要整我。这些照片在他们的手里，他们随时可以把它们散发出去，或是贴到网上公开，让我胡某人名声扫地。"

"那你怎么办？想好对策了吗？"

胡一平说："我明天就去山西，在那儿我认识几个有势力的大哥。那些人和这里的黑道有千丝万缕的联系，我让他们出面，给我找着幕后人，摆平这件事。"

我有点担心，说："找黑道的人，你有把握不会出事？"

胡一平冷笑一声："大不了就买条人命的事。这个城市里的黑老大我认识一半，但是我不能亲自出面，出面了反而容易让他们抓着把柄，我甚至怀疑有人敢这么整我，和他们这些人也有关系。我去山西找的大哥比他们硬气，势力也大得多，让他代言，比我亲自出面好。毕竟现在做的是正当生意，没什么理由和本地的这些杂碎们纠在一起。"

"那，"我指了指信封说，"嫂子她知道这事了吗？"

"知不知道与我没关系。"胡一平说，"我会把这些相片交给我的律师，以最快的速度正式提出离婚，我想她不会不答应吧。这次可是人赃并获，怪不得我了。和她离婚后，那些要挟我的人就没什么戏可唱了。你把照片公布在网上也好，散发给老百姓也好，那是和我一点关系也没有了。"

我的心里一阵寒意。可是这样的话，胡夫人也就彻底毁了。"那东东，"我说，"东东怎么办？"

"东东跟我。"胡一平斩钉截铁地说，"我会尽量不让他知道这些事情。她不配做我儿子的母亲，我已经想好了，我会开一个条件，让她放弃挣这个抚养权。"

"她会吗？母亲是最舍不得孩子的。"

"每个人都有个价钱。"胡一平不耐烦地说，"我和她生活了这么多年，她的底价我清楚。"

我喝了一口咖啡，虽然这里的气温很适宜，但是我还是觉得一阵阵地发冷。我说："我觉得在这个时候，你更应该留下来，和东东在一起。把这些事和他讲清楚，不要让他有什么阴影。"

胡一平烦闷地说："我会找一个时间和他说明的。但不是现在，现在最重要的是，我要把这个要挟我的人找出来，把这事处理完了，和那个贱人彻底划清关系。这些事要速战速决，否则就会产生难以预料的后果。这段时间，我会全力处理此事，东东这孩子就先交给你照顾了。"

"我？"

胡一平凝视着我："没错。我想了又想，东东从小就喜欢你，听你的话。我今天来这里，就是想把他托付给你几天，我希望你替我好好地照顾他。"

我坐在沙发里，不知说什么好。

胡一平从手包里拿出一张银行卡，放到我的桌前，说："这是一个储蓄卡，上面有一万块钱。你先拿着花，孩子有什么需要，尽量满足他。要是钱不够了，给我打电话。"

我把储蓄卡推回去。"我要是要了你的这个，"我说，"咱们就不是朋友了。你儿子的事，我会尽力办的。但是最重要的还是你这里，我希望你尽快把这事处理好了，以后可以多点时间陪陪他。"

胡一平点点头，眼光有些迷离地望着窗外，说："我知道。但有时人在江湖身不由己，不是每件事都可以兼顾得很好的，我以后会注意的。"

我坐着胡一平的车回去。一路上我们俩谁也没有说话。我把脸贴在车窗上，看着外面闪烁的灯火与灿烂的夜景，车窗上胡一平的影子映在上面，他紧闭双唇，面色冷淡，有那么一刻，我突然有点可怜起这个外表上非常成功的男人了，在他的内心里，是不是也有很多次惊心的时刻、深度的创伤？

我又想起了胡夫人，想起了那天在宾馆里见到她时她脸上那慌张的表情。她呢，此刻她在干什么？蓝色宾馆！针孔式摄像头？这两个词突然出现在脑海里，我有种不寒而栗的感觉，这中间不会有什么联系吧？我仔细地回忆了一下，又把刚才的想法否认了。那相片的背景似乎是个上星级的宾馆，肯定不是蓝色宾馆那种简单的环境，但是，转过头一想，我那天去的不过是这个宾馆88元的普通间，并不能说明所有的房间都会是那个标准。

天哪！如果那些照片是在蓝色宾馆拍的，如果宾馆里被人安装了摄像头，那我和雯雯那晚上岂不也——

车突然停下，把我的思绪一下子拉了回来。车到我家门口了。

胡一平打开电子锁，车门弹开了。胡一平望着外面，突然阴森地一笑。

我问他："你笑什么？"

胡一平说："我在笑那个把信寄给我的人。他不知道，他不但整不了我，其实还帮了我一个忙。"

"什么忙？"

胡一平说："帮我找个更好的借口，结束这一段不幸的婚姻，以便于更好地寻找下一段的幸福。"

胡一平说这句话时的表情充满了嘲讽、阴冷和幸灾乐祸的态度，我情不自禁地又感到了一种挥之不去的寒冷。

⊞

我在第二天下午找到赵清明。我们一起去胡家，把胡东东接来了。

胡东东的精神不太好。眼睛有些肿，一看就知道是熬过夜了。

我们去飞龙山庄园爬山，胡东东的情绪还是很不错的，并不是像胡一平说的，得了自闭症什么的。当我和他说了，他爸爸正在给他考虑转校的事时，他把头摇成了拨浪鼓。

"我老爸就是瞎操心，我哪也不去。"他说，"马上就升高三了。我可不想动了。"

我们一起爬山。赵清明、我、胡东东爬到山顶，一直在那里天南海北地瞎聊着。胡东东的情绪越来越好了，他跟我说，其实学校上次的事他已经淡忘了，现在正在天天刻苦学英语，将来准备考北大的英语系。

那天我们一直在山上呆到很晚，天色已近黄昏时分，一轮落日徐徐坠下，满山都被笼罩上了一层灰色的光芒。面对着寂静的群山，我突然想起了雯雯，这个时候她在干什么？是不是还在房间里进行着"脱衣秀"的表演？进而我又想起了麦芽，她现在在美国已经成为中产阶级了吧？开着房车，正在前往自己的公司？这两个长得很像的女孩子，此刻一定在做着互不相同的事情，她们都曾短暂地出现在我的生命里，也都注定不会在我的生命里停留。

那个下午，我突然间很伤感。尤其是看见胡东东在那似乎无忧无虑地与赵清明一起寻找可以食用的肉蘑时，我想这个孩子还不知道他的父母之间正在进行一场残忍的战争，而当他的父亲回来的时候，战争可能就结束了，无论哪一方取胜，他都是最大的受伤者。

那天晚上回去的时候，赵清明提出这段时间让胡东东和他住几天。他两室一厅的那套宿舍现在只有自己一个人，让东东过去，一是解个闷，二是可以直接地辅导他英语，更好地照顾他。

赵清明的这个做法让我很感激，老实说，我对照顾孩子真是不在行，而让他和我在一起我也确实觉得不现实。赵清明真是帮了我一个大忙。我认为一个人一生中要是能遇上赵清明这样善解人意的朋友真是太幸福了。

5

老莫的宏天公司出事了。

事出在一个管策划与设计的主管身上。他是学网络工程的，一个多月前应聘来到宏天公司。因为网络技术与计算机技术的硬件很好，马上就被委以重用。他说服老莫以每年1500元的价格向一个网络的空间商租用了1G虚拟空间，在这个空间上为老莫的宏天文化传播公司做了一个专门为客户提供服务的网络版。这个想法与老莫不谋而合，于是老莫就把建设网络版的工作全权交给了他。

后来，这位主管利用其精通的计算机业务，在创建的过程中又从宏天网络版的虚拟空间中分离出100M的空间，制作了一个名为"宏天娱乐城"的网站。此后，为了吸引网民访问他的网站，他更换了几个名字在网站上发布一些色情图片、小说、电影，这个粗糙简单而没有高级防备措施的网站"经营"不到20天便被网警侦破了。一个阳光明媚的下午，网警监察中队以韩力为首的一批主管网络犯罪的警察突然出动，在宏天广告公司的网络设计部里，将正在发布黄色图片的这位年仅二十二岁的主管当场抓获。经鉴定，他的这个链接性质的网站下传了淫秽图片300张、小说51篇、视频文件23个，因为时间短，点击数不高，点击数达2000多人次，注册会员则仅几十人。

这件事上了当天的晚间新闻，接着报纸也登了，依然是专门跑这一类新闻的顾襄写的，报纸与电视对宏天公司均做了点名报道。虽然这件事和宏天与老莫没有关系，但是因为案件发生的地点在宏天广告公司，而其查封的黄色网站又在是宏天的网络版上面，于是，宏天公司也马上进入到接受调查的环节，老莫本人也被传唤。

我是从报上看到的这件事，当时我的第一反应是给安琪打电话，但是她又习惯性地关了机。我又给韩力打电话，询问情况，韩力说这是一起很简单的案子，那个经营网站的年轻人利用了广告公司老总对他的信任，出于一种好奇的心理下载了一些图片及文件，此事已经触及法律，但是因为其时间短、危害轻，而且没有涉及金钱交易，故而性质并不严重。此案调查清楚后，那个年轻人有可能会受到刑拘四个月的惩罚，但宏天广告公司应该没有什么大事。

晚上回来后和安琪谈起这件事，安琪的看法却不同。她说，作为一个在市面上有一定影响的文化传播公司，宏天这次与色情案件扯上了联系，被报纸和电视等媒体点了名，有关这件事的报道与经过也在网上出现了，这是本市的广告界近年来比较罕见的丑闻，其直接的影响是，老莫和他的宏天公司牌子臭了，即使最终被查明与此案无关，从此也将不得不退出这块舞台。而另起炉灶的可能性虽有，但面对着胡一平势力雄厚的公司，新公司在短期内已经不可能有太强的竞争力，老莫这次彻底砸了。

安琪说："胡一平这次不用和他再搞什么竞争了，因为宏天已经毁在自己人手里了。"

我听了这话心里很难受。我给老莫的手机打了电话，电话通了的一刹那，我把电话又挂了，我能说什么？事已至此，再说什么安慰的话也没用。而且如果安琪不走的话，以她精细的为人，不可能会纵容手下人出这么个漏子。还是我们对不起他在先，打个安慰电话又有什么用？

我把电话挂掉后，老莫并没有把电话打回来。

晚上十点的本市新闻又重播了这一条新闻。那个主管被抓捕的镜头在写着"宏天文化传播公司"的牌子前一晃而过，安琪扫了一眼，指着他很惊奇地说道："咦，是他？"

我看了电视一眼，镜头已经跳到了网警在那讲解案情了。我说："怎么，你认识这个人？"

安琪说："刚才被带走的那个人，两个多月前我好像在胡一平的公司里见过他。也是来应聘的，胡一平亲自接待的他，我当时看见他们在屋里谈了很久。"

安琪的话让我的心头一跳。我把电话打给了胡一平。

胡一平接了电话，我把老莫的事和他说了。

"啊？"胡一平很冷淡地说，"他出事了？好，好，他那个搞法，迟早会出事的。我现在很忙，回头再说吧。"

胡一平异乎寻常的平静反应让我越发地感到这事情有些蹊跷，那天晚上我仔细地想了想这件事情，突然有种不寒而栗的感觉。我想起了胡一平曾经对我说的话："每个人都有个价钱，她的底价我清楚。""大不了就买条人命的事。"他在说这些话时平淡得几乎没有任何波动的表情当时也曾令我有种不寒而栗的感觉，而今晚老莫的突然倒台更让我毛骨悚然，把这些事的前因后果联系起来，我一下子明白了很多事。我在心里想：胡一平，你太厉害了。

6

我和韩力在楼下吃馄饨。一大早他就一个电话把我叫出来了，声音很嘶哑低沉，鼻音极重，一听就是感冒了。

韩力一脸倦意，两眼中间还有个黑眼圈，一看就是又熬夜了。一问果然不假，昨天加了一天一夜的班，可能是因为着凉了的缘故，他得了重感冒，昨晚一宿过后，嗓子也肿了，说话都费劲了。领导见他身体状况太差，特别恩准他回家休息一天。

"你干活太拼命了。"我同情地说，并强烈要求再给他的那碗馄饨里加一个鸡蛋。

韩力很不识抬举地谢绝了。声音嘶哑地说他准备吃完后去我家楼下的二元浴池洗个澡，关键是得拔一火罐，去去风。

"我妈教过我，任何风寒类感冒都是因为体内有风没排出去才得的。我准备一会儿去排排风，顺便按摩一下颈椎。这两天疼得觉都睡不着了。"小韩同志很凄惨地说。

我说："你那是职业病。"汤馆老板问鸡蛋是否还加，我告诉他加，放我碗里。

"你真是典型的干啥啥不行，吃啥啥包了。"小韩同志望着我碗里的鸡蛋，深恶痛绝地说。

我们俩趴在浴池的躺椅上，后背上都被扣上了十几个大罐子，罐子把我们压在那里，一动都动不了。我们把头埋进躺椅的枕头里，艰难地聊天。

韩力说老莫那件事已经彻底查明了，和他们公司没有关系，不过，报纸和电视台都点了他们的名，老莫的公司形象极其受损，就是再出来澄清也不是那回事了。那个主管已经被刑拘了，因为没有涉及牟利的问题，判了拘禁四个月。但是现在很难执行，因为发现他有肝病，会传染，现在正在取保候审阶段。

"我问你一事。"我说，"要是有人给你十万八万的，让你用四个月拘禁的代价来换，你换不换？"

韩力说："我当然不换，不过我这是说我，也难免保不准有人会愿意付出这个代价。四个月的时间一晃就过了，再说拘禁毕竟不是坐牢。"

我说："肯定是有人干的。要是一个从农村来的孩子，家里挺穷，有人愿意出钱，不用十万八万，给个两三万没准就干。我倒觉得你们应该查查，看那个主管的银行存折是不是多了一笔钱。"

"怎么？"韩力警觉地说，"你觉得这里有问题？"

"也没什么。"我说，"我只是猜一猜吧，没准老莫是让人陷害了。"

韩力说："没听说过，想害人的方式多了，这算哪门子陷害？"

火罐终于撤下，我们两人又开始做颈椎按摩，按摩手刚一动，韩力就疼得大叫起来，连眼泪都流出来了。

"这是典型的颈椎劳损。"按摩师说，"先生我建议您一周至少要做两到三次才有效果。"

韩力说："没有用，一天坐电脑那十几个小时，连敲带打，没法不劳损。我也就图个一次性舒服吧，一周三次，哪有那时间？"

我们做完按摩，韩力可能是舒服了，气色和情绪都好起来了。

"最近忙什么呢？总也没见过你。"我要了矿泉水，递给他一瓶。

韩力一边擦刚才按摩疼出来的汗一边接过来喝了一口，说："还不是网上扫黄。最近又查着了几个搞视频色情表演的。"

我的心头一动。"抓着了吗？"我问。

"没有，没动手，不过也快了。"韩力不疑有诈，很直接地说："查着了一个 IP 地址，搞到了一些截图。"

"是在哪个网站上搞到的？"

"还是那个叫性情世界的网站。"韩力说，"有几个视频包间，据说里面只要你出钱，想看什么表演就有什么表演，真人性交的都有。我们前两天成功地进去了，发现里面有些 IP 地址似乎是在本地的，我们的人化名进去，和那些视频女郎聊了会儿天，成功地截了几张图。"

"要那些图有什么用？"我说，"你也不知道他们在哪，上哪能找着真人？"

"电脑中只要一出现他的头像，我们的监控人员就会马上将其头像截取下来，然后与户籍部门联系。再到公安局内部的电脑联网里，将他的头像与他的户籍底卡比如身份证什么的进行电脑比对。如果快的话，一分钟后，就能确定他的身份。"

我倒吸口冷气："这么快？"

韩力说："这就是高科技时代的好处。不过，我们有些截下的图还是有些问题。"

我急忙问："什么问题？"

韩力说："有张图是一个视频聊天室里的女网管，不过放到电脑里，却查不出能与她形象比对的身份证及户籍资料。"

我不以为然地说："这有什么可怀疑的。也许她根本就不是用的本地身份证呢！"

韩力严肃地说："我们现在的联网不光是本地的了。为了摧毁这个超大型的网站，我们现在是二十省一块行动，进入全国联网了。"

"二十省?"我惊异地说，"这么厉害。"

韩力说："但这个女的更厉害，全国联网，也没有查出能与她身份对比的一个证明资料。"

"这说明什么?"

韩力说："两个问题。一个是她根本就没有身份证。但这不太可能，因为按她那个岁数，肯定曾经有过身份证，我们现在是微机管理，她的资料一输入微机，就备案了。但是她没有。所以我想还有一个可能。"韩力诡秘地一笑，说，"除非她是个鬼，根本就没有任何身份。"

韩力一向古板，他突然开的这个玩笑一点也不好笑，反而令我的心里一下子忐忑不安起来。

"你有那人的截图吗? 我想看看她什么样?"我问。

韩力回答说："我不能给你看。这是违反纪律的。"

整整一天的时间，我突然变得坐立不安。晚上安琪又在外面应酬，我再也坐不住，打车去了学院路，去上次去过的那个酒吧，希望可以见到雨琦。

我不知道我是出于什么动机要去找她们，尽管我一直对自己说，一定不要和这些人卷在一起，但是我无法解释也无法阻止自己的行动。我不敢确定那张截图上的人是不是雯雯，但是有一点我是可以肯定的，韩力说的全国二十省大行动已经开始了，这次看来是一次超大规模的网上搜捕行动，雯雯她们不管隐藏得多深，迟早会被抓获的。我只是想通过雨琦提醒她，现在必须赶快收手了，否则就绝对难逃一捕。

我来到那间酒吧时，里面冷冷清清的，也难怪，今天是星期三，这个时间不是周末，学生们也通常都有课，不会来很多人。我要了瓶酒，坐在吧台上，假装不经意地问雨琦在哪，老板说不知道，我详细地介绍她的长相、身高等情况，老板说前几天看见她来过，但是这几天没见她来过。

从酒吧出来，我又打车回家，进了屋打开电脑进入到性情世界里，不错，雨琦的个人主页还在。图像似乎有所更新。有了几张新图，我无心去看。找到了她上面的收件箱，登录上去给她发去一条站内短信。

当站内短信的对话框弹出来时，我的手情不自禁地抖了一下。沉思了一会，我在上面打上一行字：

"请转告雯雯，风声紧，请赶快悬崖勒马，不要一错再错了。文波"

对话框下面有一个发送键，只要一点，就发送出去了。

我犹豫再三，终于狠下心来，先把"文波"那两个字删除，然后点了一下。

屏幕上迅速弹出一行字"信息已发出，谢谢。"

我呆坐在那里，我觉得心跳得厉害，竟然无法平息。

我在干什么？

我在给色情网站的骨干分子们发信息，提醒他们要注意警察们的搜捕。

如果有一天，她们被抓获，我是不是在协同犯罪？我为什么要这么做？我是不是疯了？

坐在那里，心乱如麻，正在这时，突然家里的电话响了，铃声凌厉，令人心惊肉跳。

我把电话拿起，喂了一声，里面沉默了一会，传来的是韩力的声音："你在家吗？"

望着电脑上淫荡的一个个组合画面，接到的是一个网络警察的电话，这两件事突然同时出现，尽管没有任何联系，但是还是令我感到不舒服，我下意识地把电脑关上了。

"我在家。"我回答他。电脑关机的声音响了起来。

"你在干什么？"韩力问，"又上网呢？"

我应了一声。"是，你这么晚来电话，有事吗？"

韩力没有任何感情色彩的声音从电话那头传来："你要是没什么事，上我这儿来一下。我在单位呢。"

"现在？"

"对，现在。"韩力平静地说，"别问为什么，是很重要的事。"

电话挂断了。

我呆坐在那里，有那么一阵子突然发现自己生平第一次有了手足无措的感觉。

韩力的声音平静而没有一丝感情色彩，是什么事会让他用这样的语气给我说话？难道是雯雯她们终于被抓获了，她们供出了我？

我穿上衣服，出去打了一个车，往韩力他们单位——市公安局开去。一路上我忐忑不安，面对司机无聊的唠叨，一言未发，不知将会面对着什么样的事情？

突然，我想到，是不是胡一平他出事了？他走的时候说要找黑道来解决问题，是不是他没有解决问题，反而把自己栽进去了？

不可能，如果是他出了问题，韩力怎么会给我打电话，他也不是刑事犯罪警察，他管不了这事啊？

我给韩力的手机打电话，是关机的声音。这小子在玩什么把戏？

车到公安局门口停下。韩力他们的网警监察支队的办公室在三楼，三楼全都亮着灯呢。

我从车上下来，一阵冷风吹过来，我不禁打了个寒战。

一步步向楼梯走去，我觉得每一步都迈得很艰难。

走到三楼的楼梯口那儿很意外地发现韩力在等我。

韩力见我来了，开门见山地说："今晚我们进行了全市一次大规模的搜捕活动，根据这些天取得的证据，抓住了黄色网站性情世界的几个负责人，里面还有两个是未成年人，他们中间的一个人给了我一个电话号码，说这是他的家长的号码。我按着这个号码打过去，接电话的是你。"

我一阵震惊，说："我的电话？这不可能!"

韩力面无表情，死气沉沉地说："很有可能，那孩子的名字叫胡东东，他说只见你一个人，只有见了你以后他才交代所有的问题。"

第九章

1

其实胡东东他们早就被韩力盯上了。一个月前，西安警方破获了一起案件，抓捕了性情世界网站的两名"硕士生"级的高层，查获了一个他们用来进行奖励下层、分放提成时使用的银行账号，这个账号是网站用来进行资金管理的专门账户，而近期的几笔款子都是汇往我们的这个城市，本地警方没有打草惊蛇，一直等待着有人来提款，于是，胡东东的一个同学就是在提款时被抓的。

这个年仅十七岁的学生是性情世界文学版块里的一名版主，他原本是学校里文学社的骨干分子，平时喜好写作。在性情世界里，他的主要"工作"是转贴和编辑从各个渠道送来的淫秽小说，当然，利用文学上的"特长"，他也参与创作。抓到他后，几乎没费什么周折，这名学生就交代了，除他以外，还有一个同学胡东东也是这个网站贴图区的一名版主。但是与自己相比，胡东东上网的动机不一样，他并不是为了钱，对提成的事一无所知，只是在网上经常泡着，发些图片，间或发展一些会员，更多的是有些自娱自乐的成分。这几天胡东东一直和他住在一起，在他的宿舍里住，白天上课，晚上上网。

警方让他带路，来到他们居住的宿舍时，胡东东正在洗手间里方便，警方推门进入时，他的电脑还没关，上面正显示的画面就是性情世界的贴图版主页。警方做的第一件事是断掉他的网络，然后将该页保存，再将他的用户名资料存盘，这一切做完的时候，胡东东刚从卫生间出来，没等他反应过来，警方将他带上车，宿舍里的两台电脑主机全部被没收，打上封条运走了。

韩力说："胡东东是性情世界贴图区四个版主之一，他的网名叫龙腾虎跃，以前不太活跃，但是我们注意到他在最近的一个月突然间频繁出现，贴了至少三百张左右的图片，大多都是所谓的网友自拍图片，当然这里有真有假，更多的还是从海外下载的日本色情图片，另有一些也可能是他从别的黄色网站上下载的，也有少部分是真的由变态的男女青年自拍的。他这么猖獗活动，自然就引起了我们的注意。最近几天他的服务器地址比较固定，他和一个同学住在宿舍里，那里刚安上了宽带，他们各自有一台电脑，使用一个服务器，基本晚上都在线。"

我百感交集地坐在那里，感到自己像喝多了酒一样，头痛欲裂。"为什么？为什么他们要这样做啊？"我问韩力。

韩力尖锐地说："这个要问你。我们抓他时，他吓得直哭，一直哭了有快一个小时，后来给了我一个号码，就是你的，为什么只有你知道吧。"

我痛惜地说："我知道什么？我他妈的知道什么？他是我一个好朋友的孩子，我只知道他是个品学兼优、有点内向的孩子，除此之外我什么也不知道。他会怎么样？你们会判他吗？"

韩力说："一个月前，我们国家的法律重新进行了增补，对网络犯罪这一块特别制定了新的条款。"他从桌子里抽出一个文件，打开了，干巴巴地念道："这个文件的全称是《最高人民法院、最高人民检察院关于办理利用互联网、移动通讯终端、声讯台制作、复制、出版、贩卖、传播淫秽电子信息刑事案件具体应用法律若干问题的解释》，上个月才通过实行的。你的这个小侄子这次正好赶上了。我把其中的一条给你念念吧。第一条，凡是以牟利为目的，利用互联网、移动通讯终端制作、复制、出版、贩卖、传播淫秽电子信息，具有下列情形之一的，依照刑法第三百六十三条第一款的规定，以制作、复制、出版、贩卖、传播淫秽物品牟利罪定罪处罚……"

我挥挥手说："你打住吧。别给我念什么条啊款啊的，你就告诉我，他这样的行为会不会判刑？"

"会。"韩力说，"刑法三百六十三条第一款这样规定了，以牟利为目的，制作、复制、出版、贩卖、传播淫秽物品的，处三年以下有期徒刑、拘役或者管制，并处罚金；情节严重的，处三年以上十年以下有期徒刑，并处罚金；情节特别严重的，处十年以上有期徒刑或者无期徒刑，并处罚金或者没收财产。"

我说："那他属于哪一种，是严重的，特别严重的，还是一般的？"

韩力说："一般来说，在色情网站里担任管理人员的分为两类，一类是在网站里进行日常管理、维护，另一个就负责资金收取和转账渠道，胡东东属于前者，他那个同学则属于后者。他在性情世界任版主的时间不长，大概有三个月左右的时间，其间主要的行为就是发图、回帖和维护网站，也负责收发站内短信等等，对于这种行为，刚才我给你念的司法解释里已经明确说明了，制作、复制、出版、贩卖、传播淫秽电子刊物、图片、文章、短信息等200件以上的，将会判处3年以下有期徒刑、拘役或者管制。"

"不会吧？"我惊得不禁吸了一口冷气，"他还是个孩子呢！3年以下有期徒刑，这也太残忍了吧？"

"很多在黄色网站里发挥骨干作用的都是小孩子。"韩力说，"你只是因为这个孩子和你有些渊源才会很震惊，比他还小的孩子我们也抓过，我们早就见怪不怪了。"

我颓然地坐在椅子上，说："就不能给他一个机会吗？"

韩力说："这是法律，哪有机会可说？不过，也不是完全没有机会。他在网站的主要行为是传播行为，涉及财物的证据没有。也就是说，和他那个同学相比，他并不是以此为赢利手段的，起码那个账号上就没有他去取过钱的记录。那么牟利的罪名可能就不成立。还有，如果他服罪态度较好，再加上他是未成年人的因素，量刑会轻些。这个在刑法上都有规定。"

我说："轻到什么程度？"

"如果他能配合，能主动交代所有问题，可能会判缓刑或是管制和拘役的处理结果。"

我突然想起了一件事，似乎看到了一线希望："可是我想，他还未满十八岁，不够法定判刑年龄，还是应该以批评教育为主吧？"

韩力讥讽地看了我一眼，说："你这个大记者真是个法盲，你仔细地看过《刑法》吗？《刑法》上对于成年人的年龄早已经更改了。第十七条规定，已满十六周岁的人犯罪，应当负刑事责任。你这个小侄子的身份证上显示了，他今年正好满十六周岁。"

2

我走进网警中心的监控室里，胡东东手正插在脑袋里，头低得几乎与桌子连成一体了。

我坐在他的对面，敲了敲桌子，他抬起头来，头发很乱，脸上有哭过的泪痕，一看见我，他的眼睛里马上迸射出了兴奋的光芒。望着眼前这张稚气未脱的脸，我的心一阵抽痛，面前的这个孩子，除了因为紧张和惊吓有点憔悴外，和前几天一起爬山时没什么区别，怎么可能把他和一个网络罪犯的身份联系起来呢？

"李叔！"胡东东兴奋地说，"你来了太好了，他们让你来的？"

"是。"我说。但是我知道，韩力不会轻易让我见一个犯罪嫌疑人的，肯定是他有了什么把握才让我见他的，不过事到如今，不管韩力会怎么做，我也得见他一面，了解一些我所不知道的事情。

胡东东问："你没和我爸说我在这儿吧？"

我摇摇头："没有。"

"太好了！"胡东东莫名地亢奋起来，"我就知道你够意思，不会说的。那我妈她知道吗？"

"我从来就没有你妈的电话号码。"

胡东东的情绪一下子松快下来了。我很奇怪，他似乎对自己做了什么一点也不担心。

"李叔。"胡东东说，"你做过记者，人面熟，能不能和他们说说，我交代清楚了就放我走吧。明天一早还要上课呢！"

我叹了口气。上课？！怎么告诉他不光是明天一早，可能这一段时间他都上不了课了。我说："东东，有件事我不知道怎么和你说好，但我还是得说，你的事有点麻烦。你先不要急，我答应你，我先不和你爸爸说，也尽量不让他们通知你学校，但我想要听你一五一十地告诉我我想知道的事情。"

"嗯。"胡东东点点头说，"李叔，我现在也只有你能依靠了。你说吧，我全听你的。"我说："那好吧。我问你，你为什么要做这种事呢？"胡东东眨了下眼睛，恨恨地说："都是瞎七害了我。"

"谁是瞎七？"

胡东东指了指外面："瞎七就是我那个同学，这是他外号。是他告诉我的那个网站。"

我说："你们的事赵老师知道吗？"

胡东东低下头去，有点惭愧地说："这事挺对不起赵老师的，瞎七告诉我说，他宿舍这两天没人，可以通宵上宽带，因为赵老师不让我在他家上网太晚，我就动了心。我骗了赵老师，说我妈妈回来了，赵老师就放我走了。"

"也就是说，这两天你一直没和赵老师住在一起？"

胡东东点了点头。

我的心里充满了悔恨，其实这几天我应该给赵清明打个电话，问候一下胡东东的情况，但是我却以为他在赵清明那儿，太放心了，没想到，才几天时间就出了这种事。我怎么和胡一平交代呢？

胡东东突然说："李叔，他们会怎么做？会不会让学校警告处分我？李叔，你帮我找找人，要不让我爸找也行，千万别让他给我警告处分，我交点罚款行吗？"

我看着这个稚气的孩子，真不知要怎么说才能明白地告诉他，他已经犯了罪，要接受的不是什么处分，而是刑罚。面对着这个孩子，这些话我真的说不出口。

"东东。"我审慎地说，"有关于是什么样的处分，咱们还不知道，还要听候处理。我也不好说，不过，你一定要好好配合警方，有什么说什么，千万不要隐瞒，也别替别人背黑锅，今晚可能会难挨，但是你要挺住，明天一早，我会给你想出办法的。"

"还要交代？"胡东东烦躁地说，"我都说了快一晚上了，还有什么可说的？"他的眼神突然一变，似乎想说什么，欲言又止。

我捕捉到了他的表情，急忙问："怎么，是不是你还隐瞒了什么？"

胡东东将头低下去，吞吞吐吐地说："有个事我还真的没和他们说。"

我贴上前去，抓住了他的手说："告诉我，这个时候，什么也不能隐瞒，告诉你李叔，我替你想办法。"

胡东东说："其实我进这个网站当版主，也不能全怪瞎七。我刚开始的时候也只不过来看看，后来认识了一个人，是她教会了我一些基本的技能，也是她带我加的分，让我能看更多的东西，后来又给我封的版主。"

我的心里一动，不祥之兆油然而生："一个人，什么人？"

胡东东说："我也不知是什么人。她是网站里我们这个地区范围内研究生级别的管理员。是她通过站内短信给我发的讯息，她让我多发帖，说发得越多，质量越高才能升级，能看更多的东西，级别越高在网站里越被人尊重。她还让我多转发一些图片，一开始那些图片都是她直接发到站内短信箱里来的，说是只要我转发成帖子贴上去，就可以多加分，就可以让自己的身份从学前班升到大学，到时就可以当版主，自己维护网站，喜欢给谁加分就给谁加分，喜欢封谁的 ID 就封谁的 ID。"

"她叫什么名字？"

"她的名字叫芳姐姐。网站里的人都认识她。瞎七也是她介绍来的。但是我们没有视过频，也没有通过话，瞎七也说他也从来没见过这个人，一般都是她主动和我们联系，我们才能找到她。她也没有告诉过我们 QQ 号。"

我的脑子飞速运转，想像着雯雯的一些特征。"她是个女人对吗？"

"应该是的。"胡东东说，"网站里的其他版主聊天时大家都说她肯定是个美女，能感觉出来。她和我们谈话时非常细心，也很有耐心，还特别关心我们。你要是看过她给自己做的签名的头像就更能感觉到了，头像也是个很漂亮的女孩。"

"你能让我看看那个签名的头像吗？"

胡东东摇头说："没办法，我的电脑已经被他们没收了，拿不出来了。芳姐姐的事，她一再告诉我不要和任何人说，我也没和别人说过。"

外面有人敲门，韩力探头进来，用疑惑的眼神望着我。我冲他做个手势，韩力指了指墙上的表，我点头表示明白。

"李叔。"胡东东似乎又抓住了一棵救命稻草，"你和那个人熟吧？和他说说，先让我回家吧，我都困死了。"

"东东。"我努力地想着措辞，"有件事李叔必须要搞明白，从小到大，你在我眼中都是个品学兼优的好孩子，为什么你会做这样的事？那个黄色网站就真的对你有那么大的吸引力吗？"

胡东东低下头，神色很黯然地说："李叔，咱今天能不说这事吗？"

"我要听你的实话，要不我就帮不了你了。"

胡东东的眼睛有点湿润了，一种伤感的神情极不合时宜地在他稚气的脸上出现了。"李叔，"他的声音里已经有点哭腔地说，"我想让人尊敬我。"

"尊敬？"我愣了，"这是什么意思？"

"那次学生会主席竞选失败后，我成了大家的笑料了。"

"都过去那么长时间了，这事你还放在心上？再说，选不上又有什么？你学习那么好，大家也不会因为这个就不尊敬你吧。"

胡东东哭了。

"李叔，有件事你不知道，我学习并不好，我也不想选学生会主席。"胡东东抽泣着说，"这都是我爸爸的意思，我本来就不想啊。我也没有他说的那么好，我的学习成绩很差。"

"这是什么意思？我越来越糊涂了。你的学习不好，不可能啊？你每次考试的分数不都是一直不错吗？"

胡东东哭得更厉害了："那都是假的，每次考试我都得抄别人的才能得高分。我给他们钱，他们就借我抄。每次都是这样。"

"不可能，那老师不管？"

"不管。他们都和我爸爸好。我爸爸和校长垫了话，学校里就没人敢管我了。不但没人管我，有了好事也都先轮着我。"

我呆坐在那里，简直不敢相信自己的耳朵。"东东，"我惊异地说，"你是说，你的一切都是假的，都是你用钱，你爸爸用钱买来的？"

"是，就是。"胡东东哭着说，"这就是为什么同学们看不起我的原因。我去竞选学生会主席，那些收过我钱的同学也不给我投票，他们都瞧不起我，所以我不可能选上的。"

我想起了那天胡东东紧张地站在台上的样子，汗把后背都浸湿了，而台下，胡一平志得意满，得意洋洋，原来这一切竟是这样？！

"我后来上网就是因为有人尊重我。"胡东东抹了一把眼泪，说，"芳姐姐是个大美女，也是网络里的能人，可是她喜欢我。她给我介绍了好多视频的网友，她们都喜欢我，和我聊天，我提出什么要求她们都答应，让我看她们的身体，还说要做我的女朋友。后来我当了版主才知道，在网上，只要你有封帖权和加分权，人们都尊重你。他们想看更多的东西，就得讨好我，服从我，我只要不高兴，我就封了他们的ID，他们就再也上不来了。我也可以随便地给他们的帖子加分，随便地给某一个人加分，提高他的等级，提拔他的身份。这全在于我是不是高兴，我那时的心情真的是很HIGH！李叔，这多好啊！比当学生会主席还过瘾啊！"胡东东说得兴奋起来，连眼睛都放了光，仿佛他面对的不是我，而是那台能给他带来自信与至高权力的电脑。"我上了性情网后，QQ每天都能多十几个人加上来，都是网站里的成员。他们个个都讨好我，顺着我，盼着我给他们加分，他们把我当成了首领了。我喜欢这里，因为我知道，这都是真的，这些尊重我是真的得到了，没了我爸爸，我照样能让人们尊重我。"

我还能说什么？眼前的胡东东，他的眼神里有一种与他的年龄并不相符的癫狂的神采，提起网络，他似乎进入到了另一个与现实完全不一样的世界，在那里，他强大，拥有生杀大权，他隐秘但是却有无上权力。这不是一个孩子的眼神，这像是，我突然惊觉，像是他爸爸的眼神！

"东东。"我低声说，"我刚才想起了一个人，你知道是谁吗？是你爸爸。我想，他在某种程度上害了你。"

胡东东摇摇头，说："不，我特别崇拜我爸爸。他什么事都能摆得平，这样的人才是成功的人。我上了性情网，当上了版主后才找到了一点我爸爸的感觉，我想成为他那样的人。李叔，你替我给他打电话，让他来带我出去，行不？"

我沉思片刻，韩力粗暴地推门进来了，说："怎么样，和小侄子谈得差不多了吧。"

我站了起来，走到门口，听见胡东东在身后喊："李叔，记着给我爸打电话，还有千万别把这事告诉赵老师！"

3

墙上的挂钟突然敲响了，十二点了。

韩力揉着眼睛从监控室出来了，我急忙迎上去。

他说："你可以走了。"

"胡东东会怎么样？"我问。

"这要看法院的判决了。不过，这俩孩子都很合作，真是言无不尽哪。此案的问讯工作很顺利。孩子们全是法盲，直到现在也不知道自己犯了罪，那个外号叫瞎七的孩子还说呢，就这么点事还惊动了这么多叔叔，我认错了，以后不再犯了，行不行？真是叫人哭笑不得。"

"胡东东怎么样，怎么定刑？"

"这个还要看一看再说，不过胡东东的性质更轻些，没有涉及牟利的事。"

我低声地说了一句："是啊，他根本缺的也不是钱。"

韩力说："文波，我看这事，你不便再出面了。你还是给他爸爸打电话吧。"

我说："我刚才打了，关机了。明早一起来我就打。"

韩力点了点头，说："孩子暂时先不能走。你放心，是你朋友的孩子我会照顾他的。"

我拍拍他的肩："有个事还要麻烦你，这孩子的事等他父亲来之前能不能先别让外界知道。"

韩力点了点头。我下了楼，一边走一边给赵清明打电话，他关机了，也难怪，现在都几点了。

我给赵清明发了一个短信："请明早与我联系，出大事了。"

我下了楼，这里外面已经是万籁俱寂了，连车都很难叫，站在路上等了一会，来了一出租车，停在我面前，我刚一上车，就发现有一个车也开了过来，在公安局门口停下，一个人从车里出来了，是顾襄。没想到都这个时间了，他还出来工作，这小子的敬业程度真是了得！

车子开走了，我突然想起了一件事，如梦初醒，急忙找来电话打给韩力，他关机了。

他妈的，到处都是关机的人！

我回忆了一下，顾襄的号码我曾经记得过，但是不知准不准了。我给他打，占线声。

妈的！我又给那个号发了条短信：胡东东在里面，不要惊扰他，更不要把他的事弄到报纸上。

发完这个短信没过一会儿，手机震动一下，拿来看，上面回了一条短信：文波大哥，明白。顾襄。

我稍稍松了口气。但是想一想怕不保险，又发了一条短信，这次是给韩力的：顾襄来了，不要让他接触东东。

⊬⊣

我回到家里，发现安琪已经回来了，她睡了。

我来到书房打开电脑，虽然很晚，可是我心里装着一个事，必须要探究个明白才行。

进入性情世界网站，登录上我的用户名，一进去就发现有个光标在收件箱内闪动，有站内短信发过来了。

我点击那条短信，只见上面有一行字：收到，我会小心，谢谢，雯雯。

她收到了。我关上信箱，想了一想，应该把这条信息删了。正要删除前，我又想进入雨琦的主页看看，于是点击了一下，可是奇怪的是，那一页出现了无法显示的字样。

看来，她们已经做了手脚了。起码雨琦有所察觉，把自己的主页撤了。

我按着那个正准备删除的站内短信，点击上面的回复框，又弹出一个回复信件窗口。

我在窗口上键入这样几行字：

"如在线，请速与我联系，我有急事，我的QQ号是……"

我把这条站内短信发出去，然后去餐厅给自己沏了一杯咖啡，这一晚上，真是又累又渴。

等我回来时，我听见QQ在响，有人在加我为好友。那人的名字是：雯雯。

她在线呢。

我加了她，片刻，一个很可爱的头像闪烁着蹦了出来，出现在我的对话框里。

我百感交集地看着这个头像，她出现在了这里，意味着一件事，从此后，当我想见她时，我就会见到她，见不到她时，我也可以把信息留给她。

也不知是托电脑的福，还是电脑惹的祸。我们这次才算是真正地接触了。

她的头像闪烁起来，她向我发话了。

她：你加我有事吗？

我：当然，你在哪？

她：家里。确切地说，在租来的房子里。

我：我现在想见你，方便吗？

她：不方便，屋子里还有四个女孩。

我：我明白，你们在工作。

她：我马上要上线表演，不能谈太久，有事请你快说吧。

我：我只想知道一件事，希望你能如实地回答我。你是不是还有一个名字，叫芳姐姐。

她沉默了。许久没有回应。

我等不及，便又把这个消息复制一遍给她发过去了。

头像闪烁。

她：你怎么知道芳姐姐这个名字？

我：你别管了。你只需要回答我，你是不是芳姐姐？

她：不是。

我：谢天谢地，那芳姐姐是谁？你认识吗？

沉默。

我：雨琦？是不是她？

她：我想不是。

我：你能想出她是谁吗？

她：想不出，但是我也在找她。

我：为什么？

她：我那天曾和你说过一件我的事，不知你还记得吗？

我：什么事？你说来听听。

她：当年，因为受了一个人的蛊惑，也是为了还一笔债，我做了一段时间视频小姐，后来我也曾想退出，可是我表演的视频镜头却被那个人下载了下来，刻成了光盘，她威胁我说，如果我不听她的，她就要把这些光盘散发到我的家乡，直接寄到我的父母和我学校的老师们那里去。

我：我记得当时你曾说过，你还说过很震惊，她居然对你的过去了如指掌。

她：没错，这事直到现在我还百思不解，我现在告诉你，那个威胁我的人，就是芳姐姐。

5

雯雯说了这件事后，就离线了。我想她可能开始开工了吧。我试着想进入性情世界的视聊私聊空间里，找她继续谈，但是我的积分不够，根本进不去。

我在能进去的各个区域里徘徊，不敢乱发帖。直到这时我才明白为什么胡东东痴迷于这里，的确，版主在他所负责的版块里有无上的权利，除非会员向申诉区发布的举报帖子经核实后超过了他能承担的限额，否则他真的可以一直做下去，决定你是否还有资格留在这里，这就是网络里的权利。谁说网络是绝对自由的，这里和社会上一样，一样有权利和强权的影响，胡东东只不过是一个最小的网络掌权者，但是也足够满足他的虚荣心了。

我只能简单地回帖，回帖也得严格按照格式来进行，不能让版主扣分或封ID，我和这里的版主们都不熟。这样下去得分很少，呆到快天亮，只得了不到五分，这样的成绩，连进入一年级都不够，我后来实是太困了。就上床睡了。

那一夜睡得很不好，我不断地做着噩梦。我梦见了很多人向我走来，有胡一平，有胡东东，有雯雯，最奇怪的是，我梦见雯雯最后的面相幻化成了麦芽的样子，她冲我笑笑，但当我走近她时，我听见从她嘴里发出一个声音："我是芳姐姐。"

这个梦让我一下子惊醒过来，我听见浴室里传来了水声。安琪在洗澡。

她很少早上洗澡，这样做肯定是有什么重要的活动。

我今天因为这噩梦的缘故起得早了，头还有点晕，我坐起来，揉揉脑子，伸个懒腰，准备起床。

手机的响声从客厅传来，是彩铃的声音，这不是我的手机声音，是安琪的。

我听见有开门的声音，接着安琪的身影在卧室的门前一掠过去了，她是跑着接电话的。

我躺在床上没起，听见安琪轻声地说了一声："喂。"

然后她就是一阵沉寂，好像在听对方说什么。

过了一会，我听见她小声地说："那件事是很麻烦。他睡了，昨晚上回来的时候快一点了，什么也没和我说。"

对方似乎又在说什么。她没有说话。

过了一会儿，她声音很低地说："昨晚上我听到这个事也很吃惊，你认为胡东东会被判刑吗?"

她在说胡东东，这么说她也知道了这件事，可是那个和她通电话的人是谁呢?

电话那端似乎有人说着什么，我听见安琪一直在"嗯，嗯"地答应着。最后安琪说了一声:"你也真太辛苦了，昨天那么晚，你还赶过去了，你得注意一下身体了，老这样哪行?"

我好像猜到这是谁了。这时我听见安琪的脚步声向卧室移来。我把眼睛闭上了，直觉中安琪似乎就站在门口望着我。我听见门响了一下，感觉似乎是卧室的门关上了。我听见安琪的声音果然小了下来，但是还依稀能听见，我听见她轻声地说:"我知道，我知道，他还睡着。好，晚上再联系，你多注意休息吧，再见。"

没有声音了。我轻轻地睁开眼睛，我卧室的门已经关上了。

水声再次响起。她又进去洗澡了。

我下了床，只穿着一条内裤将门轻轻地拉开，一拉开门就看见客厅的茶几上，安琪的三星手机正放在那里，那是她经常放手机的地方。

我小心地不发出一点动静地走过去，把她的手机拿起来，按了"已接电话键"，上面显示出一个最新打过来的号码，这个号码是一个很熟悉的号码，我昨晚上也给这个号码发过短信，是顾襄的。

我向上翻，发现上一个已接的号码也是顾襄的，时间指向的是昨晚上的十一点零五分。昨天这个时候，我正在去往公安局的路上。而他们还在通话。

我把手机放下。卫生间里的水声停止了，她洗完了。

我小心地回到卧室，刚把门关上，卫生间就传来了开门的声音。

我躺在床上，睁着眼睛看着天花板，我听见门外安琪走来走去的声音，我知道她在干什么，她在穿衣服，换鞋，对着门口的穿衣镜简单地化妆，这一切完了之后，我听见大门"咣当"的响声，她走了，临走时都没有想起看我一眼，看我起没起床。

我已经全无睡意了。脑海里不断地回响着刚才安琪的话。你得注意一下身体了，老这样哪行？话语中有种很暧昧的东西，这种话我已经很长时间没听过了，她对一个外人说了，让我格外地不舒服。

我又想起了很多人的话，胡一平说：女人搞公关，主要的功夫在床上。老莫说：她告诉我她要去上海出差，是为了宏天的业务。可是她其实根本就没走，她那几天天天和胡一平泡在一起。还有刚才临走时她和顾襄说的那句话：好，晚上再联系，你多注意休息吧，再见。

这些话语在我的脑海中翻涌，令我一下子坐立不安起来，我诘问我自己：我了解我的老婆吗？

我站了起来，机械地走到卫生间刷牙洗脸，可是脑海中却还是不能挥去那个疑问：面对着一个越来越少沟通越来越行动诡秘的妻子，我了解她多少？

在我经过一早上的洗漱后我没有找到我要找的答案，我强迫自己接受一个事实：不管我了解不了解她，我一定要相信她，信任她，相信她所做的一切都是为这个家，为了我，至少到目前，只有我做过对不起她的事，她没有做过任何对不起我的事。

有些事情一旦想通了，人就会变得非常松快起来。我下了楼，去报箱取了今天的《晨报》。回到屋里热了一杯奶，一边喝奶吃安琪批发买的垃圾食品——我最讨厌的蛋黄派，一边看今早上又有什么新闻。

打开报纸，翻到三版社会新闻，胡东东的照片赫然登在头条位置，他的眼睛被挡上了一个黑的封条，但是从眉目和穿着上，熟一点的人都能看出，这人就是他。

在照片的旁边，两行超粗黑体的大字做成的标题杀气腾腾地排列着：

少年"狼友"结盟，甘作网络黄毒"使者"

警方侦破我市首例中学生参与网络黄色犯罪案件

望着这个标题这个图片，我几乎不能相信自己的眼睛。我仔细地看了几遍正文的内容，不用说，这种写法不要看作者也能猜到，是我当年的徒弟顾襄写的。文中详细地交代了两名中学生涉案的经过，特别是详细地写了抓捕他们的过程，按照新闻职业道德常识，两名孩子均是化名，但是他们所在的学校却被点了真名，他们年龄及网名也都是真实的。这篇报道出来后的结果是，胡东东作为网络色情涉案人员的事实已经昭示天下，只要认识他的人和网友，看了这篇文章和照片，就不可能不知道他做了什么！

我气得浑身发抖，报纸掉在地上，再也没有任何胃口吃这顿早点了。这顾襄太不要脸了！他把我的话都当耳旁风了。可是韩力，韩力呢，他又做了什么？他怎么能这样做呢？我给韩力打电话，他关机了。我气得手直抖，把电话打给顾襄。

电话响了，不一会传出"机主不在请按留言信箱"的声音，我不听，一遍遍地打，终于有人接了。只听顾襄在那边含糊着，用没睡醒的声音喂了一声。

我怒气冲冲地说："顾襄吗？我他妈的是李文波！你醒醒，我有事问你。"

"老大。"顾襄不满地说，"我昨晚上写了一晚上的稿，刚睡下，有什么事，中午再给我打不行吗？"

我说："你也甭睡了。今天早上的那篇报道怎么回事？你给我说清楚！"

顾襄含糊地说了一声："报道？什么报道？"沉吟片刻，他恍然大悟地说："啊，那篇报道出来了，我还没看呢，你等一下，我去信箱里取一张看看。"

他放下电话，我拿着电话等着，听见电话那头有一阵动静，好像是他在穿衣服，过了一会，听见"哗哗"的声音，我想他一定是在翻报纸呢。

过了一会，顾襄把电话打了过来："对不起，李哥，我没想到是这样。我也是刚刚看到这张报纸，照片是我们的摄影记者照的，我已经告诉他不要发了，但是不知为什么报纸还是发了。文字部分已经有了改动了，我本来写得很隐晦，是老总又加了很多东西。我昨天写完稿就走了，我想这都是老总最后签字时重新加进去的。我只是个记者，无权决定老总的编辑思路。"

我怒不可遏地说："你少来这套，他妈的都是做新闻的出身的，我拜托你有点职业道德行吗？你们这么做，那是把这孩子彻底毁了你知道吗？就为了抢新闻为了吸引人，就什么也不讲了，良心也不要了，职业准则也不要了，你们还要不要脸啊?!"

"李哥，你怎么这么说话!"我这一骂，顾襄也急了，声音大了起来，"你冷静点行吗？你可是我一直尊重的前辈，咱平静地谈这事，你别搞人身攻击行吗？"

"我操你妈的什么人身攻击!"我气得什么话都骂出来了，"你别给我讲什么人身攻击！胡一平对你怎么样，胡东东那孩子怎么样，你他妈的有眼睛吗？你这么整他们，有没有点起码的良心？我要想人身攻击我早就一个大耳光抽死你了，你是个什么东西？你配当记者吗？"

"李文波！你少骂人!"顾襄气得也喊了起来，"我告诉你，这个稿子是我写的，但是我只是个记者，我有写稿权，没有发稿权，至于稿子为什么会这样出来，我也没办法，因为我说了不算。你怪我，你怪不到我头上！至于胡一平对我怎么样？我老实告诉你，我顶烦他了。要不是工作有需要，我才懒得理他这种暴发户。我知道你们关系好，可是我是实事求是写的稿，我没对不起良心。我们的报纸说的也是实事，我们也没有对不起读者!"

"你们谁都对得起，就对不起一个人，对不起一个正在成长中的孩子，你们这是杀人懂吗？杀人!"

顾襄哼了一声："算了吧，李哥。胡东东是你看着长大的，我理解你的心情，可是你有没有想过，胡东东他害了多少人，你知道吗？他不到一个月的时间就发了三百多张淫秽的图片，发了几百条黄色的信息，还帮助别人整理合成了几部黄色的小电影，有多少人看到这些东西了？有多少比他还要小的孩子，比他还要单纯还要品学兼优的孩子，因为看了他发布的这些东西一步步走向堕落？你知道吗？你能说得清楚吗？他是受害者可是他也是害人者，他这种行为不该受谴责吗？他不该为之接受惩罚吗？我们作为一个凭良心说话、以事实为据的报纸，我们报道了这件事，我们揪出这个社会现象，我们审视这个少年罪犯，我们做错了什么？你说我们做错了什么？"

"可是，他妈的你们就是——"

"李哥，"顾襄很激愤地说，"你别再和我说这些话了。你凭什么责问我？我承认这次的报道是一个意外的事故，但只是相对你而言，我是对不起胡一平，对不起胡东东，但是我对得起自己作为一个记者的良心。我还记得五年前，你在我刚走上这个岗位时曾和我说过，一个记者要靠事实说话，要说真话写真事，不讲人情，不看面子，不向权势低头，不为金钱动摇，不做虚假报道，不搞有偿新闻，不因为人情关系掩盖事实真相，我一直是按照你教我的去做的，我没有走偏过一步。可是你今天和我发火是为了什么？就是因为我写的是你的一个熟人，你想用人情掩盖事实，想遮住这些真相，但没成功，是吗？老实说昨晚上我接你的短信时我很失望，我真的很失望，你不是从前的那个李文波了，你不是那个我们直到现在还引以为楷模的前辈了，你和胡一平他们没什么两样了。"

我手拿着话筒，本来满腔怒火，但在顾襄说完这段话时，突然发现自己竟然无言以对，不知从何说起了。

"李哥，我一直尊敬你，我们，新闻部所有同仁都尊敬着你。"顾襄的声音里突然有了一种难得的真挚，"三年前，炎庄黑煤矿的那起报道，让我们损失了一个好兄弟，让你丢了工作，可是，你却换来我们所有记者们的尊敬。你辞职的那天，很多人都哭了，不管是喜欢你还是不喜欢你的人，你没看见那个场面，哭的人中也有我。你走了，可是你把一种精神留下了，我们都是按照你留下的那种精神做事的。但是今天，李哥，你让我发现你的精神死了，你死了。你不是我们的偶像，不是我们尊敬的那个人了。"

话筒无声地落了下来，有好长一段时间，我才意识到我的眼泪正在我的脸上滑行，痒痒的，有如岁月的手在轻轻地抓搔着我的心灵。顾襄在电话那头不停地说着，但是我什么也听不到，我只看见前方一片模糊，很多熟悉的事与人都在这模糊的视线里渐渐清晰，他们向我走来，往事历历呼啸，一下子就将我拉回到了三年前，那些个风风雨雨的日子。

第十章

1

三年前，因为工作业绩不错，我得到报社老总的赏识，在新成立的社会新闻部担任主任一职，负责社会新闻的全面工作。

当时我们的社会新闻部是由新闻部派生出来的一个新部门，近年来，随着报纸版面的扩大，以前的老新闻部分成了三个部门：热线部、政教部和社会部，我的妻子安琪分到了热线部，专门接受群众来访来电这类工作，一个新分来的大学生顾襄经过一年试用期后，转正成为我们社会部里的兵。

那时因为部门刚成立，人员少，整个社会部就我们两人跑外线，我这个主任其实和一般记者没什么两样，天天在外面跑新闻，写了不少稿子，每天累得半死，也得罪了不少人。

搞过新闻的人都知道，在新闻领域里，热线部的事务琐碎，政教部多为领导开会，社会部则多为批评报道，搞批评报道起家，当然就要得罪很多人。

不过那时我血气方刚，没把得罪人当成一回事，对于写批评报道仍然是满腔热情。但是整个社会新闻口只有两个人跑新闻，也确实是非常累，所以我一直想要增加个人手。不久，有几个大专院校的学生来到我们这里实习，我就向老总请示，要求挑一个人过来分分担子。

萧石就是在那个时候来到我们部里的。

萧石那年二十一岁整，中文系大四，还没毕业，到我们这里来实习的主要目的是要交一篇毕业论文，另外想多学点经验，为以后找工作积点资本。我们这儿每年都有一些怀着他这样的目的来实习的毕业生，一般实习期都不超过四个月。对这些人，我们这里的待遇是不给工资，不给记者证，一般情况下重大报道也不安排独立采访，通常都是有个老记者带着，写点简单稿子，混过几个月，等到毕业前交稿就成了。这个人也不例外。

不过，我从见到萧石的第一眼就觉得，这个政策对他并不适用。这是一个非常适合干新闻工作的人才，他聪明、好学、敏感，简直是一个天生的做新闻记者的料。萧石的家在山西一个叫灵泉县的农村郊区，非常穷，据说当地有两多，一是黑煤矿多，一是拐卖妇女的多，萧石的哥哥就是在黑煤矿中一氧化碳中毒丧的命，这种出身决定了萧石这个孩子与其他同龄人不一样，因为本身出生于贫民阶层，他对底层人民有一种天生的人文情怀与悲悯心，这对于一个做记者尤其是以批评报道为主的社会记者来说，极其重要。

他来到我们部坐了几天冷板凳，基本上没有什么任务派给他。一开始就是接个电话，看个家，帮我们的稿子查查错字什么的，后来，因为工作量实在太大，也就安排着他出去采访一些比较简单的小稿，他做得非常出色，引起了我的注意。

时至今日，我经常在梦里梦见萧石，他是个非常温和的小伙子，戴着一个厚厚的眼镜，总是挟着厚厚的研究魏晋文学方面的书，这是他比较喜欢的一件事，他每天晚上复习功课准备考研，就是想读这个专业。我看过他写过的有关魏晋风骨的研究论文，文采飞扬，壮怀激烈，极富煽动性，与眼前这个温文尔雅的形象极难统一起来。

我们社里的同仁都很喜欢这个好学而又有礼貌的孩子，按照他名字的谐音给他起了个外号，叫小石头。

有天下午，一个左手被砸断了三根手指的农民来到我们报社，来投诉炎庄煤矿，主要是投诉煤矿主不给他们工伤损失费等事情。那天我和顾襄去农村采访一个土地纠纷的官司，都不在办公室。接待这个农民的人就是萧石。

对于我们这些人来说，那天真是一个奇特的日子，这个左手只有两根手指的农民，有如上天派来的一个愤怒使者，让很多人的命运从此发生了翻天覆地的转变。

这个农民是炎庄煤矿里的一个矿工，一个月前，他和其他矿工一共四个人正在推车时，矿里发生塌方，一些石头掉下来，四个人全被砸伤了，但好在没有死亡，他是伤得最轻的。事故发生后，矿方答应，在一个月之内给他们工伤损失费，但是一个月的时间过去了，除了入院时给他们四个垫的两千块钱外，矿方再也没有派人来看过他们。四个人中另外三人现在还在医院里，这个伤得最轻的人去找矿上的人谈这事，但是找不到矿主，得到的答复是再等一等，这个人先后去几次，但是都没有答复，矿主只答应给他们四个人病中每个人30元的生活费，但对其花费的近八千元的住院费却表示概不负责。这个农民没办法，就找到报社来投诉了。

有关炎庄，萧石并不知道其背景，这是一个有名的脱贫致富的小康村，这个庄四面环山，很偏僻，但是风景也很优美。"文革"前，因为交通不便，加上四处皆山的原因，炎庄是一个著名的贫困村，人丁稀少，资源匮乏，改革开放以后，村领导带领大家修山造林，开发果树板栗种植项目，不久这个村庄板栗树种起来了，成为果树培植基地后，才逐渐兴旺起来。两年前，村支书斥巨资为村里修了一条宽敞的马路，还通了车，并且开发了炎庄矿种开发公司，专门开发研制煤、铁矿石。为了配合这项研究，村领导还成功地将一部分村民从偏僻的山顶移到了地势和交通都比较便利的地方，以便开放山林做矿藏开发等工作，当时提出的口号是"保护矿脉"，这些举动曾作为先进典型多次上报省里，村领导也作为创收大户、带领农民脱贫致富的典型而多次荣获先进称号。

那天下午，对上述背景一无所知的萧石凭着一种职业敏感，也凭着自己家乡黑煤矿成风的情况，意识到炎庄可能也有着类似自己家乡的那种情况——有人私开黑煤矿牟利。他在桌上给我留个条，没有向我以上的任何主管领导请假，就和那个农民一起坐公交车去了炎庄。

我是在第二天快到中午的时候才见到萧石的。这个年轻人整整忙了一天一夜。他先是来到了医院看望了几个躺在床上的砸伤的矿工，然后又去了矿里的工地上，实际看了一些煤矿的作业情况，随后又找了矿里的负责人，这些事做完后已经很晚了，他就在老乡家睡了。第二天，他又找村领导了解了相关事情，在得到一些并不令人满意的答复后，他又去了几家村民家，了解了一些实际情况。

萧石在那天的整个行动虽然头绪繁多但是有条不紊，充分显示了一个职业记者的敏感和水平，当然更多地还体现了一个青年人难得的热血与激情。但是萧石了解的东西却比他做的都更令人吃惊。炎庄——这个著名的果树乡、板栗乡其实已经有两年的时间都没有在果树、板栗种植上有好的收成了。因为村里最适合果树生长的土地都被村干部转让了，转让给了村里包工头出身的陈、王两家大户，其中的王家本身就是村支书的亲戚，他们将土地的使用权买去，对外说是用来研究煤铁矿石，还与村委会联合，像模像样地成立了一个研究中心，但实际做的却是建了几十座私煤矿。这些煤矿基本上控制在两大姓中间，而这片土地上的原住民们，都被他们强行将原耕种地收走，迁移到了指定的地方，这一切，表面上看是由村委会出面完成的，但实际上，据当地乡民说，却是两大姓派打手一家一家摆平的。你要是不搬，两大户自然也有方法让你搬。

那个左手断了三根手指的农民也是原住民之一，他家是种梨树的，可是耕地被抢走后，为了糊口就去了私矿当矿工。他们四个受伤后，矿上的人答应给他们赔偿，但是迟迟没有给，并发话出去，如果他对外声张，就杀了他全家。

萧石在这个农民的带领下，来到了炎庄山沟里一个叫赤土沟的地方，很吃惊地发现了这个地方明目张胆地敞开着不下三十个私煤矿。在这里，煤矿的每个坑口正前方都有个储煤场，小则二十多米见方，大则五十米见方，每个储煤场都连着山后的那条新修的大马路，坑口左右是小路，通往其余黑矿口。小路是被人踩出来的，最宽能容一辆三轮车；大路是村委会新建的，通往大路的那条小径也很宽敞，足够两辆卡车通过，矿工们从村里上山时走小路，挖出煤来就从大路运往山下。

当地的矿工说，炎庄挨着两座山，前面是风景优美的飞龙山，后面是资源丰富的飞凤山，一龙一凤，煤层浅，煤质好，都是开煤矿非常好的宝地。这两年，煤不断涨价，从去年以来，普通煤价从一吨十几元一路涨到二三百元，有的煤还超过了四百元一吨。煤炭资源丰富的地区迅速富起来也是沾了煤价的光。在正规煤矿不能涉及的原煤储藏区，老百姓称之为"黑口子"的私煤矿自然就多了起来。当地百姓对此其实并无异议，进山挖煤投入的只是一些劳力，和捡钱没有区别，比种果树划算多了，谁不想去呢？

一个老村民告诉萧石，挖"黑口"这种事在炎庄已经不是秘密了，村干部就带头干，两大姓中的王家就是村干部家属，陈家也是乡里有人撑腰，他们都上了，村民也掺和，在矿上做工，一般的一吨煤赚四十元，一个月下来少则两千块多则四五千，谁不干呢？

萧石还了解到，陈家和王家把土地的使用权拿到手后，因为人手不够再加上管理困难，他们不再亲自开矿，而是以承包的形式，把矿承包出去，自己拿大头，并且做最大的股。这种股就是风险股，风险的意思就是他们负责安全，有事他们顶着。

那怎么顶呢？萧石问。那个村民把他拉到一处背人的地方，跟他讲了里面的奥秘。"你只要腰板够硬，门子够横，这个事很容易做成的。只要有钱疏通关系，就不愁挣不了钱。"那人说到这里就走了，但是临走前提供了一个人，说此人对内幕很了解。萧石找到了那个人，原来是村委会退下来的一个干部，那干部起初不肯说，后来经不住萧石的追问也透露了，开一个煤矿除了约十万元的设备投资，至少还要花几万元疏通好多部门，比如县地矿局、乡政府、煤炭稽查队、派出所等。

这些黑矿在有关部门的默许下成立后，每月向村政府交两三千元管理费，这样每次检查前，矿主或承包人就能得到村政府有关干部的电话通知。当检查部门来到时，他们可以自己用装载机先封住矿口。等到检查团走后就再开封，而矿主们为摆平这事，从村到乡甚至到区、市，一层层都有人，最直接的联系人就是王、陈两家大户。

萧石拿到这些资料，激动得一夜难眠，他认为他找到了一条好的新闻点。他当天晚上去矿上找负责人了解工伤的事，负责人态度很蛮横，表示没什么好说的，并要萧石出示记者证，萧石拿出了单位给他们这些实习生发的临时记者证。那人的态度并未收敛，并警告他，炎庄是个先进村，你要把了解的情况如实反映出去，如果歪曲事实，不但要负法律责任，更是给乡领导抹黑，那就吃不了兜着走。

那人的态度反而激起了萧石的斗志。当晚他跟踪了那个负责人，发现他进了村委会，与村长、村支书等人一起坐着车去了城里吃饭，他侧面打听了一下，得知那个人是王家的人，也就是说，村长、村支书这些村领导对此事完全知道，但是不但放任不管，看来还有瓜葛。

第二天早上萧石去找村领导，但是所有的村领导都不在，只留下一个办事员接待了他，办事员认真地把他反映的情况记了下来，并说等村领导回来后，一定如实汇报。他要走了萧石的电话，还要留萧石吃饭，当萧石表示不吃时，办事员要他等一下，进屋去不一会拿出一个红包来，说这是村里对报社记者不辞辛苦来这里调查情况表示的一点感谢之情，要萧石收下。

办事员的做法更让萧石意识到这里肯定有鬼，他很聪明，假意应承下来，把红包收下，又要办事员把村长的电话和联系方式写下来，办事员要找纸，萧石说："别找了，我没带包来，没法装，这样吧，就写在这红包的封面上吧。"办事员不知有诈，就在那包红包的红纸上写下了一串号码。

现在这个红包就放在我的桌上，那红包上还有圆珠笔写着的一串号码。这个红包从拿来以后，萧石一直也没有打开过。听萧石讲着他这两天的经过，我有种直觉，一个大新闻被挖出了冰山一角，而完成这一冰山一角开掘工作的这个人，竟然是一个刚上班没有一个月的实习生，对于一个跑新闻的人来说，这真是一个天赐良机。

我表扬了萧石在这件事上表现出来的良好的新闻工作者的素养和责任心，同时也批评他，以后再有类似的情况一定要先打跟主管领导请示，不能擅自决定，不过这个批评与我的表扬比起来当然显得微不足道。我让萧石把这两天的采访经过写个材料给我，当天晚上，我去见了老总。

老总的反应不像我那样强烈，他说有关炎庄黑煤矿之事，其实以前也有人反映过，不过此事涉及的人员较多，其内情也比较复杂，不宜妄动。他要我再调查一些情况，但一定要注意方法，然后写个内参，先给他看看，再决定如何处理。

2

我在萧石给我反映完情况后的第二天，与他一起去了一次炎庄，我们是以私访的形式去的，假装是从山西来的买煤的客人，为了装得更像，我还把胡一平的帕萨特借来了（那时老胡去了山西，很巧的是也是去开发煤炭生意的）。我们开车赶到私煤矿最集中的群山环抱的炎庄赤土沟时，天色将晚。这个时间正是私煤矿活动最猖獗的时候，一般来说，很多小的煤矿白天开工目标比较大，夜晚才是最安全的时候。一进到赤土沟我就发现在每个煤矿口到处可以看见无所事事的闲逛着的本地人。萧石告诉我，这些人不是闲人，他们是暗哨，表面上看无所事事，其实就是专门对付检查人员的，只要有可疑人物出现，暗哨会用手机、对讲机等形式通知煤矿主，当然最主要的是还要提前通知两大户，私矿主会在最短的时间内封矿，马上宣告停产，再由两大户的人与村委会派人摆平。

我们把车停在路口，马上就有人过来搭话。我告诉他我是买煤的，他开始不信，后来我给他看了我从煤贩子那里拿来的一张名片，他信了。并且说他家的煤不错，一吨八十，当时的市场价是八十五元，高的还有叫到九十五的，他的便宜了这么多，我问他质量是不是有问题，否则为什么会便宜。此人直言不讳地说："我们的矿是私矿，不需要上缴任何费用，所以就比正规有证煤矿的煤便宜，我告诉你，你到哪儿也买不到这么便宜的煤，不过，我们也有成本，还要给上面留出一些打点的费用，你们买煤的总不能让我亏本吧！"

萧石趁我们说话的时候把口袋里的采访机打开了，听矿主这么说，就上来问，说为什么他们这里私矿这么多，这么多私矿，怎么保证质量？打点上面又是什么意思？矿主倒是很"坦诚"，说他开矿已经好多年了，但手续一直办不下来，原因是办个合法手续要花好多钱；另外，他们的采矿规模也达不到国家规定的年生产能力。但他们开黑矿必须和乡政府及当地有关部门搞好关系，否则根本开不成。只有这样，风声紧时就有上面的人给他们通风报信，才不会出事。矿主最后总结："我们有关系，干这活不用怕有风险，所以这里开矿的人多，客人要货比三家，我们当然要有保证。"

萧石和我提出要去矿上看看，矿主坚决反对，说一般情况下，矿里是不让外人去的，如果有心买煤，就去煤场看货。他说："反正你们买的是煤，只要煤的质量好，矿里什么样看了又有什么用？"

这个矿主的话让我们俩都很兴奋，就凭他的这个话，这篇稿子就完全可以写成一个能获全国大奖的新闻。我们告别了那个矿主，马上开车去县政府，县委书记不在，一个副县长接待了我们，我们亮出记者身份，说明了炎庄私煤的情况，那个副县长张嘴结舌了半天，最后说他会调查此事，然后就要安排饭，我们明确表示要走不吃了，他送我们出来时，说了一句意味深长的话："现在基层的工作很难干，我们要有成绩，要脱贫致富，要在现有的资源上找新的经济增长点，有些事情就不能不开放搞活，都不容易，大家互相理解，怎么说都是乡里乡亲，城里人乡下人，拉起手就是一家人，不要互相拆台就好了。"

这个副县长不知道，他语重心长的话都被萧石口袋里的录音机录下来了。回去的路上，萧石兴奋地说："李哥，我看，他们这次的黑煤矿的事情已经是证据确凿板上钉钉了，里面一定还有大文章可以做，咱们俩只要把稿写好，相信一定会引起轰动。"

下午，我在家写内参的时候，老总突然来了一个电话，说内参先不要写了。我们去的炎庄所属的县长、县委书记听副县长汇报了我们去的事后，非常重视，已经开始下大力整改了，听说行动雷厉风行，私煤矿一夜间就被封了三十多个，王、陈两家大户都被当地派出所收监了，听说还没收了很多私煤矿里的设备，那几名工伤人员县长已经下了明确指示，要帮助他们索得该得的赔偿，坏事已经变成好事。老总指示我，马上再去一次，与当地政府联系，补写一篇以正面报道这一事件为主的新闻。

以我多年搞新闻的经验，我当然知道，老总态度突然转变，只有一种可能，有高层向下施压。炎庄多年来一直作为先进典型村存在，把它整倒，肯定会有人不舒服，但老总发话了，也只能照办。

萧石对此事保留了自己的看法，他认为这里不是那么简单，以他老家的情况来看，私煤被封根本不能解决实际问题，很可能只不过是私矿主与当地政府联合推出的一招缓兵之计，这并不能说明真的要堵住这个口子。

我对萧石的看法比较赞同，但是老总发话，也不能不去。我要萧石稳住，替我把内参没写完的地方补上，等我回来再看，我自己先去一趟，再了解一下情况。

当我再去的时候，和第一次大不一样。县长、县委书记还有上次那个副县长及县里的主管领导们都亲自在门口迎接，并且备下了一顿很丰盛的酒席，我硬着头皮和他们坐在一起，当问及如何处理私煤矿一事时，县长拍着胸脯说："一夜之间扫平了他们。所有的私矿全部封掉，对那些顶风上的人，我们给他们三条选择，罚款、拘留和判刑，您放心，下次我们再邀请您和电视台的人来这里视察，到时您看吧，再有一座私煤矿还开着，我就把头顶这乌纱帽摘下来，亲自给主管市长送去。"

我问他们，对于那些私煤大户如王、陈两家如何处理，是否会判刑。县公安局的一个领导说这个很难定刑，如果要判刑，就要测量私开矿对资源的破坏"量"，测量有一个难点，很多矿主说这矿是以前就开过的，有的矿还是互相转包，调查起来难度太大。我又问他，这么多年来，抓这种黑矿的黑矿主抓了多少，有没有一个曾判刑的。这位县公安局领导支吾了半天，最后承认，没有一个矿主被判刑。

县委书记把话题接过去，说大家初次，先干为敬，以后欢迎我们多来视察指导，写一些能真实反映县里工作的稿子，也欢迎多提意见以待改进之类的话，这个话题就这样搁过去了。不过我已经得到了我想得到的东西。果然如我们所想，其实县里根本就没有真抓。

晚上县里给我安排了招待所，但是我没有住进去。我去了附近一个老乡家，继续了解情况。得知了很多与那次宴会上截然相反的信息。村民介绍说，所谓的打击与整治其实就是罚款，王、陈两大户昨晚上被公安局传去，三十分钟不到全出来了。他们都交了罚款，这些罚款全都有收据，不过，在这里罚款也就是放行。私矿主们用来开煤窑的鼓风机、电动机等设备昨晚被抄了一次，但是今天很多都搬回来了，拥有它们的私矿主各自交了五百元到一千元不等的罚款。其实这种事在这里司空见惯，这种查与罚甚至还有一个意想不到的副作用：煤老板和某些职能部门人员正是通过这一途径，建立了日益密切的联系。

我在晚上给萧石打了电话，萧石说那个断指的矿工又来了，说他要撤回上回的申诉，因为村委会已经勒令矿主给他们把医药费报销了，还每个人补了两千元的生活费，对这个结果他很满意，并说只要等手上伤好了，马上回去上工。

我告诉萧石，内参不要着急写完，这里又有了新情况，我要他等回去后再写后半部分。电话刚放下，老总来了电话，问我怎么样？我明确地说，这里的情况不像想像得那么乐观，正面为主的报道不能写，我认为里面还有些问题要发掘。老总在电话里沉默了一会，说要是这样，你就住一晚上先回来，把这些情况写进内参里。再交给我审，由我上交给主管部门。

那天晚上，我在县招待所的房间电话不断响起，第一个是县长打来的，县长先是问我睡得怎样，接着又"善意"地提醒我，说没事不要出去走动，最近矿里不太安全，私煤矿开了以后，很多流动人口进来了，为了怕我有什么事，他们已经指派县公安局专门派人在我的招待所，一是保护我的安全，二是有什么突发情况随时听候我调遣。县长对我的照顾真是太周到了，但不知为什么，我打开窗子，看着楼下的警车停在那儿一闪一闪的，却有种被软禁的感觉，而县长话中的深意，令人一深想有种不寒而栗的感觉。

第二个电话是安琪打来的，她问我在哪儿，又特别提醒我别忘了周六回她家吃饭，她妈做了她最爱吃的红烧鳜鱼，接着又提醒我，说矿里听说很复杂，矿主们大都是有些黑背景的，要我一定小心，不要惹出什么事。我告诉她，放心吧，我现在是县里的重点保护对象，平生第一次享受了有警车在楼下护卫的待遇，肯定不会有事。

第三个电话是一个自称王哥的人打来的，王哥说他叔要请我吃饭，明天中午，我说我没空，他在那边冷笑了一声说：我叔是诚心诚意地想交你个朋友，你要是不给面子，咱以后就不犯话了，不过有个事你也得清楚，敬酒可以不吃，但最后不要自己招惹杯罚酒喝。我想问他到底是谁，他把电话挂了。

第四个电话在晚上快十二点时打来的，一个自称是本地村民的人提醒我，这里私煤主与县政府早已经勾结一气了，而且他们的势力绝不仅仅是局限于县级这一块，过去政府不知派出过多少执法队，现场断电、断水、封炸井口，对煤老板罚款、拘留甚至判刑，能用的办法几乎都用了。但基本上不但没有刹住这股风，反而愈演愈烈。其主要原因是因为这里不光是村级领导县级领导，甚至上面一些大的领导也在暗地里插手，更有甚者，一些官员甚至借打击私挖滥采从中渔利。他举了这个县的县长为例，他就曾经把打击私挖滥采没收黑煤窑的煤倒卖到自己弟弟开的洗煤厂，一下就挣了二百多万元。这些大头们临检查就放风，按股份抽取利润，所以才屡禁不绝。

一晚上没有睡好觉，本来已经很困，但是我接到的这个电话却让我的精神为之一振，我想自己已经揭开了冰山一角，马上就要窥其全豹了。

第二天晚上我把内参交了。两天以后，市国土资源局的四位主管领导来到炎庄了解情况，这四位领导其中一位是我的岳父，国土资源局的安局长。他们回来后把了解的情况上报给市政府，第二轮整顿私煤矿活动开始了。不过，就在这些事情以后，我也接到了两个消息，一个是老总指示，这个事件的报道从这时起由热线部接管，将以热线新闻的形式来重新做，突出正面为主的原则，尽量把这事做得有正面的影响而不要产生较大的负面效果。我们社会部已经完成使命，现在又有了新的报道任务，我们可以撤出这块报道了。这个消息令我和萧石很不快，因为我们本意是要大干一场的，但是却莫名其妙地被剥夺了报道权。接着的消息就是，我的岳父，当年一位一直极力反对我与安琪交往的老领导突然纡尊降贵，要亲自请我吃饭。

3

那顿饭吃得极度乏味，和想像中一样。想当年我和安琪第一次来他家时，我就明显感到了这种乏味的气氛几乎成了她家里的一个主旋律。安副局长，我的岳父很严肃，不苟言笑，而且初次见面就明显表示出对我的轻视和敌意，在他看来，安琪其实早就被他指腹为婚了，如果没有我，她现在应该已经是本市一位工商局副局长的儿媳了。可是我的出现，让这个极有意义的联姻活动彻底解体，我们第一次吃饭时饭没结束他就走了，说要去开会，那时他还在县里当一把手，会也确实是比较多的。我后来听安琪她妈说，其实对于安琪的这个选择他是极力反对的，这父女俩基本上重大事情上从来没合拍过，比如找工作，他的本意是让安琪去工商局工作，可是安琪却不听他的，学了新闻专业去了报社，在婚姻上更是如此，他的本意是让安琪与自己老战友的儿子结合的，可是安琪选了一个老家在河北省偏远山区的农民的儿子，门不当户不对。

那顿乏味的充满敌意的饭好不容易结束后，我也从此打消了去她家做养老女婿的念头。我催着安琪赶快贷款买房，以便有个很好的借口可以不用见那个第一次见我就弃之如破抹布的岳父。

今晚非常意外地是在他的主张下，我们又坐在一起。在我印象中这好像是他头一次主动张罗请我吃饭，当然，吃饭时候他还是很严肃，基本上没说几句话。不过，我注意到他给我夹了菜，还让我岳母给我倒了一杯红酒，安副局长的这个表现让安琪很振奋，在她看来，我们缓和的时候到了。她在那里叽叽喳喳说个不停，倒也真的让气氛很松缓。

饭吃完后，安副局长对我招了招手，指了指客厅的沙发，先坐过去了。安琪冲我使个眼色，起来和她妈妈收拾桌子去了。我心领神会，知道岳父大人肯定有什么指示，也就坐了过去。这时客厅里只有我们两人了。

安副局长很舒缓地开了头，问了问我最近的工作，在忙什么，我认真地，尽量如实地回答他的提问，他习惯性点着头，没等我说完，突然话锋一转，看似漫不经心但却目的明确地问道："听说你整了一个内参，反映小康村炎庄的私煤开采问题，在市里有些反响啰？"

我回答说："是的，我本来想继续做个纵深报道的，但是老总突然下令，把此事划到热线新闻的领域里了，我们基本上已经退出来了。"

岳父大人沉思片刻，说："不能这么说，你们揭发出了一个问题，引起了领导的重视，其实作为一个媒体工作者，目的就已经达到了。至于今后怎么做怎么整改的事，那是领导们的事，你们的使命完成了，这些具体的事也就没必要再继续深入了。"

我对此当然持相反意见。反正他展开这个话题了，就实话实说吧，我对岳父大人坦言自己的见解，我认为这条新闻既然我们做了，就应该做到底，彻底把私煤产生以及屡禁不止的根源挖出来，这样才对得起这个来之不易的新闻线索。

岳父大人听我一番慷慨陈词，哑然失笑，说："有件事你可能不知道，其实你们老总让你退出这件事的报道，不是他的意思，是我的意思。"

我愣住了。但岳父大人下面的话更让我呆若木鸡，他说其实不光是这个事，我能以三十岁不到的年龄成为一个主任级的首席记者，享受科级的待遇，也是他的作用。

岳父大人意味深长地说："有个事我一直没和你说过。我和你们老总有很深的交情，所以有我在，你的未来和前途基本上是有保证的，但是人脉是我给你搭的，路却要你自己走。你还年轻，政治上太不成熟。就拿炎庄的这件事来说，你做到现在已经很好了，再往下做，就有点儿张狂了，一个事情之所以存在，是有其理由和原因的，你可以发现这个事情，但是要想动摇能够支持这个事物存在的力量，你必须自己也要有这个力量，如果没有，我奉劝你一句，要稳扎稳打，冒进是不对的，冲动是有害的。"

那天下午，我看着坐在价值三万多元的真皮沙发上的安局长，突然觉得我似乎是在和一个很陌生很程式化的人在说话，这不像是应该和我有骨肉深情的人，而是一个高高在上的，我生活中经常见到的那种人。

"你是记者，学的是中文，但不是经济，有些词我想你可能不懂，比如什么叫最大的利润空间，什么叫新的经济增长点，什么叫资源的最大化使用，而把这几个词结合起来会产生什么样的效果和作用你更是没有想过。你们是以文为生的人，你们只喜欢望文生义，但是看不到文字后面的东西，炎庄的私煤能够存在，不是一天两天的事情，这个小康村能有今天，当然也不是文字就能体现出来的，而这个现象为什么会存在，为什么一个村委会可以利用资源的转让迅速走向富裕之路，这里面的奥秘你不清楚，也没有真正调查清楚。所以我要说，你发现了一个事情，但是对事情的本质并没有真正的认识，在这个时候，你是不适合再做这个报道了，再做下去，冲动会取代理智，情绪化会取代稳定的局面，是有害的，也是不利的。"

我岳父说完这些话开始喝茶，而且已经有些闭目养神的架势了，我知道，他这是在告诉我，谈话已经结束了，尽管他的这些话几乎和没说一样，没有回答任何问题，但是他已经明确了态度，我不能再插手此事。现在，他需要休息而我需要的是识趣地离开，然后按照他说的话去做了。

我喝了一口茶，一句话脱口而出："爸爸，我听说从市里到县里、村里，很多领导都拥有这些私煤矿的股份，人们管这个叫风险股，我不知你听说过这件事吗？"

岳父大人本已经闭上的眼睛突然睁开了，他愣愣地看着我片刻，突然很暴怒地哼了一声："那是胡说！"将茶杯在桌上重重地一顿，茶也不喝了，起身走了。

当天晚上，我重新整理了一下搜集到的资料，我已经决定了，再写一份内参报上去，说明一下这里存在的更复杂的情况，我给老总打电话请示，但他关机了，办公室也没人接，无所谓，反正明天肯定会碰上他。我把材料都翻出来，刚要动笔的时候接到了萧石的电话。他告诉我，他在炎庄的赤土沟。

我很诧异，问他在那儿干什么？萧石难以抑制自己的喜悦说："我又发现了新的线索。那些矿井根本没有封，他们在晚上开工，比以前干得还欢了。而且，这次我从摄影部借了一台机子，还拍了很多珍贵的照片，那些私煤矿的安全设施与作业条件太差了，光是这些照片，就够有说服力的了。还有件事更值得庆祝，我找到了一个证人，他愿意拿出证据，证明乡干部里有人吃了私煤矿的干股。"

我对萧石说："你太胡闹了，怎么这种事也不和我说一声，就私自去了。"我要他马上回来。萧石求我说："李哥，你别怪我，我看你一天都在开会，晚上还要去嫂子那吃饭，我就没叫你先去了。你让我再呆一晚上吧，反正我也没事。马上我的实习就结束了，这是我们俩共同发现的新闻线索，我不想就这样放弃，你就当是帮我，让我跟着你把这个活干完吧。"

我听了很感动，老实说，在这个物欲横流的时代里，这样执著的孩子是不多见的。我告诉他，今晚找个地方歇下，千万不要轻举妄动，明早我会过去，如果可能的话，我会带着老总一起过去。

那天晚上，我放下电话后，开始重新写那份内参，写了将近三个小时，已经晚上一点多了我才停笔，钻进被窝里刚把眼睛闭上，我家的电话就响了。

我拿起电话，睡意浓浓喂了一声。

电话是老总打来的，他问我在哪？我说在家，他要我马上起床，去炎庄。我问他有什么事吗？老总说是有事，而且是一个大事，炎庄有一个私煤矿塌方了，四个矿工被砸在里面，死了两个人。但是其中有一个死者被查明不是矿上的，他是穿着矿上的衣服混进去的，他死的时候脖子上还挂着一个照相机，这人经证实是我们这里的一个实习生，叫萧石。

╬

我赶到赤土沟的时候，小石头的尸体已经被送往县医院。我赶到时看了他最后一眼，不，是尸体的最后一眼。他全身是土和煤，已经脏得不成样子，脖子上还挂着一个照相机，也全是土和煤，煤矿塌方时一块石头正砸在了他的头顶，头盖骨当场粉碎，脸上血肉模糊，已经看不出从前的模样了。我掀起盖在他脸上的布，只看了 眼，医生就把我推开了，他说要往停尸间送了。

看着装着他尸体的车往停尸间推去，我感到我的心里空荡荡的，似乎我都要随他去了。几个小时前，他还给我打过电话，几个小时以后，我们已经是人鬼殊途，如果我当时放下手头的工作去找他，如果我坚持要他等我来了再有所行动，一切可能都不会发生。悔恨，难过，痛心，恐惧，还有深深的内疚与自责，各种情绪交织在一起，看着那车上被白布蒙着的他被推进了一个封闭的屋子里，我的眼泪夺眶而出，眼前一片白茫茫的，什么也看不见了。

第二天晚上，把萧石的事处理完时，我来到了老总的办公室。

"胡闹，胡闹！"老总很恼怒地在屋里踱来踱去，"谁让他自己擅自行动的？谁批准的？谁眼看着这个悲剧在眼前发生却没有一点预防措施的？李文波，我要你回答我！这一切是怎么回事？"

我痛苦地说："我那天晚上给您打过电话，但是您的所有联系方式都中断了。"

老总不满地说："你这话什么意思？你是说，这一切都是因为没有联系到我才造成的吗？你这是推卸责任吧？"

我看着他，沉默着。

老总见我不说话，又有些激动了，他指着我的鼻子问道："不是告诉你们撤出了吗？你为什么不阻止他，为什么？"

我直言不讳地说："您在我们正在调查的越来越深入的时候让我们撤出来，这令大家的士气很受影响，我想萧石可能就是因为这个，才决定自己去调查的。他是个有上进心的孩子，他太要强，也太想干出点成绩来。"

"他也是个惹事精！"老总毫不客气地说，"就为这种少年人的英雄主义情怀，让他搭上了一条命，可惜，多么年轻的一条生命啊！"他的语气突然一转："但是你的责任是不容推卸的，你对我的处理意见不满，可以直说，也可以找有关的部门反映，但是你纵容手下的人，特别是一个实习的学生去做难度这么大的调查工作，造成这样的事故，你是首要的责任者，当然，对外要负全责的人还是我。从现在开始，我看你就停下一切工作吧。明天他父母从山西赶来，你和我要全程接待，这事是个麻烦事，很麻烦的。"

我说："那件事先放下，我只想知道，他这件事要怎么定性？

他应该以什么样的身份接受人们的哀悼。"

老总沉思片刻："这是一次事故，一切的抚恤金由县里和事故责任人出，我们负责做好解释和安抚工作。"

"事故？"我冷笑一声，"那他就是事故受害者了。也就是说，他的死就是一场和交通事故没什么两样的事了，对不对？"

老总本来已经坐下，听到我的话又站了起来："话不能这么说，他毕竟还是为了调查事情的真相而遇难的，但关键的是：一，他没请示，二，他没有经过批准，三，正因此他的所作所为，更多的还是个人行为的面大。"

"他请示了。"我说，"他和我请示的。"

"但是我没听到，还有一点你也别忘了，他也不是记者身份，他只是个实习生。"

我生气地说："是的，就因为差了这几条，我们就要把事实掩盖吗？一个本来可以深究下去的新闻事件现在要被人为地平息下来，我们就是为了掩盖这个事实真相，就容许一个年轻的生命这样白白牺牲了吗？"

"有关私煤矿的事情正在调查中，萧石的死必然会引发更深层次的调查，"老总说，"我可以保证，正义会伸张，今天的事会见报，我们也会去向有关的部门讨要说法，但是，我们作为新闻单位，没有结论权，如何下结论定这个性不是我们的事，我们要做的事是怎么把这一切平息下来。有些话你可能不爱听，但是我必须要说，萧石死得很可惜，可是，他的死与他自己不负责任的态度有关，他未经请示就擅自行动，这已经是第二次了吧？还有，他选在了一个非工作日的时间进行采访，而且他采访的手段是完全按照自己意愿进行的，他化装成矿工混进去拍照，这个后果的发生，他根本没做事先的考虑。发生事故，令人痛心，但他不是完全没有责任，你和我同样也有不可推卸的责任。"

"我们不谈责任。"我说，"真正的责任不是萧石，也不是你我，而是那些黑心矿主，是那些为这些黑心矿主打着保护伞的黑心官员。但是我们现在不谈这个，我有一个最简单的方法，我要写一个证明，证明他当晚曾经请示过我，证明他当晚采取的一切活动都是为了配合新闻采访而进行的，我要凭这个证明追认他为烈士，我要您给我出具这个证明。"

"对不起，"老总说，"我不能出具这个证明。"

"那好吧，如果不能出具证明，我将把这个事情的真相写下来。我要告诉人们，这个只有二十一岁的学生究竟是为了什么死的！"

老总摇摇头："我想这个稿我也不能给你签发。"

我站了起来："既然这些事你都做不到，我只有做一件事了。"

"什么？"

"辞职。"我目光炯炯地看着他，坚定地说，"而且，辞职后我还是会把这篇稿写出来，你不给我发，我还是会用别的方式让人们看到的。"

5

两周后，辞去职务的我，终于将这个稿写出来，却没有寄出去，我拿不定主意应该怎样处理这篇稿子。一天早上，我怀揣着一叠厚厚的稿纸，我去了萧石的老家——山西省灵泉县。

到了那里，我很惊奇地发现，他的家里竟然穷得如此厉害，几间破瓦房，几亩要荒了的地，残破的痕迹处处可见，他的父母都很衰老，而且迟钝，他还有个姐姐是个典型的农妇，一个弟弟稍有些弱智，在家务农，见人连话也说不完全，将来这就是他父母养老的依靠了。

萧石死了以后他的母亲有些神智失常了，常常坐在村口的一棵大柳树下，望着山那边发呆。萧石的姐姐告诉我，过去萧石经常去山那边玩，每次回来都会采一些新鲜的野菜回来，交给母亲，母亲会把这些菜先用热水浸一下，然后再拌着吃，萧石原来最爱吃这些。现在母亲每天坐在那里，看着山那边发呆，她不是在发呆，她是在想儿子，但是儿子已经不会再回来了。可是别人无论怎么劝她，她还是要坐在那里，一坐就是一天。

她姐姐说，现在山那边已经没有多少野菜可以摘了，灵泉县两年前就私矿成风，山上的风水与植被都被煤尘取代了，萧石上次放假回家时就很愤怒地说：那边已经被污染了，野菜都被熏黑了。

我陪着他母亲坐在那棵大树下呆了一下午，从中午到晚上，我们一句话都没说，山那边不断地有黑烟冒起，私煤矿开工了，黑烟所到之处，把纯净的乡野空气都污染成了铜臭的俗气，我想像着，一个从小在那里长大的孩子会以什么样的愤慨心情，面对着这片被糟蹋了的儿时乐园？

就是在那里，我终于决定了如何处理我的那篇有爆炸性的稿子，我把它寄给了我在南方报社的一个朋友，很快，他帮我在他们的报纸上发了，不到一周时间，网上也转载了。

这一切我并不知道，那一阵子我在萧石的老家住着，临走的时候，我把我所有积蓄——五千块钱拿出来，悄悄放在了他家土炕的被垛里。没有人发现这事，我走的时候，很悄然，也没人送行。

到山西车站买票，还没上车，就听到了一个特大的消息。灵泉县有一煤矿瓦斯爆炸，37 人死亡，此事一出轰动全国，各大报纸上全登载了这一消息。

此后的一个多月间，全国开始大力打击黑矿，而打击最重点的地方之一就是萧石的老家——山西省。

我写的那篇文章突然间被抬到了一个很高的位置，进入了新华社的网站，并被全国很多大报转载，有几天，我的手机几乎被打爆了，都是来自全国各地要求了解情况的。很多各地的记者来到炎庄赤土沟，探查私煤矿的真相，一个月后，全国的检查小组抵达我市，没有经过任何一级领导，突击检查，获取了大量的证据，接着，就是煤矿主的纷纷落马，保护层官员的纷纷落马，炎庄整个村委会都倒了。但这只是冰山一角，由这一角开始，整个冰山融化了，查出的事情振聋发聩。在我们的城市，黑煤矿不仅是炎庄，附近几个大的村庄与乡镇都有，而保护伞更是遍布乡县市镇，两年来，已经有近五十名矿工在矿难中死亡伤残，但这些事基本上都被封锁，黑煤矿照样建，而吃干股的干部官员数量则日益增加，在调查此事的过程中，从村到乡到县，直至市里的主管领导，一个接一个被双规，最后一名副市长也被双规了。这些大头里，有一个人和我的关系盘根错节，那就是我的岳父——国土资源局的安局长。

我岳父其实和炎庄的那些县、乡级领导过往甚深，以前他在当县长的时候，提拔了一批人，那些人中也有炎庄的领导，自然，他也是私煤矿上层保护伞中的一员，就是老百姓嘴里说的，吃干股的。尤其是，他还是本市国土资源局的主要负责人，据说在那些私煤矿主兼并土地的事情上，他起了很大的作用。

岳父是在一次会上被叫出去的，外面说有人找他，这一去他就没回来了，会没开下去，还等着他发言呢，但是他自那天起就再没回来。

一个春日迟迟的早晨，在一间小招待所里，我的岳父大人一直睡到了中午，当有人试图叫醒他时，发现他已经吃了大量的安眠药，再也不会醒来了。在这个招待所里，他已经住了近半个月了，他交代出了很多问题，但最后还是没能解决自己的问题。

我岳母听说这个消息后，哭了两天三夜，眼睛失明了。安琪带她去了医院，医生说这种情况是暂时的，但是老人要静养，岳母听说可以治好，平静了一些，但是回到家后，她很坚决地对安琪说：以后再也不许让李文波来到我们家了。你要和他离婚，否则我死不瞑目。

安琪哭着来找我，说她要和我离婚，要不她妈妈就会彻底完了。就在那一刻，我突然明白了一个问题，我帮小石头打赢了这场仗，但是，我自己却输了。

6

我们最后还是没有离婚。安琪终于不能割舍我们曾经有过的感情，没有听从她妈妈的话。但是，从那天起我们之间产生了一种很难释怀的隔阂，我们的感情开始出现危机了，她逃避着我，我也逃避着她，其实这样很没劲，但是没办法，我们在一起时不知如何再次面对对方，尤其是我，我是间接害死她爸爸的凶手，这个阴影会永远存在。

在我岳父自杀后的一个月不到，安琪也辞职了。她无法忍受同事们非议的目光，无法忍受人们总是把我的那篇稿子与她老爸的死联系起来的窃窃私语，她辞职后我们在家赋闲了一阵，出去旅游了一段时间，把积蓄全花光，感情渐渐缓和，有关她爸爸的事我们说好了永远不会再提，但是心中的阴影却依然挥之不去，直至今天，依然如此。但是我们都成熟了，真的再也没有提过这事。

时间会冲淡一切，后来这些事也就没人提了。我们老总提前退休，没干够年头。他托人给我带个话，只有三个字：很佩服。我一直认为，他这里多少有嘲讽的成分，很佩服，是的，一个人坚持了真理，但是把自己的岳父送上了断头台。

后来安琪成了一个广告人。我的同学莫岐峰开了一家广告公司，接纳了她，她找到了一个可以淡忘掉痛苦的方法，当然，她淡忘了痛苦的同时也淡忘了我，我没有资格要她还像以前那样浓情厚谊，因为我永生都负了她。她淡忘了我，我则一直在家赋闲，对做什么事都没有了兴趣。当然，这个城市也没有任何一家新闻媒体会接纳我，因为我长了"反骨"，搞垮了这个城市很多的人甚至包括我的岳父、我的老总，大家钦佩我的勇气，但明显的，也都认为我是颗烫手炸弹，谁也不会再要我这样的人。在这个城市里，我发现我真的成了一个臭名昭著的功臣。我长时间地失业了，除了在电脑上写一些对往昔生活的回忆外找不到什么事做。而此时，全国开始大力打击私煤开采，这个做法则成全了专门与各大公司做倒煤生意的胡一平，在我赋闲的两年时间里，他一夜暴富，成了城市的新宠。另一个受益的人是顾襄，新老总上来后他成了社会新闻部的台柱，取代了我的位置，现在他的部门里已经有了六个兵，比我那时要人丁兴旺，影响也大得多。

第十一章

1

那天，顾襄的一个电话把过去我一心想要淡忘的记忆全都拉了回来，当我好不容易从回忆中回到现实中来时，时间已经由早晨指向中午了。

中午我接到了赵清明的电话，他问我出了什么事，电话那头很乱。我问他在哪，他说他在北京，正在进行毕业论文答辩。

我告诉他没什么大事，问他什么时候回来，他说要下周，我说等回来再说吧。

有些事在电话里头很难说清，特别是在这个他最繁忙的时候，我不想给他添一些烦心的事，一切等回来后再说吧。

我再给胡一平打电话，但是没人接。我去公安局找韩力，顺便想看一看胡东东，在门口我看见了胡夫人的奥迪车，我知道我不用再来了，胡夫人知道事情了。这里也不再需要我了。

我给安琪打了电话，问她在哪？安琪告诉我马上要走，去北京，一会儿坐车去，明天早上回来。她要我自己在外面吃点儿吧。我问她有胡一平的消息吗？她说胡一平可能已经回来了，刚才有人看到他的车在公司门口停了一会儿，但是没见到他的人。

我有些忐忑不安起来，给胡一平又打了电话，没人接。

晚上，我上了网，打开QQ，雯雯没有在线，我给她留了言，要她一回来就和我联系，最好是打我手机，发短信也行。刚把这些事做完，电话响了，一个很陌生的号，我接了，胡一平的声音很冷静地传了过来："你在家吗？"

突然听到他的声音我心里不知为什么有些惊慌，我说："是。你在哪？"

胡一平平静地说："我在你家楼下。你下来吧。"

我有些不安，在我印象中，胡一平一旦找到了我，一定会问胡东东的事的，他一定是非常焦灼的、不安的，甚至可能是暴跳如雷的，但是如此的平静却完全出乎我的意料，这里面似乎蕴藏着什么危险的、不易让人察觉的讯息。

我下了楼，看见胡一平的丰田车就停在我家楼下，火还没熄呢。

我走近去，胡一平的车窗摇开了，他冷冷地看着我，将副驾驶的车门拉开了。

我坐了进去，感觉有些不太对劲，回头看，很惊异地发现后面还坐着两个人，他们坐在黑暗里，我看不清他们的模样，但是从他们的身材上看，是两个很壮的男人。

胡一平没有将发动机熄灭，但是却打开了车灯，车里一下子亮了起来，有些晃眼，从倒车镜里我看见后面坐着的是两个三十多岁的男人，一脸凶相，一身江湖气。

胡一平从座位底下拿出一叠报纸，扔给我，问："你给我解释一下，这是怎么回事？"

我打开看，是那张印有胡东东照片的报纸，我担心的事还是如期发生了，胡一平看见了。

"我无法解释，"我说，"总之这件事我很对不起你。是顾襄写的稿，但是，照片不是他让登的。这是报界为了抢新闻出噱头做出的事。"

胡一平手握方向盘，他没有看我，眼睛直视前方。低沉着声音说："我走的时候把孩子交托给了你，可是你却让我的儿子成了大家眼中的笑料，让他受了这么多的委屈，你真是对得起我。"

我无言以对，内疚的心情无法抚平，我低下头，除了沉默，说什么话都是那么苍白无力。

胡一平将车启动，车子向前缓缓开去。

我问他："咱们去哪?"

胡一平哼了一声说："那要问你。顾襄家在哪? 我们找他去。"

"不行。"我惊慌地喊了一声，抓了胡一平的手，"停车。"

车子熄火了。

胡一平回头看着我，他的眼睛里有种暧昧的但是危险的东西，和他相识这么久了，我从来没有从他眼中看到过这种眼光，这眼光竟然令我的心里恐惧到了极点。

"为什么不带我去找他?"胡一平说。

我说："你找他要干什么?"

胡一平冷淡地说："他整我儿子，我就整他。"

"不行，你这么做，会犯大错的。"

胡一平冷笑："什么错?"

我说："你要是敢打记者，你就死定了。在这个城市，有些事情你拿多少钱也摆不平，打记者就是一个。"

胡一平说："我不打他。"他阴森的表情令人不寒而栗，"我不会亲手打他，我要整死他。你只要告诉我他在哪住就行了，别的就别操心了。"

我摇摇头说："不行，我不能告诉你。"

胡一平说："你这么护着他，是不是有什么不可告人的隐情在里面啊?"

我愣了，说："什么意思?"

胡一平说："他当年是你手下的兵，是你的老部下，现在他写稿子整我，你不会一无所知吧? 他敢做这些事，不会不先咨询你一下吧？现在这些稿子出来了，你敢说你对此一点责任都没有吗？"

我诧异地说："责任？你难道认为，是我和顾襄联手整你吗？"

胡一平低沉地说："没有什么事是不可能的，这几天来，一直有人想整我，先是拿我老婆说事，现在是我儿子，你让我还能相信谁？"

"你太多疑了，这些事没有联系，相信我，东东他确实是犯了法。"

胡一平突然焦躁起来："这个不要你来说，我的儿子怎么样我清楚！你现在只要回答我一件事，顾襄在哪儿住？"

我摇摇头。背后一只手搭了我的肩上，车后面坐着的两个人中的一个把脸伸过来，带着一股刺鼻的酒味，他威胁说："胡哥问你话，你最好老实说？"

我把他的手从肩上推下去，对胡一平说："老胡，我理解你的心情，但是我不能告诉你顾襄的住处，他做的事是有些不地道，不过，也不值得你就要带着人去抄他，我这是为你好，你相信我好吗？"

胡一平面无表情地看着前方，说："好吧。你既然不肯说，我也不强求了。下去吧。"

车后面的壮汉下来，把我这边的车门打开。

胡一平做个手势，让我走。我看着他，想说什么，他流露出非常不耐烦的神情，我叹口气，下了车，站在车门前，我对他说了一声："老胡，这段时间还是多关心一下东东吧，不要让他再犯类似的错误了。"

车门关上了，胡一平将车开走了。

我一个人走在马路上，起风了，有些凉，车已经开出一段距离了，我要用十几分钟的时间才能走回家。我一边走着一边想着胡一平此时会做什么？他脸上的表情很吓人，这个人是不会吃这种亏的。我很为顾襄担心，想自己应该通知他一下，有所防范。

可是出来的匆忙，没拿手机，好在前面有个公用电话亭，口袋里还有些零钱，我就去公用电话亭拨了电话。

顾襄很快接了电话，我问他在哪儿，他说他在加班。

我快速地说："你现在听我的，不管加班到什么时候，今晚千万别回家，胡一平回来了，很生气，他可能要报复你，不行的话，就报警吧。我不想你因为这篇稿子出了什么事——"

电话的按键上突然多了一只手，把电话按了。我回过头来，看见胡一平铁青着脸站在我身后。

我心里一阵发慌，说："老胡，我——"

胡一平恶狠狠地说："我操你妈！"一拳打过来，正打在我的鼻梁上，我眼前金星闪闪，眼睛一阵发酸，摔倒在地上。

胡一平指着我，恨恨地说："忘恩负义的东西！我前脚走，你他妈的一回头就卖我是吗？你听着，从今天起，咱们的交情一笔勾销，我胡一平是个汉子，这事我不会怪到你老婆头上，但是你就不同，我再也不想见到你了。以后各走各的路，别他妈的再让我看见你。"

胡一平说完这些话，和身后的两个汉子上了车，汽车发动起来，风驰电掣般地开走了。只剩下我一个人，颓然地坐在地上。

2

第二天早起我才发现脸上青了一块，鼻梁有点儿肿，胡一平下手真是不轻。

我开始担心起安琪来了。胡一平与我反目，最直接的受害者就是她。我想给她打个电话提醒她，可是我想起了胡一平昨晚上说的话，我想，他不至于会借这件事报复一个女人吧，胡一平人虽然不是善类，但还不是那么不地道的人。我现在给安琪打电话，反而会引起她不必要的恐慌，算了吧。

我给韩力打了个电话。韩力很恼火，也是对顾襄这么早就把案情登在报纸上这事。他对我说顾襄这个人以后要小心，再不接受他的采访了。我问他东东怎么样，韩力说孩子的精神有些差，他妈妈一直在陪着他，不过，正在办理取保候审的事宜呢。

所有的事情都忙完后，我突然想起一个人，打开电脑，雯雯的显示还是离线，我继续给她留言，突然她回了，原来她一直在线上，只不过是隐身呢。

我：你一直在，怎么不回话？

她：我一般不在这里与人聊天，这里浪费时间也没有钱可赚。要不是你，我才不会回呢。

我：我想问你一件事，希望你如实地回答我。

她：你说吧。

我：我想知道，芳姐姐到底是个什么样的人？

她：你问这个干什么？

我：因为她，我的一个朋友和我反目了，也是因为她，一个孩子的前程被毁了，还是因为她，你的一生也被操纵了。我想知道，究竟这人是谁？她为什么会这么可怕？

她：这事我看你管不了，你还是不要知道了。

我：可是你就没有想过有一天摆脱她吗？

她：我每天都在想这个事。

我：我们合作吧，把她引出来，将她绳之以法，你不是就可以解脱了吗？

她：你太天真了。哪有那么简单的事，有一个事难道你不知道，我对她一无所知，但是她对我却了如指掌，我们抓不到她，即使抓到了，她第一个供出来的人就是我。

我：可是这样被她控制了，到什么时候算个头？你即使不去引她，她有一天也还是会被发现被查获的，那时她照样会供出你，与其等到那一天，还不如现在就下手，这样还可以戴罪立功。

她：立功？不会的。你以为芳姐姐被抓住就万事大吉了？你可能不知道，她虽然控制着我们，但是最高层的首脑不是她，就算她被抓住了，教授也不会放过我们。

我：教授？

她：是的。有关于我的情况，教授比芳姐姐知道的还要多，芳姐姐其实是教授派来对付我们的，她也只是一个兵，不是幕后主使。

我：教授是谁？

她：没人知道他是谁，他潜伏在某一个城市，利用网络发号施令，他是这里真正的首脑，芳姐姐也要听他的。

我：你怕教授会报复你？

她：他一定会报复我的。因为芳姐姐说过，她知道的教授全知道。我甚至怀疑，芳姐姐就是从他那里知道的。

我：可是这样的话，你的一生不就完全要被他们操纵了吗？你知道吗？上个月推出了与网络色情犯罪有关的法律，我看了看，如你们这样的组织者，将会判刑三至十年，你这样庇护着他们，付出的代价太大，这样值得吗？

她：不值得。我也知道，所以我想好了一个可以彻底摆脱她们的方法。

我：什么方法？

她：我现在还不能告诉你，当有一天我终于可以实行我的计划的时候，我会和你说的。

我：我觉得在你这个人身上有很多神秘的东西，你能否告诉我真相，有关你的真相？

她：亲爱的，不可以。但是你相信，我亏欠你的我一定会补偿你的。

我：我不要你的那种补偿，我只想用我为你做过的事情换一个人的QQ号码，请你告诉我，芳姐姐的QQ号码是多少？

她：对不起，请恕我不能告诉你。你已经卷进来了，我不想你卷得太深了，相信我，我是为你好。

我：你要是真为我好就告诉我这一切，关于芳姐姐和你的所有事情，我会帮你摆脱这一切的。

她：你帮不了我，真的。请你把我们刚才的所有谈话记录都删了，请你一定不要忘了做这件事，这是为了保护我必须要做的事情，我走了。88。

打完这最后一行话后，她下线了。

3

我坐在那里想了很久。突然一个疯狂的想法撞了进来，竟然无法消退。

我要亲自揭开芳姐姐的真面目。

这个突然跳出来的想法让我吓了一跳，我以为自己是一时冲动，一时好奇，但是想了一下午，我发现自己的这个想法其实是很有根据且由来已久的。

顾襄的电话让我想起了两年前。两年前，因为我的一次疏忽，连累了一个孩子的生命。两年后同样的问题又出现了，又一个孩子要因此为之付出代价。

我充分理解了胡一平，换成是我，同样暴怒，孩子毕竟是孩子，他们辨明是非的能力是很差的，但是作为一个最好的朋友，作为一个值得你去托付的人，我为他做了什么？我甚至不如其实只是情同路人的赵清明。

用什么来补偿这一切？

我那天下午心乱如麻，喝了多半瓶红酒，但情绪却始终不能平静下来。我的眼前不断浮现出很多个画面，胡东东无助的眼神，安小红临死前看着我时那恐惧而期待的目光，还有雯雯幽怨的神情和雨琦真诚的泪水，谁在幕后导演着这一切，谁又该为此讨还公道？

我打开电脑，进入性情世界，进入一个又一个版块。淫乱的、色情的、变态的、荒诞的，这些个画面与文字、图片与影像充斥的世界里，一个又一个曾经纯净的心灵正在随之腐烂、变质和堕落，而肆虐的、禽兽不如的、任意妄为的凶手却在幕后一边点钱一边狂笑，他们，芳姐姐也好，教授也好，在别人耻辱的泪水里狂笑着，得意着，他伤害着我们的心灵中美好的东西，而我却找不到任何有关于他们的蛛丝马迹。我曾经是一个手执正义之剑的使者，如今，我是一个废物，但我还是一个有良心的废物，我能坐视着这种事情就这样在我身边发生，就这样残害着我的心灵，伤害着我的朋友与家人，却醉生梦死吗？

我不能。我的责任心、同情心、关爱心，在顾襄的那个电话后突然都回来了。

那些个哀怨的眼神，与真诚的泪水，谁来替她们讨还一个公道？

我漫无目的地在这里寻找着，到处都是充满了挑逗色彩与下流意味的网名，但是这里没有这两个普通的字：芳姐姐。

她其实每天都在这里。她一定像一个巡视员一样，一边得意洋洋地看着她创造的这个色情王国的成果，一边用虎视眈眈的眼神在发现着，谁会是下一个可以利用的人？谁是又一个胡东东？又一个雯雯？

我悲愤地把剩下的半瓶红酒也喝了，对着电脑屏幕大声地喊了一声：混蛋！

我的情绪有些失控了，我已经有了几分醉意。

一个声音突然在我耳边响起，是胡东东的。

胡东东说："我也不知是什么人。她是网站里研究生级别的管理员。是她通过站内短信给我发的信息，她让我多发帖，说发得越多，就能看得越多，还让我多转发一些图片，一开始那些图片都是她直接发到站内短信箱里来的，说是只要我转发成帖子贴上去，就可以多加分，就可以让自己的身份从学前班升到大学，到时就可以当版主，自己维护网站，喜欢给谁加分就给谁加分，喜欢封谁的ID就封谁的ID。"

这是那天胡东东在网监中心和我说的话，不知为什么，这些话突然冒了出来。令我的心里一动，突然之间，有种茅塞顿开的感觉。

虽然芳姐姐潜伏得很深，虽然雯雯不愿主动配合，但是不是没有办法可以引出她的。

发帖，不断地发帖，成为网站中的活跃分子，到那时，不需要你去找，她就会出现的。

我一阵兴奋，我可以用胡东东曾经用过的方式找到她，而最有力的是，我是这里的一名会员，有随意发帖的权利，而她在这里虽然神通广大，但是她不知道这件事，更不知道哪一个人是我。她也不知道我，一个她在网上从来没有见过的人正要对付她！

我们都是在暗处，都是在地下，我们之间，输赢的概率完全一样。

我准备发出第一个帖子的时候，犹豫了一下，我想到了韩力。

韩力要是知道我也在这里发帖子，他会怎么想？

事到如今，其实应该把所有的事情都告诉韩力，但是我知道我不能，如果我对他说起芳姐姐的事，那么他一定会查问，我从哪里得来的消息？这样的话，我就不得不把雯雯的事也告诉她。

我对雯雯，现在突然有了一种复杂的感情，最初我被她吸引，是因为她与我的前女友麦芽是如此的相像，但是现在，麦芽的形象已经渐渐淡忘，雯雯在我心中占据了上风。

不管她最后的结局是什么？但是我不想看到她被抓住，我只是想帮她，摆脱这个困局，不用再干这种损人不利己的事情。我直觉地感觉到她其实更需要的是像我这样的人的帮助，而不是那亮闪闪的手铐。但是同样的，我也不想对韩力有所隐瞒。

现在唯一可以两不亏欠的是尽快查出芳姐姐是谁，只要能够侦知她是什么人，我把这个信息再告诉韩力，或许可以洗清雯雯身上的罪名。

我决定利用发帖的形式引出芳姐姐，这是唯一可以引出她的方式。

我开始发帖。

用在买春信息区发帖的形式一定可以吸引整个华北地区的管理员级人员如芳姐姐的注意。

我进入了华北地区买春信息网，这里涵盖了华北地区的很多城市，我所在的城市也在里面。我进入到了我所在的城市里，这里也是胡东东和他的同学曾经"战斗"过的地方。

要想引起别人的注意，必须首先要在公告版块里出现，凡是可以上公告的，都是非常重要的信息，一般来说，管理员要格外关注的。

我点击公告栏，对话框弹出来，沉思片刻，我在上面的主题一栏里敲上一行话：介绍一个好玩又爽的地方？

必须用这里的人们熟悉的方式来讲话，这样才能引起别人的注意，特别是引起管理员级人物的注意。

在下面显示内容的对话框里，我开始打东西。我听韩力说过，在这种网站里，有文采的人都特别受管理员欢迎，因为他们可以写一些像样的文字吸引人，所以也会成为版主级人物的候选人，我在这个公告栏里，充分地把自己的文才用上了。

帖子发出不到两小时时间，有三个跟帖上来了，我打开了他们的用户签名，这里面有他们的头像和基本资料，这几个人都有用户名，在个人资料里写着呢，但是电子邮箱隐藏，这一部分内容只有如我一样的会员才可以见到，非会员即使进来了，也见不到这些个人信息。

我又跟着回了几句帖。正在回的过程中，突然有一阵军号吹响的乐曲，我起初有些不明白哪儿传出的声音，后来才发现，原来这是站内短信来了的信号。

站内短信来了！芳姐姐的短信?! 我难捺心中的激动，打开，见里面有一行话：

　　对不起，你发帖的格式未能使用全角格式，违反了这里的规矩，念你是新手，初犯情有可原，扣其二分，如下次再犯，封其 ID。

　　一品下流。

　　我点击"一品下流"的基本资料，他的用户命名头像显示出是个男人，与那几个回帖的人一样，邮箱地址隐藏。这人不像是芳姐姐。看来这里发帖真是要小心，不是什么都可以发。我刚刚被扣了两分，再犯一次错，就要被封掉 ID，用这个名字再也上不来了，一定要万分小心。

　　不过也不是没有收获，起码获取了几个用户名，可以和其中的几个人及一个管理员级别的人建立联系，在这里，你认识的网友越多就越有可能获取更多的发帖信息，也更有可能得知芳姐姐的消息，所以我给几个人按用户名都发了站内短信。站内短信是色情网站、赌博网站比较喜欢用的一种联系方式，因为是会员才能使用，且以邮件形式发出，极难被会员以外的人查获。我给他们发了短信，只是简单介绍了一下我的情况，并把我的 QQ 号都发给他们。

　　很长时间发出去的讯息没有回音。但一小时后都回应了，所有的人都确认了，这意味着从此我的用户好友列表里就多了几个性情世界网站的人，通过与他们的交谈就极有可能找到芳姐的蛛丝马迹。

　　趁着这几个人在线，我先点了那个"一品下流"的头像，开门见山地就问：是芳姐姐吗？

　　他：不是。

　　我：芳姐姐在哪？我想找她。

　　他：这里人人都想找她，不过，只要你的积分超过五十点，就可以见到她了。她会主动来找你的。

　　我：你见到过她吗？

　　他：没有，我的积分还不够。

　　我给其他几个发信息，得到的回答都差不多，我想，要想引起芳姐姐的注意，除了多加分外，别无他法。

<h1 style="text-align:center">5</h1>

　　不到一周的时间里，我发了三十多个帖子。

　　这些帖子，有些是买春信息，都是我原来从胡一平那里知道的。还有些是图片和小说，这是从其他网上转下来的，

　　我严格地按照格式发帖，在这里，只要格式稍有差错，你就惨了。版主会毫不留情地封掉你的 ID，踢你出局，这是一个严格规范得近于苛刻的网站，在这里一点差错也不能有。

　　而最可怕的，在你发出的每一个买春信息之后，都会有个验证信息，来检验你是否在撒谎，如果被验出是编的假信息，同样要被踢出局，这些验证信息是由会员们自发地验证的，也有些是管理员进行验证的。这些验证的过程是怎么完成的？竟然还会有人真的去验证这些东西，你想一想就够恐怖的。

　　一周的时间，因为发帖加分较多，我从学龄童一直窜到了高二，其间因为两次发帖有误，被降了两级，不过，好在最后又升了上来。这里有个好处，有错必究，但是有功必赏，倒是十分公平，不觉间，我离版主的"大学生级别"只差了两个级。我的站内短信也多了起来。很多本省市及外省市的人都把 QQ 号发过来了，要求加为好友。我来者不拒，照单全收。只是为了从更多人那里套出芳姐的消息。

　　一时间，QQ 列表里色狼成堆，每天和他们交谈、交流竟成了我的一个主要工作。这些人中成分复杂，有男有女，当然男的居多，而这里和我同一城市的就不下十人，他们中有中年人，有学生，也有出来打工的民工，还有一些，是出来卖的妓女，在网上

趴着找生意，干脆自己就把自己的信息贴上去。最让人惊异的是一个十八岁的学生竟然主动要当鸭子，问我哪里可以找到四十五岁以上的女人，他要为之提供性服务，说要赚人生的第一桶金，真是世界之大无奇不有。

这其间我因为"表现"优异，很多大学生级的版主都加了进来，但是芳姐姐始终没有出现。

我每天在网上呆八至十个小时。天天泡在色情王国里，外界的事情不大清楚，也不大上心了。赵清明依然在北京出差，发过几次短信，我也没回。雯雯从不上线，偶尔在时聊不了几句，她就下了。胡东东已经办理了转学手续，胡一平忙于为他儿子在市局奔跑，希望从轻处理，也无暇去理会顾襄。顾襄经过了那晚的事以后有所收敛，但是好在他的记者身份了得，胡一平终于还是没敢把他怎么样。我妻子安琪在胡一平那儿干得不错，关于我与胡一平争吵的事她可能到现在还不知道，我想胡一平可能也没和她说过。

我发现自己在不断发帖、跟帖与回帖的过程中，有种吃了鸦片一样的感觉。色情是诱人的，但是比色情毫不逊色的是每天一打开电脑就会响起的军号吹响的乐曲声，这意味着，有人又在给你发站内短信，又在用这种方式来提醒你，你正在被人注意着，正在被人关注着，我理解了为什么胡东东和与他一样多的人会如此地痴迷在这里，也理解了为什么雯雯这样的漂亮女孩也会在这里享受着那种不断被人注意的荣耀。金钱是主要的，但是这种深受关注的感觉也是不可缺少的。尽管这一切事情的根源是基于色情。

当色情的行为一旦有了开头并成为一种习惯后，人们的羞耻感正在淡忘，或者说，正在被另一种能让你满足的事物取代，羞耻感是可以转移的，这是在我上了这些网站以后所获得的心得。这也正如妓女卖淫，也像这里的所有会员们，他们白天道貌岸然，但是一旦进入这个地下的社会，就马上把廉耻全部收起。这里没有羞耻，也自然没有淑女和君子了，从这个意义上讲，倒是天下大同了。

我天天泡在电脑上，成了名副其实的网虫。安琪近来好像有什么大的动作，整天回家就躲在她的书房里，不停地写呀算啊的，我们俩谁也不管谁，当然，基本的夫妻生活不是极难保障，而是根本没有了。我很奇怪，女人三十性欲会高涨，但安琪好像从来没有这方面的要求。至于我，我天天都在这里泡着，这里的色与欲够多了，我用不着再出来找了。

有的时候我会和雨琦聊天，她也在我的 QQ 里。她现在的个人主页已经更新了，现在和雯雯一起，主持着一个高规格的视频室。其实抛开种种的离经叛道与淫乱行为，雨琦还是一个比较单纯的女孩，她有很好的艺术感觉，也喜欢与艺术有关的事物，但是，可能是她的出身太好了，太高贵了，反而使她从小到大都生活在一种死板的寂寞的环境里，就是这样，她才进入到了这里，从聊天、约会网友，到一夜情，再到视频女主播，刺激的指数一步步升级。

我告诫她，当刺激到一定程度的时候，你会崩溃的。雨琦说只要过了三十，她会选择一种比较正常的生活，过一种相夫教子的平凡日子，我问她会吗？她说会。我在心里认为那是不可能的，等到那个时候，千疮百孔的心灵是否还可以修补得完整圆润如一呢？

雯雯很少上线，偶尔上线了，只简单说几句她就下去了。她很忙。我问她在主持着哪个版块，她不告诉我。说不想让我看见她在那里的样子，还说如果想见我，随时可以见。但是我不想见她，我说我现在不能见她。她理解我，同时也经常提醒我，不要试图找到芳姐姐，这是个危险的游戏。

有天早上，我起来照了照镜子，发现镜中的自己，憔悴不堪，胡子拉碴，因为长时间的缺少睡眠，眼睛血红眼球浑浊，衰老了至少五岁。我于是想，是不是所有的痴迷于这个世界里的人在早上照镜子的时候都会有这种感觉，都会自己把自己吓一跳。这张镜中的憔悴容貌，多么像一个吸毒者在吸毒以前的样子，我们都是毒瘾患者。网络色情就是现代的鸦片，甚至是比烟毒还要毒的毒。毒品是成人的克星，但是这种毒却连孩子都不能幸免。

在网上呆了很多天，与世隔绝了好久，芳姐姐始终没有出现。

有天晚上，百无聊赖之际，我随意翻看着一些聊天记录，想从中找到一些蛛丝马迹。突然军号声吹响了。有站内短信来了。

打开短信箱，只见用户名上写着一个奇怪的名字：蓬门今始为君开。主题栏上则写着：请注意。

我点击了一下主题栏，一条信息跳了出来。

"很勤奋，应该奖励。有意当版主吗？请回复。

芳姐姐"

我的心念一动。芳姐姐？她终于出现了。原来她在这里的注册网名是"蓬门今始为君开"，我急忙点了一下用户资料，没有我想看的东西，除了上面写着的级别是"硕士研究生"外，邮箱地址，QQ 号码等联系方式全是隐藏的。

但是，她终于出现了，这就有转机了。

我难捺激动的心情，马上给她回了一个信息：

"很有兴趣。我想和你好好谈谈这事，我是一个刚刚高中毕业的女学生，想多赚点钱，你能否帮我实现这个梦想？如果能，请把 QQ 号告知我。我自己的 QQ 是——"

我迟疑了一下，只要一点发送，她就可以收到了。但是我把这样的留言给她，是不是表现地太迫切了，她会不会对此有所察觉？

思考再三，我重新组织了一下，打上了这样的话：

"很高兴，对网站的建设有些想法，想详谈。我的 QQ 号是——"

这样就好多了，很简洁，但基本的信息都很自然地体现出来了，按一下发送，送出去了。

天使不在线　·245

五分钟后，军号声又响了，"蓬门今始为君开"又发来了信息，打开，上面写着：

我从不在QQ上与人聊天，你有什么想法，在这里发过来吧。我下线了，明天看后回复。

芳姐姐。

她不上当。

我坐在这里，不知怎么办好。我对这个狗屁网站有什么狗屁想法？我能给她发什么？编也得编个像样的理由，要不她不会再给我发来的。

正在胡思乱想之间，突然QQ上有声音传来，雯雯上线了。

雯雯和我说话：你天天都在网上泡着，找到芳姐姐了吗？

我：刚才她给我发来了短信。

雯雯沉默。

我：我知道她在这里的名字了，她叫蓬门今始为君开。

雯雯：没有用。你知道她在这个网里有多少个名字吗？听人说，有不下三十个名字。你知道了其中的一个名字，没什么意义，也说不定她早就用其他的名字和你谈过了话，我听说芳姐姐要相信任一个人，要考察很长时间的。

我：这个也有可能。网络就是这样，换个马甲太容易了。也没准她早就出现过和我交过手。

雯雯：只通过站内短信，你根本也不会查出她在哪儿，更别想知道她是谁。

我：我想和她好好谈谈，争取把她的QQ号要来。

雯雯：没有用，她不会给你QQ号的。我听说只要在QQ程序所在的公司上聊天，其记录就有可能会被存储和定位，所以通常她是不会在这里与你交谈的。在网站上就安全得多，会员之间用站内短信交谈，然后再删除记录，就很难被截获。

我：你们都是网络上反侦察的老手了。

雯雯：我不是，芳姐姐是。你用这种方式，不可能找到她的详细位置。

我：那怎么办？

雯雯：我决定帮你。

我打上一个惊喜的表情：为什么？你为什么要改变主意？

雯雯：还记得我上次和你说过，我已经想好了一个可以彻底摆脱他们的办法，当我终于可以实施我的计划的时候，我就会帮你的。

我：你现在可以了吗？

雯雯：应该可以了。我在这里赚了很多的钱，只要有钱，就有办法摆脱他们了。

我：所以你才改变了主意，决定帮我？

雯雯：对。我这几天一直在忙着这件事，我已经联系好该联系的人了。我决定帮你抓住芳姐姐。

我：这太好了。你会怎么帮我？

雯雯：我现在就给你两个很重要的东西，一个是芳姐姐的QQ号，另一个是她从来没给过人的，一个邮箱地址。

我打上一个很兴奋的表情。

雯雯：但是也别高兴得太早。她很可能会拒加你，即使你成功地把她加为好友，那个头像也可能长期显示着她不在线上，但不要相信，她其实天天在线，只不过她把自己设置成了离线的方式，这样人们就不可能知道她什么时候在线了。

我：那怎么办？

雯雯：我有办法。你在加为好友的请求里，只要打上这样一行话，她就一定会加你。

我：什么话？

雯雯：你打上"我是关莉说的那个女孩，我的名字叫蕾蕾，就行了。"

我：蕾蕾？

6

为了布这个局，雯雯用了将近两个月的时间才让芳姐姐相信。

好像是总版主在半年前有个指令，针对近年来各地司法部门对黄色网站打击越来越厉害的局势，要各地区负责的教授级人物，利用一切手段，拉一些有特殊身份的人下水，以便为网站存在下去提供保证。

这个特殊身份的概念就是，吸引一些权力部门的人、巨富大款或是社会贤达人士进入网站，还有，把与上述这些人有一定瓜葛关系的比如子女弟妹什么的人也拉进网站，使之成为会员，再一步步培养他们成为网站的骨干。这些人进来可以起到两个作用，一方面，出现麻烦时可以利用这些人通风报信，解决问题，另一方面，把这些人登录黄色网站或进行色情视频聊天活动特别是敛财交易的证据留下来，以便将来网站出现危险之时，可以用这个来要挟当事人，解决难题。

很多人不知道内情。在有经验的聊天老手的诱供下，很容易就被测知身份，在他们的推荐下，进入网站成为会员，不需要做什么，即可以获得优惠的条件，他们可以进入只有资深会员才能进入的表演区等，看那些普通会员看不到的东西，参与一些裸聊聊天等刺激性强的活动。或者，可以不用什么考验就能优先成为网站的代理商，不用付出什么，轻易就取得巨额利润，对于大多数人来说，后者更让人心动。不过，他们在这里的一切举动都会被记录，特别是视频的镜头都已经被特殊的电脑程序录制下来，做成光盘，当网站受到来自司法部门的威胁时，这批人就会被派上用场，教授会指使手下利用此要挟对方，利用手中的权力为网站摆脱困境。

网站的总版主是个极具领导天才的人物。他的这一手无疑是非常厉害的，也是其他网站的管理者所不能想到的。那些特殊身份的人的身份在网站并不公开，但是真正的管理者却对他们了如指掌，可以轻易进入到他们的个人信息里，找他们准确的 IP 地址。芳姐姐就指使雯雯做过这样的事，雨琦就是雯雯近来成功拉进网站中的一人。她没有成为代理商，因为她不缺钱，她与网友激情视频的镜头其实早就被录制了，只不过时间未到，还没有公开对雨琦挑明而已。

在总版主的授意下，教授级人物们还成功地将很多"二奶"拉进网站。这一批人其实是网站里特殊身份一组中的骨干力量，她们通常全天都有空，比较寂寞，喜欢寻求刺激，但又要提防被人发现，以免因小失大，把靠出卖色相得到的一切都丢掉，因此，上网聊天是她们主要的一种消闲方式，视频聊天网络做爱更是深受此类人群欢迎的一种活动。版主们充分利用了这一特点，成功地把很多"二奶"拉了进来，并通过网络创造了很多人为的"一夜情事件"，当然，这些事件都是在指定的宾馆发生的，在云欢雨尽之前，全部都有针孔式摄像机在等待着她们。这些"二奶"们起到的作用是巨大的，她们发现自己被要挟后，一般都不敢报案，而是甘心被驱使，有些甚至被迫走上了充当视频女主播之路。

这位总版主是色情王国的帝王，而他所做的一切都是史无前例且空前成功的，很多次他的王国能够在严密的检查和搜捕中化险为夷，与此都有关系。教授接到了他的指令后不敢怠慢，他要芳姐姐和雯雯想办法多拉些这样的人下水，于是雯雯就将计就计，创造了"蕾蕾"这个人物。

有这个想法其实由来已久，雯雯一直在想着一条如何能彻底摆脱芳姐姐与教授的方法，这几周来，她很少在线上，也很少与我联系，就是在忙着这个事情。雯雯把"蕾蕾"设计成市公安局一位副局长的儿媳妇，刚刚结婚。婚后发现丈夫对自己不忠，一心想要离婚，但是父母不同意，她的内心很痛苦，于是经常上网，开始沉溺于网络，并出于报复心理，与网友进行过多次一夜情。丈夫亦有所察觉，而近来她因为痴迷于网上赌博，把家中的存款挥霍一空，十分需要钱，但是又不敢和丈夫说，因为全国抓赌活动正在开展，她公公是本市捉赌活动的主要负责人之一，如果一旦知道儿媳妇也参与，再加上丈夫本来也不是很中意她了，恐怕这个儿媳妇的地位也将不保。于是，天时地利，这个人就被拉进来了。

必须承认，这个编造的人物其背景很成功。芳姐姐虽然狡猾，但是鉴于网站确实缺少公安部门人员亲戚的参与，一开始就很动心。雯雯编造了这位"蕾蕾"的一切虚假资料，注册进网站成为会员，还以她的名义发了不少帖子，也曾得到芳姐姐的站内短信。不过，让她成为芳姐姐单线联系的具体负责人的主意却是在将近两个月的磨合试探后才搞定的。两天前，芳姐姐管雯雯要走了这位"蕾蕾"的QQ号码，雯雯这时就知道有戏了。

雯雯把"蕾蕾"的号码与密码给了我，要我用这个号与芳姐姐联系。芳姐姐很重视这个有公安背景的人，只要我主动把加为好友的讯息发过去，相信她一定会有反应的。

雯雯在网上提醒我，和芳姐姐一联系上，就要马上通知她，但一定要注意用一个新登录的QQ号码通知她。芳姐姐很谨慎，一言不对就会立刻下线，她只要在QQ上隐身，你就很难再找准她的位置，所以，和她说的每一句话，都要先发给雯雯知道，经核实无误后由我以"蕾蕾"那个号码再发给芳姐姐。

因为芳姐姐会一边说话一边删除记录，所以和她说完话，一定要及时地复制，这些将来都是证据。

我问雯雯，芳姐姐为什么会使用QQ和我对话呢？她也完全可以利用站内短信的方式和我交流。雯雯告诉我，因为用户太多，现在的网站已经停止注册了，她会用蕾蕾的名字进入网站，连续犯几个错误，这样蕾蕾就会被踢出去了。会员列表里没有她以后，站内短信也就没用了。而在短期的时间里，也不可能再注册进去。芳姐姐要想找到蕾蕾，就一定会想办法联系她，除了用QQ，没有别的办法，因为雯雯留给芳姐姐的"蕾蕾"的资料，除了QQ号，就是邮箱，芳姐姐还不大可能敢往国内邮箱里发重要的信息。

雯雯说，只要芳姐姐一把蕾蕾加为好友，问题就好办了。她一定可以有办法，让芳姐姐与蕾蕾交谈。

我为雯雯的智慧而折服，我是怎么也不会想到这样的方法的。雯雯给我一个登录密码，并告诉我以此登录，寻找到蕾蕾的QQ号，使用它，但是注意不可有任何的改动，比如对个人用户资料及头像等。而她接着做的工作，就是去一个网吧，找一个新的服务器，想办法让"蕾蕾"因犯规被踢出去。

三十分钟后，突然有个人加进我的好友列表里，名字叫"雨过天晴"，给了我一行信息：我是雯雯。从此后我们用这个方式联系。你现在进入蕾蕾的那个用户名里。

我进入到蕾蕾的用户名里，进入注册向导验证密码后，迅速就拥有了网络里的又一个身份。接着我又重新给自己注册了一个用户名，重新输入新的密码，这样我就再次拥有了一个只跟雯雯联系的新的身份。

雨过天晴（雯雯）再次打上一行话：四十分钟以后，我估计芳姐姐会上线，你加她为好友。

四十分钟的时间足够睡一觉，但我不敢睡，怕睡过头了，芳姐姐又隐身了。时间一到，我就开始搜索芳姐姐的号码，在查找一栏里我输进去一个号码，出来一个名字是：我帅为何我没人爱。

我打开用户信息，见里面有很详细的资料，证明这是一个男孩子，今年十四岁，在南开中学上学。我想是不是号码输错了，于是又输一遍，还是这个人。

雯雯发来短信，问：加了吗？

我：这个名字好像不对。资料也不太对。

雯雯：就是她，她有很多个QQ号，有真有假。但是我敢保证，这个确实是她的，我们有限的几次联系都是用的这个号。你加吧。

我加了，并把雯雯告诉我的话也输进验证信息里了。

　　一小时过去了，没有动静。我问雯雯怎么回事？她要我沉住气。大约两小时过去了。突然"QQ"的消息栏上有信息传来，点击一下，出来一个对话框，一个名叫"暴雨骄阳"的人请求加为好友。

　　我问雯雯：这人是谁？

　　雯雯回答：加。这个就是芳姐姐。她现在在加你。这是她又换了的一个QQ号，你放心，再过一段时间，她还会用上一个QQ用户再次加你一次，这样，她就有两个用户在你的好友列表里了。

　　我：她用这么多的用户身份加我干什么？

　　雯雯：她怕被查出来了。这两个身份，一个用来回答问题，一个用来提问，再加上她会一边进行一边删除资料，就不会留下证据。

　　我：她考虑得真周全。

　　雯雯：当然，她是高手，当然考虑这些了。你把暴雨骄阳加进去，但是千万别问她什么问题。等到那个我帅为何我没人爱把你加成好友后，你再向他提出问题。你只记住，你所有的问题都只能问那个我帅为何我没人爱，你问完了，暴雨骄阳就自然会回答你的提问。

　　我：明白。那么现在在她没有加我之前，我是否只有等待。

　　雯雯：没错。这是我们的行规，只有懂得了行规的人，才是自己人。你是我介绍来的，也是经过很多人考验过的。你应该懂得这些行规的。

　　晚上五点十分，突然有了转机，我第一次加的那个用户"我帅为何我没人爱"把我加为好友了。

　　我告诉雯雯：成功了，芳姐姐已经来了。接下来我要干什么？

　　雯雯：你给她发一条信息，这样写：关莉姐说我们可以合作赚一笔钱，我想知道您会不会帮我。然后你就下线，不要管她。明天同一时间，她会上来回答你的。

　　我：为什么我要下线？

雯雯：她会通过你短暂的发话时间，检查你包括 IP 地址在内的所有的信息，但今天她不会和你谈什么。明天你们交谈的时候，只要你还在原地，她会以充足的准备监测你在哪里，是不是警察派来的卧底。

第十二章

1

早上醒来的时候，难得发现安琪正在厨房忙活着，煎了一个荷包蛋，用两片炸得焦焦的馒头片夹着，香味四溢。

我很感慨地接过来这个当年曾让我百吃不厌的早餐，带点讥讽的口气说："一觉醒来，以为碰见田螺仙子了。怎么，大经理今天不用上班了，做全职太太了？"

安琪靠在我的身上，看着我一口咬掉半个馒头，说："我也不能老这么辛苦啊。要不你娶我这个老婆干什么，怎么样，香不香啊？"

"香。不过这个更香。"我用手在她脸上刮了一下，手上的油蹭了她一脸，安琪叫了声："讨厌"，躲到一旁擦脸去了。

看来她今天的情绪很好。我也不禁高兴起来，尤其因为今早可以不吃那个难吃死了的蛋黄派了。一高兴，人就比较勤快了，我下楼去取报纸。在报箱里发现了一个大大的牛皮纸包着的信封，上面写着我家的地址，是寄给安琪的。

我进屋时听见安琪正在打电话："那儿的楼盘是几层？十四层，可以看见海吗？对，我要能看见海的，这样视线宽阔，和客户在一起时视线要好，租金是先交半年还是交一年的——"

我手拿厚信封，在桌上敲了敲，安琪看了我一眼，摆摆手，继续说着："那我就先交一年的了，有优惠吗？要没有我就不要了，呵呵，刘总，开玩笑，我哪能不信您呢？好。回头见。您以后还要多支持我，没准我接的第一个活就是您的。好，呵呵，再见。"

安琪把电话放下，进厨房拿了一袋煮好的方便面进来了，这也是让我比较痛苦的食品之一。我皱皱眉说："怎么回事？不是已经买了房子吗，怎么我听你房子房子的又和人谈上了。"

安琪喝口汤，漫不经心地说："不是那套房，是我公司新租的一个楼盘。"

"楼盘？噢，胡一平的公司换地方了？"

安琪迟疑了一下说："不是胡一平的。文波，我现在有个想法，我不想和胡一平干了。"

我刚把馒头塞嘴里，听这话差点噎着，问："怎么了，不是刚和他合作吗？"

安琪把面放下。"我也想了，和谁干都是给人家卖命，不如自己干合算。前两天我和绮珊坐了坐，她就这么劝的我。我一想也是。再说，你现在和胡一平闹得挺僵，他对我也不会像以前那么信任了，我还是趁早走吧。"

"别扯到我头上去。我想胡一平不会因为这点事整你吧。"

"反正我是不想再给人打工了。"安琪很坚定地说，"我下了决心，要干就自己干，楼盘我都租下了。上次金鼎十周年的那次大庆，我们做得很成功，我在这个圈子里也有一定的知名度，我想，借着在飞宇做的那几个成功案例，我完全有实力自己挑一摊。"

"说得容易，买房咱就贷款了，你又租楼盘，启动资金，年租金，注册资金这些钱都谁出？我们哪有那么多钱？"

"这个不用你操心了。"安琪说，"有个朋友答应先借我一笔钱，我可以等公司有了起色还他，所以我的压力也不是很大。"

"有这么好的朋友？谁啊？是可靠的人吗？"

安琪迟疑了一下，不是很情愿的说："金鼎的刘总，你也见过的。他答应帮我一下，楼盘也是他以优惠价租给我的。"

"噢。"我无精打采地应了一声，"原来有大款相助啊！"

"你总是这样。"安琪不高兴地说，"瞧你那脸酸的。要不你给我筹钱去啊，我一个女人家的，我做点儿事容易吗我？你老爷们在家扛不起事，要不我才不愿意出头露面呢。"

"打住，打住。"我举双手做投降状，"我知道你能干，我废物，这事就此打住，事实胜于雄辩。你对了，尽管去做吧，我不干涉就是。"

"现在不是干涉不干涉的问题。"安琪抓住我的胳膊，很恳切地说："现在的事你必须得帮我了。"

"我能帮什么忙？"

安琪说："现在公司刚起步，等开张起来，会有不少事，我需要个自己人帮我，处理点杂事，最起码得有个人坐镇吧。"

"我不是做生意的料。你也知道。我不就是一个书呆子吗。"

安琪讥讽地说："是，你做不了生意，但是我看你坐电脑椅倒是一坐就是一天。谁也不是天生会干什么的，不会就学吧。你现在在家天天坐那儿打电脑，你不是在创造价值，是在浪费资源。"

"你的意思是说我不劳而获，要靠你养活，是个没用的人，对吧？"

安琪冲我直摆手，说："行了，行了。咱俩别一提这事就吵，行吧？你要是不想帮我，上回绮珊说她那儿缺个人，你就去那儿上班吧。反正你也得找个工作了。老这么游手好闲，好吃懒做的，放谁身上受得了啊！"安琪越说越气了，这是她最近新添的一个毛病，气总能一点点酝酿起来，从小豆豆变成大气球。"我给你交个底吧，李文波，昨天我把那个楼盘租下后，我算了一笔账，办公司的事全下来，咱家的存款也就差不多了，最多还只够一个月的生活费的。就这么点儿钱，还有将近三十万的外债，你自己算一下，你再什么也不干，我们还拿什么活啊！"

我生气地说："我就不明白，昨天你还月薪六千呢，今天咋就没法活了，这钱本来就不禁折腾，你总是一天一变，不安于现状，我看也是没法活了。"

"钱是我赚的，怎么花我有权支配吧。"安琪开始讲歪理，"两年来，我做了多少事你心里有数吧？我不是要你怎么样做，可是现在这个时候，你就算不帮我，起码也得把自己养活起来吧？"

安琪的话虽然噎人，但是也不是没有道理，这两年，还真是她在养着我。虽然我的生活质量经常是以蛋黄派为主，但是也不能否认她养着我的这个事实。

"好了，好了。"这种时候总是以我投降告终，"有关于谁养活谁的问题，是历史遗留问题。我承认你劳苦功高，我不劳而获。但这问题咱先放放。留待下回分解好吗？这儿有封邮件给你，你先看看，顺顺气？"

安琪哼了一声，说："我拿什么顺气？什么邮件这么灵，大萝卜啊！"安琪把信拿来拆开，取出一个相册似的东西，打开看了一眼，突然一声惊叫，把我吓了一跳。

我拍拍胸口："你踩电门了吧？吓人玩呢？"

安琪把东西扔过来，说："你看看这是什么？"

我拿过来，发现不是相册，而是一个做得很精致的记事本，打开第一页，上面是一张放大了的黑白相片，相片似乎是几十年前的那种毕业照，上面全是稚气未脱的男孩女孩和一群老师装束的人，照片下面印着一行烫金的字：临海市同城中学高中毕业班全体师生合影留念。

我扫了一下照片，人不少，也得有个二三百人。我一眼就看见了那个曾让我魂系梦牵的人，我的初恋女友——麦家慧。她站在最中间，梳着两个长长的辫子，目光炯炯，无所畏惧地盯着前方，这是她十八岁时的照片。这张照片我见过，她曾经亲手送给我的，在我们最后分手的那一天。后来又被我撕掉了。这是我见过她的所有照片中最喜欢的一张，照片上的她眼神很清纯。那时一切都还没有变化，她只是一个单纯的成绩很好的女孩，没有那么多出国发展的雄心壮志。那时，我还在与她临街的另一所中学里上学，经常放学的时候在那里等她，喜欢她身上那种淡淡的栀子花香味，也爱看她把两根大辫子甩在脑后的那个洒脱劲……

"嘿，看傻了吧？"安琪嘲讽地说，"怎么，旧情难忘是吧！你还能找着我在哪儿吗？"

"这个，"我仔细地扫了一圈，"你根本也没在照片上面，我上哪儿找去？"

"胡说。"安琪不满地说，指了指照片最后一排的一个被遮住了半个脸的人，"那不是我吗？"

我看了看，真是难以辨认，那么小，连眼睛都挡上了。怪不得这么多年，我一直也没有注意过她。"嘿，你肯定是考试不及格，没脸见人了，所以藏在人家后面了。"

"去你的！"安琪说，"我那天是没站好，那个死照相的也是，人家还没站起来，就照了。"

"这不能怪照相的，你看你们多少人，没有三百也二百九，人家能看那么清楚啊？"

安琪拿起照片在空中端详着："是啊，就这么一张毕业班照，还没照清脸，你的那个麦芽妹妹，倒是纤毫毕现，让你一看就魂牵梦系。人和人就是不一样。也不知还有没有机会能再照这么一张相了，大家现在都是天各一方了。"

"有机会，有机会。"我从邮件里抽出一个折叠的金纸，打开来，见上面写有两个大字"请柬"，看了看里面的内容，就递了过去，"这不机会就来了。百年校庆。恭喜你，你被邀请了。"

安琪打开那张请柬，看了一眼，请柬是用毛笔手写的，字非常漂亮。她用手细细地摸着，惊叹道："是严老师的字，还是那么帅啊！"表情既崇拜又幸福，仿佛一下子回到了少女时代。

我有点醋意地说："什么人让安总一下子怀起春来了？"

安琪把请柬递给我，说："这是我们班主任严老师的字。他上次来过这里一次，可惜，因为他急着回去，没见着。"

我说："是那个人啊，你怎么看出是他的字的？"

安琪说："一看就看出来了，他给我们的毕业综合鉴定就是这种字体。你想想，全班那么多同学，他居然用毛笔一个一个地给我们写了请柬，这份情谊，现在的师生之间越来越少了。"

我看了看，字写得还真是不赖。就问："这人是你们班主任吧，是不是被我们叫墨斗鱼的那个？"

"你们是嫉妒！"安琪说，"人家多有知识分子气，我们班的女生几乎都喜欢他。"

她把照片摊开，指给我看："你看，这就是我们的严宏老师。"

严老师应该是前排就座的那一部分人，但不知为什么，照片里他站在了麦芽的身边。他在当时很瘦，也很高，面相很清秀。上个月，我在胡东东的学校见过他，已经是副校长了。不过，和那时比起来，他的变化不大。

这位老师我最了解了。那时确实是很嫉妒他，这个外号就是我给起的。他对麦芽很好，麦芽也很崇拜他。他那时也不过三十岁左右，我当时怀疑，他们这对师生之间可能有更深层次的感情，因为两个人有时放学时常一块儿走，让一直在后面跟踪的我没有机会与心上人单独相见，而且严老师个别时候竟然还邀请麦芽去他家。因为这种怀疑，我那时和韩力没少报复他，不过也不是他，是他的自行车。扎车带，拔气门芯，扭车铃铛，都干过。后来我与麦芽几乎要终成眷属的时候，麦芽证实了我们当时的猜测纯属无稽之谈，事实上，真正喜欢她的不是严老师，是严师母，是严师母几次要她过去，吃她做的松鼠鳜鱼。

安琪感慨地说："这些年，大家都在外面走动，可能谁也没想去就母校看看，同学们之间的联系也少。不过，大家可能都珍藏着当年严老师寄给我们的贺年卡吧，我们刚离校的那几年，经常收到他寄给我们的贺卡。我还给他写过信呢。他对我们这些学生，实在是太好了。可是他自己，就生活得太苦了。"

"他怎么了？"

"我听说他大儿子前几年因病去世了，刚十多岁，脑癌扩散。

他爱人也不知什么缘故和他离婚了，他现在是孤家寡人。"说到这儿，安琪的眼圈情不自禁有些红了，"可惜，我们这些学生没有几个回去看他的，想起来我们真是对不起他。"

"他儿子死了，这个倒是头一次听说。以前也没听你说过。"

"是啊，这两年光忙着自己的事，身边的人和事忽略的太多了。"安琪拿起那张照片，对着阳光仔细地看："就像这张照片，是翻拍的，但是我一眼还可以看得出谁是谁。我以前曾经有过这张照片，但是后来却弄丢了，再也没有找着过。现在再看这张照片，发现自己当时真的很年轻，也很纯洁，有的时候回想起那时，再想起现在，真的很迷惘，也许，自己是走错了，而且是大错特错了。"

安琪看着那张照片，眼泪都要流出来了，说实话，此时的她，表情中有很多纯真的东西，这是近年来很少在她脸上出现的东西，这种纯真的表情让我真的有些着迷。

2

我终于还是拗不过安琪，去她的新公司了。当然，这阶段没什么工作可干，主要是看房子。安琪的新公司房子已经租好了，是在一个商业楼的十八层里，那是一个里外套间的房子，大约一百多平方米。往下一望，城市尽在眼底，视线与采光都很好，执照、房屋使用的一切手续都已办妥，剩下的事就是装修和装潢了。我主要是替她去盯着这个。

我一直认为中国人生活质量不高的表现之一就体现在对房子的态度上。对于广大渴望住得更好·些的中国人来说，装修是入住者必经的一个考验。听人家说，西方人搬家很容易，只要带着行李去就行了，不管你买还是租，一般的房子都是装修好了的，只要人进去住就行。中国人多年来一直没有享受到这种待遇，在我生命有限的几十年里，每次入住新家，都要经历时间不等的装修折磨，这次不是搬家，也要面对这个现状。

安琪要自己办公司的事一直以来都对外保密，除了我和那个什么刘总以外，起码胡一平是不知道的。安琪这一阵子还是拿着一张胡一平公司副总的名片在外奔跑，只不过，这次她的所有行动都是挂羊头卖狗肉性质的，她开始给自己拉客户了。她的活动频繁，但对装修的监督却仍没放松，我不过是她的一个傀儡，忠实贯彻着她的每一个意图。

我很少见过像安琪这样对装修房屋如此狂热的人。她几乎事无巨细，事事都要操心，忙得像个快乐的陀螺，连眼睛里都放着光芒。我从来没有看到过一个人会为某一件事如此投入。她和装修的工人砍价，砍得热火朝天，有时吵得让我担心可能马上就要报警，当然，最后总是和平收场，每当这个时候，我就坐在客厅新买的真皮沙发上，面无表情地看着这一切。这时我就想生活就是这样，每个人都有每个人的兴奋点，这是她的高潮，不是我的。

一周后的一个下午，我突然接到了赵清明的一个电话。自从胡东东出事后，他好像一直在北京，我则一直忙于安琪新公司的装修事宜，一直没有联系，那天接到他的电话，很意外，也很兴奋。

赵清明开门见山地说："我这些天在北京一直忙着毕业论文答辩，所以没法和你们联系。现在终于完事了，真有种劫后余生的感觉。东东的事我知道了，从报上和网上看着的，我想我们应该坐一坐。"

"都有谁？"我问他，"东东也来吗？"

"来不了。"赵清明说。"早上胡一平送他去了另一个城市，他转学了，在这里，已经没有他的位置了。他的省级三好生的名额，班上担任的班干部职务，还有去北京参加奥数的名额也都被取消了。这个学校对他来说，没有什么值得留恋的了。他是早上走的，我送他走的。他想见你，但胡一平不想看见你，就没让我通知你。可是这孩子，他还是有话对你说。"

3

我和赵清明去了天岛咖啡店。过去我们经常在这里交谈，我第一次采访他时，也是在这里。

赵清明瘦了不少，他说这都是毕业考试折腾的。上周他在北京完成了研究生的最后一个考试科目——论文答辩。他再次重复了劫后余生这个词。

"我想这可能是我一生中最后一次参加考试了。"赵清明无限感慨地说，"这几年来，我几乎把一切的业余时间都用在如何对付这种应试教育上了，实在是太耽误时间和精力了。今后我将会充分利用每一天，多做点儿实事，多赚点儿钱，也交交女朋友什么的，现在过得简直是和尚一样的生活了，好在这种日子终于结束了。"

我说："那要恭喜你了。学海无涯，总算熬出头了。"

赵清明阴郁地说："没什么可恭喜的。毕业考试完的那一天，我从北京的报纸上看到了东东的事，这个事传得可真快，连北京的报纸都转载了。你为什么不早一点告诉我这事？"

"有什么用吗？事已发生了，你又正在考试，我不能让你分心。"

赵清明摇了摇头，呷了一口我要的绿茶咖啡，说："我很痛心。事实证明，网络黄毒太可怕了，尤其是对孩子，它简直就是现代的鸦片，是专门给未成年人吃的鸦片。"

"东东怎么样？"

"他的事已经完了，判的是管制三个月。管制期间胡一平给他办了转学。他的心灵受到了很大创伤。不光是这个事，好像是他父母现在正在闹离婚呢。具体的细节我没问。"赵清明说，"我今天早上送走他了。他话很少，和我也是一样，你没来，他很失望，我从他的眼神里看出来的。"

"不是我不想来，是胡一平的问题。"

赵清明给我续上杯茶。"东东临走时让我转告你一句话，只有三个字，对不起。"

"应该说这话的人是我。"我激动地说，"是我没有照顾好他。其实我最愧对的人，不是他，是他父亲。"

赵清明长吐了一口气说："你不要这么说。如果这么说，其实最该和他说那三个字的人，还有我。我是他最相信的人，但是我却不能尽到我的职责。你知道吗？那真是个好孩子，有天分，也很善良。我想我和他可能没有机会，也没有时间再见面了。我很珍惜这段师生情。"

我们两人坐在那里，面对着桌前的咖啡与茶，久久，没有言语。

赵清明打断沉默："说点儿高兴的吧。我又有了新工作了。"他从手包里拿出一张名片，递给我，"要是有熟人，多帮我联系点儿活吧。"

我接过那张名片，上面以醒目的黑体写着"太和电子商务有限公司总经理赵清明"，下面是传真号、邮箱、地址与电话号码等一系列信息。

"恭喜你。"我把名片收好，"当总经理了。"

赵清明有些羞怯地说："一个小公司。做一些电子商务的活，是我和几个同学搞的。说是总经理，其实和一般员工没什么两样。"

我看了看公司的地址，惊奇地说："原来公司就在这里。我还一直以为你会在北京发展呢。"

"北京是我最不喜欢的城市之一。"赵清明说，"虽然我在那里上了几年学，还找到了第一份工作。但我还是喜欢这里，这里很清静，不像大城市，喧嚣、浮躁、物欲横流，对一个年轻人来说，北京有很多机会，但也有很多让人失望的东西，我更喜欢这里，我在这里学习成长，度过了一生中最重要的时光，我从这里走出去，也一样要走回来。人不都是这样吗？不管你走了多远，总要走回来的。"

"对。"我点头，"我也不喜欢大城市。我也喜欢在一个很熟悉的地方生活、成长直至老其一生，我想我们都是一样的，我们喜欢过去尤胜于现在。"

赵清明同意："是的。我们是一样的。"他的眼神突然变得很忧郁，"胡东东好像是转学去了上海。听说胡一平离了婚以后举家要搬到那里，好像是胡一平的父母现在都在那里居住。他要去寻根了。那是一个大城市。不管怎样，东东他从此走的路不会和我们一样。"

᚛

晚上上网的时候，芳姐姐出现了。

很突然的，在我刚刚进入 QQ 聊天室时，突然有信息传来，是那个叫暴雨骄阳的人发来的。

暴雨骄阳：小妹。

我一开始没反应过来这个人是谁，沉思了一下才意识到它是芳姐姐的又一个名字，我急忙打上一句：是我。你在哪儿？

沉默。

我突然想起了雯雯，此时她的头像显示的也是隐身状态，我急忙用另一个 QQ 用户名给她发过去讯息。

我（另一个名字，鳗鱼）：雯雯，是我。她上来了。

雯雯沉默。

糟了，她不在线?!

没时间了，我不能老是不说话，一会儿芳姐姐要是下了，怎么办？

不管她了，我靠自己的智力和她斗吧。

我想起了雯雯的话：你只记住，你所有的问题都只能问那个我帅为何没人爱，你问完了，自然会有一个加进来的用户回答你的提问。

我马上给那个叫"我帅为何我没人爱"的发讯息，这里的显示她是在离线状态的。

我：芳姐姐。你在哪？

片刻，暴雨骄阳（也在离线状态）：我在你的心里。

我（继续给我帅为何我没人爱）：我现在很缺钱。关莉姐说你可以帮我。

暴雨骄阳：对不起，我不认识关莉。

？

我想了一下。又给我帅为何我没人爱打上一行字：对不起，是否我要说她的网名？

暴雨骄阳打上一个笑脸。

我：粉红佳人说，您可以帮我赚一些钱。

暴雨骄阳：要钱干什么？

我：还一笔赌债。

暴雨骄阳：有一笔生意可以做。你听说过网络代理人吗？

我突然想起雯雯说的话：要复制记录。我怎么一忙乱全忘了呢？

我急忙打开一个文档，开始往上面复制。

暴雨骄阳：怎么，没兴趣？

我：非常有兴趣。要我投钱吗？

暴雨骄阳：不需要，但是需要一些别的，你舍得吗？

我：比如什么？

沉默。

雯雯突然上线，用雨过天晴的那个名字，在我另一个用户名好友栏里闪动着头像。

雯雯打上一行话：她来了？

我：是。

雯雯：有否穿帮？

我：没有。

雯雯：她现在说什么？

我：她刚才说要我做代理人，那是怎么回事？

雯雯：如果她还能和你说下去，她就会告诉你。在网站的会员区里，表演的视频小姐们会根据刷卡消费多的会员的要求进行"露点"，这些会员区的"视频秀"几乎是24小时运转，接近午夜时分，贵宾区才开始有"小房间"秀，并持续至凌晨5时左右。普通会员想要进小房间，在购会员号时要买5张一次性充值卡或者买点卡，汇现金至代理商指定的账户。而这些都是在网上银行就能完成的。

我：我就是那个指定的代理？

雯雯：因为你有公安的背景，所以她会利用你急需要用钱的这一特点，让你成为点卡的代理商。但有可能要你预付一笔买点卡的资金。

我：预付？

雯雯：为了吸引你进来，她也可能会替你预付，到时在你的代理费用里扣。这也就是他们特别吸引人的地方，对于那些对他们有用的人，你不需要掏一分钱，就可以开始赚钱了。而且你会发现，只要一开始赚，很容易就会还清这笔预付款。你一旦赚钱上瘾，就难以自拔了。当然，只要你使用过一次他们的账号，你的罪孽也就成立了。他们会以此来要挟你就范的。

我：这些消息很宝贵。她要是和我说这些事，这些罪证就有了。

雯雯：她现在在干什么？

我：她在沉默中。一直没有说话。

雯雯：她在查你的IP地址。她对你有所怀疑。

我：那我该怎么办？

雯雯：和她说话。说你很缺钱，甚至可以做些出格的事。还说你有背景，能做很多人做不到的事。总之，要委婉地把这些事说出来，一定要她多说话，她会很谨慎，但是我们一定要她把刚才那些话说出来，把账号说出来，然后迅速复制这些内容，这样，她就死定了。

我兴奋起来了，看来，只要注意一下措辞，就胜利在望啊，我想了想，应该怎么说这些话。这时，突然，暴雨骄阳发话了。

暴雨骄阳：有个法子赚钱很容易。但是，我不知道，你行不行？

开始进入话题了。我很兴奋，急忙把这个讯息给雯雯发过去了。我要看看她是怎么回答的。

正在这时，我家的门铃响了。

这个关键的时候门铃突然响起，穿透夜空，声音凌厉，吓了我一跳。我看看表，十一点三十分。一定是安琪回来了。这家伙，又忘带门钥匙了吧？近来她总是这样，丢三落四的。

我一边咒骂着，一边站起来去开门。因为以为是安琪，我连门上的猫眼都没有看，也没有问，就打开门。门打开了，只见门口站着一男一女，很陌生的面孔，都很年轻。

我问了一句："你们找谁？"话音未落，来不及关门，那个男的已经把胳膊伸进来，将我的胳膊拉住，非常有力，另一只脚很职业化地挤进门缝里，将门撑住以免它被突然关上。然后他就硬往里一冲，不过几秒钟时间，他的身子已经挤进来了。

女的迅速从后面跟上，举起手来，举着一个黑色的证件晃了一下，很干脆地说："我们是警察！怀疑你在家中从事非法活动，我们要进去核实一下，请你配合。"

还不来及惊愕，猝不及防间，楼道里出现了好几个身影。那个抓着我胳膊的便衣把我推到一边，他们把门口堵得严严实实。

我想问他们这是干什么？私闯民宅吗？有搜查令吗？但是最后一个人走进来时，我什么也问不出来了。这人冷冷地看着我，眼神中有很多怀疑与轻蔑的成分，他是我的好友，韩力。

5

你有个坏毛病，总是忘了关电脑。

这是雯雯的话。

现在又被一个人重复了一遍。韩力。

我的电脑正在打开着，暴雨骄阳和雯雯的头像同时在闪烁，不过，我是不会知道他们说什么了。电脑当场就被他们封住了，很快的，他们还搜去了我的手机，切断了我的电话线，最主要的是把我的电脑上所有的历史记录、收藏记录以及正在打开的"性情世界"的网页、还有 QQ 上的谈话记录都复制下来，然后马上断网。

韩力干巴巴地对我说："鉴于你最近在网络上的一些行为，我们怀疑你涉嫌网络色情犯罪，现在要对你进行传唤，所以希望你配合。这台电脑我们暂时查收，如果你是无罪的，我们会退还回来的。这段时间你不能打电话，也不能再接任何的电话。"

我看着韩力那张严肃却严重睡眠不足的脸，有那么一阵子，我以为他是在和我开玩笑。就像小时候，我们经常在一起玩兵和贼的游戏一样，我想笑，这当然是不合时宜的，但是我还是带着几分笑意地问他："哥们儿，这玩的是哪一出？"

韩力面无表情，说："这要问你。你电脑上有很多好玩的游戏啊！现在，和我们去个地方，咱们好好谈谈这事吧。"

在网警办公室，韩力让我坐在他的对面。

"原来我的一切早就在你的掌握之中了？"我靠在椅子上，无限感慨地说。

韩力有些痛心地说，"我很担心的事终于出现了，你也搅进去了。但我后来也想到，这也没什么不可能。你很有可能早就已经搅进去了，那些视频女郎的隐匿地点就在你家附近，你那一阵子又不断地问我有关这方面的知识，我其实早就该想到的。"

"你没有惊动我，就是想放长线钓大鱼吧。"

韩力赞同："没错。我对那些视频女郎没兴趣。即使抓了她们，也解决不了什么问题。她们只是最低程度的表演者，但绝不是幕后的组织者和管理者，我只对后一种人感兴趣，就是那些建网站、管理网站的和利用网站来传播信息的人。种种迹象表明，你似乎就是这后一种人。"

韩力说这些话时的认真神态，让我感到格外的好笑。我一直担心自己可能会和这事扯上联系，但是万万没有想到的是，我竟然成了幕后的组织者和管理者，成了网警们重点打击和清查的对象，这真是让人百口难辩，又啼笑皆非。

"你有什么证据这样指认我呢?"

"很多种迹象都表明了你的身份非同寻常。"韩力说，"从你经常向我提问有关网站的事时，你的电脑记录就在我们的监测中。查你的 IP 太容易了，你别忘了，你的宽带当初就是我给你安的。从监测记录上看，你在性情世界网站出没的时间不短了，而且你在一个月的时间疯狂发帖，还有，胡东东被抓后，第一个找的不是他父母，而是你，这也同样更能说明问题。"

我苦笑了一下。说："是啊，各种迹象表明，我肯定是个幕后人物对吗?"

韩力说："没错，在这么多证据面前，你想不是都不行。"

我的头开始疼了起来，现在看来，一切都已经偏离了最初的轨道，我将失去的不仅是小韩同志的友情，还有更多的东西。"韩警察，"我说，"我想知道，如果一切证据属实，我会受到什么样的处罚。"

"三年以上十年以下有期徒刑，这还要看你是否和我们配合。如果负隅顽抗，冥顽不化，还有可能从重处罚。"

我倒吸了口气，"我能请个律师吗?"

"当然可以，不过，我认为你不用了。"

"为什么?"

韩力看着我，眼神里意味深长。"请个律师能彻底解决你现在的困境吗？"

我与小韩同志对视，这个人，我对他非常熟悉，从小到大，他想什么我几乎一猜就准，我一直认为，他是这个世界上存在的想法最简单的一批人之一，但是现在，我发现我并不了解他，至少现在我就不知他在想什么。他是想要我死，还是要帮我？

我慢慢地说："韩力，你还是我的朋友吗？"

韩力说："你怎么认为的？"

我说："从一个朋友的角度上看这件事，你相信我是一个罪犯吗？"

韩力说："很抱歉，我不能从朋友的角度看这个问题。我是一个警察，尽管身上没有枪，尽管常年不穿警服，但我是个警察。我只能从警察这个角度来看问题。"

"那就是说，我这次是肯定死定了。"

"不是你。"韩力说，"是他们。"

"什么意思？"

韩力站起来，目光炯炯地看着我："有件事我先和你说明吧。从一个警察而绝不是朋友的角度看问题，我对这事的看法是，你不是一个罪犯，以前不是，现在不是，将来也不是。"

6

"你过于低估了我的智商。我和你从小到大这么多年，你是个什么样的人我比谁都清楚。我一直相信，如果有一天你会被卷进去，那么你一定是在干着和我一样的事情。"韩力真诚地说，"所以，你现在面临的困境，不是来自于我们，而是你自己，你自己把自己的内心敞开了，我想这个困境也就没有了。"

在剩下的两个小时的时间里，我把很多事情都和小韩同志说了，包括与雯雯网上聊天的经过，还有那个她让我帮她取出来但我一直也没有打开看过的牛皮纸袋，还有那个芳姐姐的联系方式。当然，我的谈话里还是有所隐瞒的，比如雯雯的事，我就留了一个后手，我没有告诉韩力，其实那天追捕她的时候是我救了这个人，当然，我们的几次见面我也没有告诉他。我只告诉了韩力我知道她的QQ号码，但是告诉他的也只是她在线上的那个，她还有一个与我单独联系的，我没有说，还有关于我取来的那个帆布包的事我也没说。

不过，就我说的这些事也足以让韩力很兴奋。他听说我已经与芳姐姐接上头后，尤其很兴奋。

"这才是个人物。关莉他们不过是他手下的一个卒子而已。只要抓住他，那些人也都不在话下了。"韩力难以抑制兴奋地说："你知道吗？为了抓住这些潜藏在幕后的人物。我做了很大的努力，我一直害怕会打草惊蛇，要不就不会这么久才把你叫到这里来了。"

我苦笑了一上，说："可是你刚才的表情真是很吓人，你让我觉得我已经是个罪犯了。"

韩力拍拍我的肩说："别害怕，即使真的犯了罪，还有将功赎罪这一说呢。"他的话锋突然一转，"不过，老实说，如果再晚几天传你，你的处境可能就真的不妙了？"

"为什么？"

"你在那个网站上的发帖数量快到限了。在我们最近的司法解释里，有这样一条，如果你在互联网上发布的黄色信息的数量和点击率达到一定数量，你就犯了传播淫秽物品罪，到那个时候，你就不会像现在这么轻松了。"

我倒吸了一口冷气："真的，那我现在被传，传的还很是时候了？"

韩力富有深意地望了我一眼，说："亏你还是个记者出身，真是个法盲！我告诉你，不管出于什么目的，任何人都不能以违法犯罪为代价去追查想像中的罪犯，连公安人员都不能。我看你是武侠小说看多了，把自己当成个大侠了，要不就是警匪片看多了，真以为自己是个卧底。我会按照司法程序对你的行为做出处罚。"

我看着韩力的眼睛，突然间一阵感激之情涌上心头，我当然知道自己不会那么幸运，是眼前的这个人，用一种既不违反原则但又充满关爱的方式，让我没有滑向更危险的边缘。

我的电脑被拿回来了。里面的所有记录都被检查过了，除了上个月发了一些帖子外，没有我在黄色网站里做过管理维护的证据，这也就进一步证实了韩力的推测。

韩力命令我留在他的办公室里，告诉我不能走。我对韩力说："这么说现在我还是有犯罪嫌疑的，是吗？"

韩力微微一笑，说："你知道吗？在决定传唤你之前，我还一直担心，你可能就是芳姐姐或是教授他们两人中的一个呢。"

"这不可能！你怎么会这么想？"

"在网络上没有什么不可能的事情，这是一个虚拟的世界，但是操纵它的却是活生生的人。要想证明我的想法是荒谬的，你除了和我们配合破案，让这个虚幻的世界一点点真实起来外，没有别的出路。"

韩力的同事们在另外一个屋子里用我的身份与芳姐姐聊天，屋子里只有我和他两个人。

我说："也没外人，咱们出去上外面透透气。有点事我还要和你单独说说。"

韩力不是很情愿地说："那快一点吧。"

"放心吧，很快的。"

我们坐在网监中心外面的一间办公室里，韩力给我倒了一杯水，然后从抽屉里拿出一盒烟来，递给我。

我摇摇头。很让我吃惊的是，韩力见我不抽，竟然自己从里面取出一根烟来，点着了。

"你也抽烟？什么时候学会的？"我问他。

"两个月前，熬夜时开始抽的，养成习惯了。一熬夜就得抽。"韩力吸了一口烟，很熟练地将烟圈从鼻孔里吐出来，"你别告诉冷霞，她要是知道我会抽烟了，还不把我给吃了！"

我们俩默默地坐了一会儿，韩力不断地吞云吐雾，让我很不习惯，我们俩从小一起长大，都发过誓，永远不学抽烟，这么多年来，我从来没有见过韩力抽烟，这还是第一次见他抽烟。我禁不住咳了一声。

韩力说："我忘了，你不抽烟。"他把烟头熄灭。

我们又相对无言了片刻。我想起了什么，突然笑了。

韩力说："笑什么？"

我说："没想到会这样和你见面。"

韩力也笑笑，说："你总是这样，做什么事都一意孤行，不和人商量，这种事早告诉我，就没这么被动了。你现在有什么事，就快说吧。"

我说："如果我可以将功赎罪的话，我希望，有一个人也可以拥有这个待遇。"

"谁？"

"关莉。"

韩力愣了一下，看着我说："是那个视频女郎吗？"

"是的。"我说，"不管她曾经做过什么，但是这次抓住芳姐姐，离不开她的帮助，我希望将来有一天她落到你的手里时，你能考虑这些事。"

韩力点点头说："好吧，我会考虑的，不过，如果现在她能投案自首的话，对她的惩罚还会更轻一些的。"

我点了点头，脑子里有了一个主意。

"现在的问题不在她那里，而在你那里。"韩力说："作为你最好的朋友，我现在劝告你一句，你不要再和这件事有任何的牵连了。这件事对你来说，已经结束了，从现在开始，交给我来办了，你不要再插手了。"

我点了点头。是的，他说得对，我是不应该再插手了。

门外有人走动，韩力焦急地看了看表。

我知道他在急什么。我说:"我想去趟厕所,你是不是要和我一起去?"

"我?我为什么和你一起去?"

"我现在不是被传唤吗?"我笑着说,"你不怕我趁上厕所的时候跑了。"

韩力冲我笑笑,伸出手做了一个请自便的姿势。我起身去厕所。

夜晚的办公楼道内,一片寂静,网警中心里的各个办公室都亮着灯。我想芳姐姐的屋里一定也亮着灯。雯雯呢?是不是在网上?

这个夜晚,很多人都没有休息,无法休息。

从厕所出来,我回到刚才的房间,刚走到门口就听见韩力正在打电话。

韩力的声音很小,而且很明显是一边走动着一边说的,这个时候进去是非常不合时宜的,但是我想他这个时候打过去的电话一定是和芳姐姐的下落有关的,我的好奇心突然起来了,于是就没有进去,而是趴在门口,仔细地听。我听见他断断续续地说:"红旗路十四号……太和电子商务有限公司,对,对,队长,应该就是那个地方……"

电话那头似乎在命令着什么,我听见韩力不停地应着。

我在门口站了一会儿,等到韩力这边放下电话,我才推门进去。

韩力正打开抽屉翻着什么,看我进来有些不满地说:"你这趟厕所时间去得还不短啊。"

我说:"闹肚子了,由小解改成大解了,时间能短吗?"

"好了。"韩力说,"我刚才已经打好招呼了,传唤结束了,你现在可以回去了。不过,在芳姐姐没有被抓以前,你仍然要保证随叫随到,也就是说,这几天不要四处瞎走了,等一切稳定下来再说。电脑暂时先放在我们这里,要晚一些时候再给你送回去。

手机一会儿你去前面的屋里取走。"

我说:"怎么,又有任务了?"

韩力继续收拾他桌上的东西,没有回答。我想我自己的这个问题也实在是问得多余,这个时候我要是还不走,就太讨人嫌了。于是给他装模作样地敬个礼,出去了。

走出门去,韩力又追了出来,在门口冲我喊了一声:

"李文波,对你来说这件事情到此结束了。在事情没有完全清楚之前,你这两天不要乱走动。我再次警告你,别再插手了。"

7

我取了手机,打了一个出租车往家走。

看韩力那个样子,芳姐姐的地址一定是查到了,估计今晚他们就该实施逮捕了吧。

我很想把这个消息告诉雯雯,但是,我没有她的任何联系方式,除了一个神秘的 QQ 号,可惜,电脑还被他们封存了。

我问司机:"请问附近最近的网吧在哪儿?"

现在需要赶快找个网吧,给雯雯留个言,现在这种情况,她必须悬崖勒马,如果可能的话,我想我会帮助她自首。

司机突然把车停住,停在了一个黑洞洞的房屋前,他告诉我,这里白天就是一个网吧。我看见这网吧外面紧锁着门,招牌上的灯也灭了,不满地说:"这不是已经关门了吗?"

司机笑笑:"前门是锁上了,不过后门是开着的。你往后面的胡同里一走就行了。里面应该都是人,现在实行管制,十二点以后所有的网吧都要关,所以他们才这么做的。这就叫上有政策,下有对策。"

我谢了他,掏出钱包里来付车费,一个纸片似的东西从我口袋里掉了出来。

司机打开车灯,好心提醒:"你有东西掉了。"

我捡起来，发现是张名片，借着车里的灯看了一眼，原来是赵清明上午给我的他的新名片，上面写着："太和电子商务有限公司赵清明"。

我扫了名片一眼，漫不经心地又塞回口袋里，把钱递给司机，司机接了过去，就在这双手交会的一刹那间，突然，一种很奇怪的感觉出现了。我下意识地掏出那张名片，看了看上面的字，太和电子商务有限公司，似曾相识的感觉油然而生，这个名字除了赵清明以外，好像我今天还听谁说过。

是谁说过呢？肯定是刚刚说的，要不我怎么会有这么深的印象呢？

回忆，回忆，突然我的脑子里灵光一闪，想起是谁了。

十分钟前，韩力说："红旗路十四号……太和电子商务有限公司，对，对，队长，应该就是那个地方。"

太和电子商务有限公司。

应该就是那个地方，这话里的潜台词是什么？

莫非是已经侦察出来网络犯罪分子就藏匿在那个地方？

我的脑海一下混浊起来，韩力的那句话在我耳边响彻起来，久久不息，没错，他说的就是太和电子商务有限公司，这里面竟然藏着罪犯？而且这个人可能就是著名的芳姐姐，天哪，这个发现让我太意外了。

司机不满地说："先生，您下不下车，我这儿还赶着回家呢？"

我从车上下来，在网吧门口信步走着，一阵冷风吹过。我的脑子突然清醒起来。

这个事情来得太突然了，关键是对此赵清明还蒙在鼓里，我想我有义务和赵清明说一下，我想起了上次发生在老莫公司里的那件事，这件事比上次那个要严重得多，如果处理不好，对他的公司将有毁灭性的打击。

我给赵清明拨了一个电话，很快的，赵清明接了，深夜里，他声音显得很冷淡地传了过来："喂。"

"我是李文波，清明，你现在在哪儿？"

"我在公司。"

"你在——"突然间，我说不下去了。

我在公司。

太和电子商务有限公司里藏匿着罪犯，这是网警们刚刚侦察出来的信息。

把这两件事联系起来，一个可怕的，但是已经渐成事实的真相突然在我混浊的脑海里清晰起来。

天哪！赵清明会不会就是芳姐姐?!

他不会是的，他是个男的。

但是，韩力说："在决定传唤你之前，我还一直担心，你可能就是芳姐姐或是教授他们两人中的一个呢！"

芳姐姐完全有可能是个男的，因为这是在网络里，一切都是虚幻的，但是操纵它的却是活生生的人！

我的冷汗冒了出来，赵清明为什么不可以是芳姐姐？为什么？

一个计算机高手，一个急于想获取成功的年轻人。

一个非常了解胡东东的人。

他完全有可能就是芳姐姐。

电话那头赵清明急促的声音响了起来："喂，李记者，出了什么事？你说话呀！"

我把电话挂断，站在那里，眼前一阵漆黑。

第十三章

1

网吧，夜里一点三十分。

我坐在网吧最靠墙角里面的一个电脑前，准备上网。这是一个很小的网吧。

因为这个网吧设计出里外两层的缘故，只要把正门一锁，再把外层的灯光关上，从外面看，就是一团黑，不过，从胡同里的后门进去，则是另一番景象，那个门对着的是里层，门虚掩着，挂着厚帘，隐隐有灯光从里面透出来，推开帘子进去，就是一片烟雾的海洋，还有的是不绝于耳此起彼伏的键盘敲打声，但是里面却很少有其他的噪音，因为大家在这个时候上网都很"自觉"，不管是聊天的还是玩游戏的，全都戴上了耳麦，这也是网吧主的建议，戴上耳麦动静小，比较不扰民，也省得被附近的居民检举，惹来不必要的麻烦。

我也戴上了耳麦。打开电脑的那一刹那，我发现自己的手心里全是汗。我迅速进入了OICQ程序，用自己新创建的那个用户密码上了线，在我这个用户的好友列表里，只有雯雯一个人，她的名字叫雨过天晴，这是我们两个人单独联系的一个QQ号。

雨过天晴是在离线状态。

我有点紧张。抬起头来看看四周，我只看见漆成白色的三合板粗糙地组成了一个又一个的隔断，每个隔断里都有人躲在里面，那都是一些很年轻的狂热的人，他们在凌晨的时候还隐藏在这里，他们对我这边其实毫不关心，各自都在忙着各自的，这里面应该不会隐藏着网警吧？

我想我出来的时候应该没有被跟踪。不管怎么样，今晚必须告诉雯雯一些事情，要不，她就会和芳姐姐一样了。

芳姐姐？我的心痛了一下。我再怎么擅长联想也不会把赵清明和她联系到一块去。那是一个我多么欣赏的青年！我曾经在五年前采访过他，那时的他，是贫困山区里飞出的"金凤凰"，他一边照顾病重的母亲一边用功读书的事迹传遍了这个城市，经常被家长们拿来教育他们的子女，很多人看完了报道后流下真诚的泪水，并自发地给他和他的家庭捐钱捐物，这些事一直是我多年来引以为傲的报道业绩，但今天却全都毁了。赵清明会是罪犯吗？

这一定是个误会，我想明天早上就可以知道一切真相的，他不应该是芳姐姐，就算雯雯是芳姐姐我都不会这样意外，但他不应该是。

我把耳麦摘了下来，四周全是"噼里啪啦"的声音，每个包间的人都在忙着，他妈的！我突然想骂娘，他们都他妈的在忙着什么，一个虚拟的世界真的有这么大的吸引力，可以让这些年轻的生命们忘记了睡眠，忘记了吃饭，忘记了休息，忘记了第二天要面对的一切问题，甚至如我一样，连性交都忘记了！我真想大声喊一声，都给我滚！给我滚！

但我什么也没有喊。我冷静地给雨过天晴发了一条信息：

我想芳姐姐是谁我已经查出，他今晚会被抓获。蕾蕾这个身份不能再聊了，已被控制。你收手吧。从此我们再不要联系了。

看着最后一句话，从此我们再不要联系了。我思索了一下，突然有种冲动，想把这句话删掉，手按在删除键上，迟疑片刻，最后按的是发送信息键。

真的，不要再联系了吧。她毕竟不是真的麦家慧。

就算是真的，麦家慧如果从美国回来，我也不可能再联系她了。一段情已经结束了。这一段情太危险，更不能开始。

从一开始就不应该开始，现在是应该结束的时候了。

一切留给我吧，韩力说。好吧，现在开始，他接手了。

我把 QQ 关上，心里突然很轻松。我已经准备结账下线了。

就在这时，电话突然响了。我拿出来一看，上面显示的是一个熟悉的号码。

是赵清明的。

2

这个时候赵清明突然来了一个电话，让我在倍感突然的时候更有种异常惊喜的感觉。

这说明赵清明不是芳姐姐。

如果他是，已经被抓获了，正在公安局里接受传唤，哪能用手机这么自由地给我打电话呢？所以一看到这个手机号，我就有把握了，他肯定是无辜的。

我很惊喜地接了电话。"喂，清明。"

电话那头没有人说话，但是我可以听见里面似乎有一些嘈杂的声音，并不是很干扰，但是可以听得清楚，似乎是风刮过的声音。

"喂，清明，我是文波。你在哪？"我又问了一句。

"我在火车上。"又沉默了一会，赵清明突然说话了，他的嗓音很沙哑，与平常不太一样。

"你在火车上——"我一下子无言以对。一小时前，他在公司，一小时后，他在火车上，这说明什么？

"我现在正在赶往一个谁也找不到我的地方。"赵清明似乎在电话那头笑了笑，"可能我们不会再见面了，临走前，总得和我的恩人告个别吧。"

我的全身一阵子冰凉彻骨。他在火车上，肯定不是去公差，那应该是——逃亡。

"真的是你。"我无限失望地说，"为什么？"

"一个像我这样的人，如果肯为什么铤而走险的话，肯定是只有一个原因——钱。"赵清明冷静地说，"这个原因和我当年一心想要考上大学一样，都是为了钱。为了不再过我从前的那种日子。"

"可是，"我气急败坏地说，"你不是已经成功了吗？你早已不是一个面朝黄土背朝天的农民了，你是这个城市里白领中的一员，一个月拿四千的收入，你的命运已经改变了，你还图什么？"

"一个月四千。是啊，和我父亲他们比，真的不少，但是要和胡一平比呢？"赵清明讥讽地说，"是不是只够他一晚上的消费？"

"为什么要和他比呢？各人有各人的生活。"

赵清明恨恨地说:"因为我认为我一样有能力可以做到他那样,可是我一直缺少一个方向,一条可以走向成功之路的方向。2002年,我通过帮别人改装服务器赚到了人生的第一笔外钱,从那一天开始,我就找到了这样一条可以直接致富的捷径,我不是暴发户,我是一个有知识的人,我是利用我的知识做事情,这是生意。你这样的文人不会懂,这其实是一笔生意。我认为我做得比胡一平更高尚,至少我对待别人是公平的,他能吗?"

"这是生意吗?"我冷笑说,"贩卖色情,诱使胡东东这样的孩子为你们所用,这就是你眼中的生意?"

"生意有很多种。"赵清明说,"有的生意需要你按照规则去做,有的则要另类独行,打破规则,我就是在做这样一种生意。和你一样,我也讨厌色情,我去过很多地方,但是从来没有找过小姐。我不喜欢色情,可是,有人喜欢,任何事情,只要有人喜欢,就可以考虑买与卖之间的事情,这就是生意里的规则,我在按照这个规则做事。我认为我是在做一个比较高级的事。"

"你所谓的高级事就是这个?"我嘲讽地说,"赚这种钱,你不觉得良心上有愧吗?"

"生意不能讲良心。"赵清明说,"我的良心只对一种人敞开,那就是我的家人。我爸爸现在还在我当年出走的那个地方,穷困潦倒,一贫如洗,我妈妈的病一天比一天严重,医生说她现在只能熬着了,因为前几年一直没有积极治疗,已经没法再治了,最多挺不过半年。这些情况除了你,我从来没和别人说过,我的父母的一生就这样,快要走到头了,我不能和他们一样,所以我要致富,迅速地致富,如果我能让我的父母也过上和胡一平他们一样的生活,我想他们现在一定是健健康康的,可是,我没有。就是因为没有钱,在这个世界上,有了钱很多问题都能解决,但是没钱,你就被人视同垃圾,这个社会就是这样。"

"清明,每个人都有每个人的难处,有钱没钱都一样。你听我一句劝,悬崖勒马吧。"我说,"你现在自首,一样可以减轻罪行。"

"不会的。"赵清明说,"我前两天上网看了一下,国家已经针对这些事情出台了新法规,像我这种情况,应该是在十年或十年以上的徒刑。我去自首,那就是自投罗网。这种傻事,我不会做的。"

"可是你现在这样做,就是罪加一等。你今年刚二十四,即使坐十年监狱,出来也不过三十多岁,再说如果你表现好的话,也很有可能会提前释放的。这个我可以和韩力说,我和他是朋友。"

"没用了,李记者。"赵清明说,"当我刚才决定从公司的后窗往下跳的时候,就已经没有回头路了。或者说,当我用代理的方式从教授那里赚到第一个五万的时候,我就已经没有回头路了。"

"为什么?"

"这两年我赚了很多钱,这些钱都被我寄到家里去了,我不会让这些钱再回到别人的腰包里,这是属于我的,谁也别想拿去。我走了,他们只会冻结我的财产,但这与我父亲母亲无关,我要是被他们抓住了,连父母的这些钱也保不住了。"

"你这几年赚了多少钱?"我问,"十万,一百万,一千万?或者更多,但是为这些钱从此断送了自己,值得吗?"

"不值得。如果可以重新选择,我一定不会再做这样的事,可惜,已经没有办法重新选择了,如果我成了一个犯人,我的一切都会失去,宁可在这里消失,再也不回来,我也不敢不愿再去冒这个险。"

火车呼啸的声音在电话那头传来,赵清明的声音听不清了。网吧的服务员过来,不满地敲了敲我的隔断,示意我的声音小一些不要干扰别人。我起身扔给他十元钱,拿着手机出去了。

在网吧门外,寂静的夜空里赵清明的声音再次清晰地传了过来:"李记者,你曾是我的恩人,永远是我的恩人,但是我做了对不起你的事,你把我忘记吧。或者说让我们互相忘记吧,这是我们目前唯一都可以做到的事。"

"我们可以互相忘记，但是胡东东呢？"我尖刻地说，"一个曾把你视为偶像的孩子，你可以忘记他吗？"

赵清明沉默了一会儿，说："不能。那孩子是我一直很喜欢的，当知道他也卷进来的时候，我很痛心，说实话，我真的不知道原来我一直利用过的那个人竟然是他，网络就是这样，如果你想隐藏，谁也不会发现谁是谁。可是，这是生意，那孩子也在这生意场里，是他自己卷进来的，我提醒过他，并且也想过帮助他脱离这里，但是他最后还是没有听我的话。我对他已经仁至义尽，但是我们的游戏规则不会因为他就改变，请相信我，我这也是身不由己。"

我突然想起了一件事，就问："有一件事我一直有所怀疑，我现在希望能听到你的正面回答。胡一平他老婆的那些个偷情照片，是不是你拍的？"

赵清明得意地说："他连这个都给你看了？怎么样，效果不错吧？"

"我不关心这个，我只想听你说，是不是你？"

赵清明说："不是我，是蓝色宾馆的那个老板。不过，他也是我的人，是我让他这样干的。"

我情不自禁连后背都开始有了种冒凉风的感觉："为什么？你为什么要这样对付胡一平。"

"因为我讨厌他。"赵清明冷冷地说，"还有一个原因就是他比我有钱。"

"比你有钱你就整他？比你有钱的人多了，你整得过来吗？"

"他不该比我有钱。"赵清明阴阴地说，"从哪个角度讲他都不应该，可是偏偏他就是比我有钱。所以，我就利用网络的交互性找些公平吧，那些照片已经都发到网上去了。"

"你这样做，整到他了吗？"

赵清明很沮丧地说："老实说，没有。因为这个老狐狸抓紧和他的老婆离了婚，这事对他的影响不大了。不过，他儿子这件事，对他是个很大的打击。"

"这样做对得起胡东东吗？你想过这事吗？"

赵清明再次沉默了，过了一会，他说："当然，我对不起他，正如我也对不起你一样。有件事我告诉你，胡东东转学是我的主意，其实真正的原因是我怕再碰见他。如果他有一天知道了我是谁，我想他会崩溃，我更会不知道怎么处理。其实那天他也没有什么话要我捎给你，那句对不起的话是我捎给你的。这也是我现在对你，对他，最想说的话。"

"那关莉呢？你一直控制着她，毁了她的一生，你对她，就没有一点歉疚吗？"

"关莉不干我的事。"赵清明说，"其实真正控制她的人是教授，关莉的底细他最清楚，我只是一个传话的，我没有什么对不起她的地方。"

"你现在还不能说出谁是教授吗？你自身都难保了，何必还要保他？"

"我没想保他。"赵清明说，"可是我也不知道他是谁，我们都是在网上联系。从没见过面，也没通过话。"

我不知该说什么了。原来赵清明也是一个卒子，这是在网络上，人人都是虚幻的，只有金钱是真实的。

"李记者。"赵清明的声音里突然带了一种深厚的感情，"五年前你来采访我，坐着一个三马子车走了四十里的山路。我知道，你是个好人，我是被大学破格录取的，而这一切都是因为你，没有你就没有我的今天。但是我可能在短期内没法报答你了，我的银行存款会在明天早上被冻结，给你密码你也不会取出钱来的。我用钱报答不了你，就只能冒着危险给你打一个电话再次表示感谢吧。这个电话卡和你打完了就不会再有人使用它了，一会儿我就会把它从车窗扔出去，你我不能再见面了，可是，请允许我坦诚地和你说一句，我现在特别怀念五年前在山里的那段平静的生活，是你把我从山里领出来的，从那天起，面对外面的花花世界，我的心就一天也没有平静过，今天，我走上了这一步，成也是你，败也是你。这其中的对错是非，留给你自己去思索吧。"

电话挂断了，再打过去，已经是不在服务区的回答了。

我知道，从此我不会再和赵清明有任何的关系了。

3

我是早上两点多才回家的。推开门的时候，我发现安琪已经睡了。在我客厅的茶几上，凌乱地摆着一些合同、副本、策划方案什么的，还有一个烟灰缸里，塞满了烟。

谁抽的？

我打开台灯，把烟缸里的烟头捡出来，在灯下照，是"摩尔"牌的女士烟，烟嘴上有些许的口红痕迹，看来，是安琪抽的。

安琪会抽烟？她什么时候学会的？

这个世界真的很荒唐，从不抽烟的韩力学会了抽烟，我是他最好的朋友，但对此一无所知；从不抽烟的安琪，学会了抽烟，我是她的老公，对此一无所知。还有，年轻有为好学上进品行端正研究生刚毕业的赵清明，原来是网络上的淫魔（这个词我一想就全身不舒服）。这个世界怎么了，还有多少事是我不知道的，还有多少人已经从骨子里发生了变化？

对着皎洁的月光，我审视着熟睡的安琪的脸。这是一张不平静的脸，在灯光下，她锁着眉，紧咬着唇，表情紧张，似乎正在做着一个噩梦，这让她显得很痛苦，也很疲倦，甚至很衰老，我轻抚着她的脸，想着她是怎样殚精竭虑，苦苦思索，直至把一盒烟都全部抽完的，他们活得真的都是太不容易了？可是我居然对此一无所知，我到底配不配做一个丈夫、一个朋友、一个亲人呢？

那天晚上，我失眠了。

早上快五点的时候，我睡着了，醒来的时候，快中午了，安琪走了。在饭桌上，有我比较喜欢吃的煎蛋和两片烤得焦煳的馒头片，我有点儿感动了，她昨晚那么辛苦，还起来给我做了饭。我起来时发现，在煎蛋旁边还有一个纸条。

我拿起纸条来，上面写着一行字：

昨晚上我几乎熬了一个通宵改一个策划书，但是你一晚上也没回来。我没情绪也没体力给你打电话，因为我怕又要与你争吵。从现在开始，你愿意干什么干什么，我不干涉你，但是你要理解我，理解我为了这个家所做的一切。如果你能理解，今天去公司里，有批石材要运来，你留在那里点数。另外，有两个工人过来安装灯具，你帮着看着点吧。

安琪。

我把纸条揉成一团，然后很沉闷地吃着早餐，这个纸条让我的内疚感又增加了，我想我对安琪，其实太不公平了。我决定从今天开始，一直留在她的公司里，一直等到可以彻底收工再走。

家里的电话响了。我过去接了一下，很意外的，是韩力。

"刚起吗？手机一直没开啊。"韩力说。

我拿起手机看看说："啊，是，没电了。"

"下楼来。"韩力干脆地说："想和你说个事。"

我有点不安地问他什么事，但他把电话挂了。我连饭也不吃了，穿上衣服下了楼，看见门外停着一辆切诺基，韩力面色沉重地站在车门前。

看我来了，他把车门一打，说："上车。"

没等我说话，他很粗暴地拉住我的胳膊，将我扯到车上，车上坐着四个人，都穿便衣。我被他们挤在了中间。

"有这么个事，"韩力说，"昨天晚上我们搜索到了芳姐姐住的地方，但是，没能抓住他。我们刚一到他公司楼下，他就有所察觉，从后窗跳下去，跑了。不过，好在犯罪证据他还没有来得及销毁。今天早上我们去了电信部门，查了查他的移动电话通讯单，发现昨晚上在我们行动之前你给他去过电话，而之后的一个小时里，你们又通了一次话。你和我们回去交代一下吧。"

"交代?"我说,"交代什么?不是结束对我的传唤了吗?"

韩力面无表情地说:"是。但是对你来说,昨天的结束了,今天又开始了。"

₩

"我真的不应该让你走!这事我太大意了,我没有想到,原来你和赵清明之间有很深的关系。"韩力一进办公室就暴跳如雷,冲我鼻子不是鼻子脸不是脸地吼了起来:"我不是和你说了吗?这事你别再跟着搅和了,由我来接手,你现在是惹火上身,你知道吗?!"

屋子里只有我们两人,我看小韩同志是真的生气了。

"既然你知道我和他之间的关系,你应该理解我为什么会给他去电话,也能理解他为什么也来找我。"我说,"我和他之间是纯粹的朋友关系,但绝不是合作关系,也没有什么共同的利益,我很痛心。但是,你可以调查,我与此事毫无关系。"

韩力讥讽地说:"是吗?你和此事毫无关系?我问你,你为什么会在那个网站里面这么活跃?为什么那个潜逃的犯罪分子会在第一时间接到你的电话和给你打电话?没关系,这还要什么关系?各种证据表明,你不但和他们有关系,你甚至还是其中一个不能忽视的大人物呢?!"

"这是不白之冤!你应该帮我。"

"不,"韩力说,"大哥,现在得是你帮我了。从现在开始,你将不能离开我的视线,你的一举一动都要向我汇报,由我负责,没我同意,不得擅自主张、自己行动,我给你三天的时间,你给我把关莉找出来,将功赎罪,否则,你就等着进班房吧!"

"三天,"我摇头,"我可没有关莉的任何联系方式,她要是不找我,我绝对找不到她。"

韩力摇头:"那我不管,反正你不管用什么方式,就是挖地三尺，倾家荡产，你也得给我找到她，现在，只有从她身上下手，才能找到更多的幕后人物!"

我被韩力关进了一个小单间里，陪伴着我的除了他，还有一台电脑。韩力命令我，二十四小时在线，与关莉联系，直至她回话为止。

"我今天答应了安琪，替她去照应一下公司。"我说，"我被你关在这里，怎么和她交代?"

"这个不用你管，一会儿我给她打电话，解释这一切。你给我留在这里，想想办法，把关莉给我找出来。"

我在韩力的监视下，用蕾蕾的名字给关莉发了一些信息，不过我当然知道，关莉是不会回的了，因为她知道了这个名字已经不再安全了。

"你们之间一定还有其他的联系方式。"韩力说。"我要你交代清楚，你们是否还注册了其他的名字用来联系。"

"没有了，真的没有了。"

整个下午我都被拘禁在这里，电话被韩力拿在手里，随时接听给我打来的电话，赵清明没有再来电话了。拨他电话，显示音是不在服务区，他已经把电话卡扔掉了。安琪来了电话，问我为什么不去公司? 韩力接了电话，很客气地给我请了个假，说他家中突然有事，要我帮着找人去解决。安琪就没有再说什么。

下午不断地有人来询问我，从各个角度询问，开始是韩力，后来韩力走了，又换了其他的人。他们不断地问着一些重复的问题，两小时后，我已经口干舌燥，我要疯掉了。

我问韩力我什么时候可以走，他面无表情。坐在那里给自己倒了一碗水，但是没有给我。我很生气，接下来什么话也不想和他说了，我们就这么干坐着，对着那台电脑，雯雯的头像一直在离线状态，她始终没有回话。

下午五点三十分，韩力接了一个电话，他的表情很凝重，出去了，他出去没有一分钟，又进来了一个穿警服的人，和我相对无言地坐着，屋里只有我们两个人，面对着一台一点动静也没有的电脑。那个人很沉默，一言不发地坐在那里看着我。百无聊赖间，过了至少有三十分钟，韩力进来了，这次他的脸上轻松了一些。

"你走吧。"韩力说，"今天到此为止了。"

我站了起来，伸伸懒腰，说："肯放我了？你终于发善心了？"

"不是我发善心了，是另有其人。"韩力说，"半小时前，赵清明在火车站一下车就被抓获，现在我们的人正在突击审讯他，他已经交代了，这些事和你没什么关系，你暂时可以回去了。"

"赵清明被捉住了？"我无限感慨地说，"他在哪儿？我可以看看他吗？"

"不可以。他已经被隔离审讯了。"

我叹了一口气，知道想再见赵清明，难了。

韩力看着我穿上外套，要往外走，突然冷冷一笑，说："记住，你的事还没完呢。我给你三天时间，如果你找不到关莉，你还是会回到这里的。"

5

外面起风了，风很大，我第一个想起来的事是去安琪的新公司，她交代我的事我还没干呢。

来到公司的时候，天已经有些黑了。我给安琪打了个电话，关机了。

我觉得安琪近来越来越神秘了，她的电话经常关机。这个作风不太像一个做广告的人干的，我原来在报社上班的时候，我们单位负责广告业务的人基本是二十四小时不能关机的，因为做这行随时都会有业务出现，但是安琪就经常关机，她不怕有人找她有事吗？

肚子很饿，走到一半我就没心情去公司了。我想都七点了，该干的活都应该干完了。我还是先去吃点饭吧，反正装修是个慢活，今天干完了，明天还是会有的，我明天再努力表现吧。

信步走来，发现路边有个店不错，外表上看来很典雅，是个日式料理店，想自己好长时间没吃日式料理了，今天自己就奢侈一把，一个人去尝尝那价格极高并不实惠的日本料理。

进了里面，还不错，环境很典雅不说，还很安静。选了一个靠墙角的位置，我要了一个寿司，一壶清酒，还有那种在日剧中特别受欢迎的秋刀鱼，一个人吃了起来。

喝了两口清酒，我想起了安琪。日式料理店是她带我第一次来的，我当时吃得不太习惯，她倒是很有兴致，她喜欢日式料理的清淡与干净，还有那种宁静的气氛，关键的是，当时她对日剧有种少年追星族般的迷恋之情。我们俩在收入还不错的时候偶尔一个月会来那么一两次，不过，那都是两年多以前的事了，近年来我们很少一起出去吃饭，就是吃也一般都很急，或是一起出去应酬，现在连应酬也少了，她的朋友都是生意场上的，我们谈不拢。她试着领我去了几次，后来也就不再带我了。

想想也真好笑，以前安琪喜欢日式料理的时候，我烦得要死，经常找借口不陪她来，现在好了，她没时间要我陪了，我自己反而撞上来了，人啊，真是一种犯贱的动物。

我一边吃着并不可口的秋刀鱼，一边给安琪打手机，还是关机的声音。我给她了个短信：我在一边吃秋刀鱼一边看窗外的美女，你在哪？

一只手突然搭在我肩上，接着一股熏人的酒气直冲了上来，一个人在我耳边呵呵笑着说："给谁发信息呢，朋友？"

我吓了一跳，回过头来，与胡 ·平撞个正着，他的脸色绯红，两眼血红，脸上挂着暧昧的笑，一看就喝多了。突然间身后出现了他的脸，还是一张扭曲的、浮肿的酒醉的脸，挺吓人的。

6

我还没反应过来，胡一平很粗鲁地把我的手机拿过去，看了一下，哈哈大笑起来："是你老婆的号码啊，怎么，玩时尚啊，不打电话发短信？"

我挺不满意地把手机抢了过来，说："你拿我手机干什么，听说过隐私权没有？随便看人家短信？"

"隐私权？噢，听说过，对不起对不起，我触犯了大记者的隐私权。"胡一平装模作样地说："不过，大记者，你老婆怎么不和你在一起，一个人吃秋刀鱼，不有点太凄凉了吗？"

"她在工作。"我板着脸，很不高兴地说。

"工作，给谁工作？"胡一平拍拍脑门，一屁股坐了下来，"我忘了，你老婆是在给自己工作，听说她的新公司马上就要开了，恭喜你，你马上就会成总经理先生了。"

"我没觉得有什么好恭喜的，这和我没什么关系。"

胡一平阴阴地笑了。"是啊，这和你没关系，不过这和我有关系，你老婆挺能干的，她真是太能干了，在我这攒下的业务，打好的基础，现在她拍拍屁股走人，拉走我所有的客户，再给我留下一笔烂债，还有一些谁也搞不清的收尾问题。"他把头挤过来，从盘子里拿起一条秋刀鱼，狠狠地折成两段，说，"她是玩空手道的高手，先是老莫，再是我，嘿嘿，真是能干啊。"

我呷了一口酒，不耐烦地说，"对不起，这些生意上的事，我不太懂，谁对谁错，我真的不好评价。"

"没有错，没有错。我不是老莫。"胡一平说，"这个世界就是这样，谁有本事谁捞。她不和我干了，自己高飞了，把我的客户全抢走了，我欢迎，我举起双手欢迎。"胡一平夸张地举起双手，"可是我就有点替你不值啊，老友，娶个能干的老婆，自己却甘心做个无能的丈夫。"

"嘿嘿，我本来就是个无能的人，就这么无能下去，也没什么不好。"

胡一平笑笑，说："是吗？真是难得你有这么好的心态。不过，今晚上是不是很想她，想得饭都吃不下了吧？那就给她打个电话吧，说她胡哥也在，大家一起坐坐，多热闹啊。"

我哼了一声，自顾自地喝了一口酒，你和一个酒醉的人没法沟通，我知道胡一平对我一直心存不满，这个时候我也没有心情和他辩解，还是以不变应万变吧。

胡一平看我不理他，也哼了一声说："怎么，不给她打，是不是她又关机了，你找不着她了？"

"她关不关机和你有什么关系吗？"

"没关系。"胡一平说，"不过都是朋友，有些事哥得帮你是吧。这样吧，"胡一平拿出手机，在上面拨了一下，递给我，说："用这个号找找她，看她是不是在？"

我狐疑地拿过他的手机，见上面是一个我从来没见过的号码。

"打吧。"胡一平说，"这是她的另一个电话号，我想她可能从来没有告诉过你吧。你给她打，她保证开着机呢。"

我看了看那个号，怀疑地拨了通话键。

等待片刻，安琪的声音在电话那头响起："喂，你好。"

我拿着电话，眼前胡一平直瞪瞪地看着我，眼中一点醉意也没有，电话那头又在问："你好，哪位？"

我把电话挂断了。

"很奇怪是吗？"胡一平说，"我们都知道这个号码，可是只有你不知道，是不是很奇怪？"

我冷笑一下，把电话放下，说："这没什么奇怪的，做这一行的人有个三个五个手机很正常，你不是也有好几个吗？"

"是的。可是，我至少会把家人知道的那个经常开着的，可是你老婆却正好相反。"胡一平笑着说，"她藏着一个你从来不知道的号码。她经常开着的是这个。"

"你什么时候对别人的老婆感兴趣了。"

胡一平摇头："没有，我没兴趣，我只对生意感兴趣，听说金鼎房地产的刘总和安总走得很近呢。我一直在想，这到底是什么原因呢？呵呵，现在我明白了。"

我说："你都明白什么了？"

"公关。女人是天生的公关高手。"胡一平说，"不管是在哪里，都一样。"

"什么意思？"

胡一平冷冷看着我："如果有人用上床的方式抢走了我的生意，我胡一平是不会吃这种暗亏的。"

我猛地一拍桌子，站了起来："你说什么呢你！你再说一遍。"

"天岛咖啡二楼青莲雅间。"胡一平拿出电话，"去给那里拨个电话，看是不是有位安女士和刘先生在那里密谈呢！"

我气得全身发抖，话都说不出来了。

"有件事我还要告诉你，她那个你从来不知道的电话号码，刘总也知道。"胡一平不依不饶地说。

我颓然地坐了下去，说："胡一平，你给我走。我不想听你说这些屁话！"

胡一平冷笑看着我，呷了一口酒。

"老胡，你怎么一下来就不上去了，大家都在等你呢？"背后有个熟悉的声音突然响起，回头看，是万绮珊。

万绮珊一见是我，愣了一下。再看看胡一平，似乎明白了什么，快步走上来，亲昵地将手放在胡一平的肩上，说："老胡，原来你和文波在这里，大家都在找你呢，看你这样子，是不是又喝多了？"

胡一平拍拍她的手，笑笑没说话。万绮珊冲我点了点头："大记者，幸会啊！一个人来吃寿司，真有情调啊。"

"是啊，幸会幸会，"我讥讽地说，"每当有人一在背后诋毁我夫人的时候，我总是能迅速地看见万小姐前来解围。"

"有这样的事？"万绮珊瞪大了眼睛，"一定是老胡他又喝多了胡说呢，他这人就这样，一喝酒嘴就没把门的了，你可千万别见怪啊。"万绮珊拉住胡一平的胳膊，往上提了一下，看得出来，他们之间的关系似乎已经发生了一些本质上的改变。与上次相比，进展快了许多。

我耸耸肩，未置可否。万绮珊低头在胡一平耳边说了什么，胡一平点点头，站了起来说："文波，对不起，我是喝多了乱说话，这两天心情不好，要不我不会这样的，绮珊她也说我了。这样吧，这顿饭算我的，当是赔罪吧。"

"不，不，我来吧。"万绮珊飞快地瞥了我一眼，"我一直欠着文波一顿饭呢。"

我很惊奇地看了万绮珊一眼，不知道她是怎么这么轻易地就让胡一平安静下来的。他可不是一个轻易就让女人给控制了的人。"不要争了。还是让最有钱的人来吧。"我冲侍者打个响指，"服务员，给我来一瓶这里最贵的清酒。记他账上。"我指了指胡一平。

万绮珊叹了口气，很有深意地看了我一眼，说："那你一个人慢慢吃吧，他喝多了，我送他回去吧。"

我看着万绮珊和胡一平走出饭店，透过一层砂玻璃，我看见在门口的胡一平脚步矫健，没有一丝酒醉的迹象，他们来到停靠在酒店门口的车前，胡一平给万绮珊拉开车门，万绮珊坐到副驾的位子上了。胡一平回头看了我一眼，我们俩隔着磨砂玻璃对视一眼，这一眼看后我更加相信，他没醉，一点都没醉。

7

我一个人快要喝光了要来的清酒了，这价值六百元的清酒没让我喝出什么不同来，反而有一点点的醉意浮上心头，胡一平是装腔作势醉，我可是有些真醉了。

我拿起电话，给安琪打电话，这个号码，是安琪从来没有告诉过我的电话号码，但是胡一平知道，那个刘总也知道，我想可能顾襄也知道，但是，我不知道。

电话通了，我能听见里面传来一阵阵音乐的声音，是一种典雅的轻音乐的声音。

胡一平说：天岛咖啡二楼青莲雅间。她就在那。

电话响了，安琪的声音："喂，有事？"

"你在干什么？"

"我正在谈一笔业务。"

"在哪儿，公司里吗？"

安琪迟疑了一下，说："不是，在外面。对了，谁告诉你我这个电话的？"

"怎么这个电话有什么问题吗？"

"也没什么，一个纯公务的电话，我一般不用它来接私事，公私分开，这样就比较清楚一些。"

"是吗？那我这时候来电话有点不合适了吧？"

电话那头，安琪没吱声。过了一会儿，她又问："你找我有事吗？"

"也没什么。"我说，"我就是突然想你了，你现在和谁在一起呢？"

"谈业务呢，办公事。"

"是的，我知道。"我说，"那是和谁在办公事呢？金鼎房地产的刘总？"

安琪沉默了一会，说："怎么了？有什么不妥吗？"

"也没什么？"我说，"你什么时候忙完啊，接我一趟吧。我现在在日本料理这儿，一个人喝清酒呢。"

"你自己打车回去吧。还要我接什么？我还忙着呢。"

"可是我就是要你接。"我开始撒赖了，"我头疼，喝多了，一个人走不了。"

"我在办公事呢。"安琪加重了语气，"一会儿我还要去公司，晚上要开夜车，你别闹了，自己回去，现在就回去，别再喝了，好不好？"

"不好。"我说，"什么生意那么重要，九点了还要谈。在你心中，是生意比我重要呢，还是有其他的人比我重要啊？"

"你什么意思啊你！"

"没什么意思啊。我跟你说，我现在快死了，你还不来接我啊?！"

"李文波，我和你说，我也快死了，我快累死了。你就放过我吧。你让我安静地想一些事情，处理一些事情好吗？别再给我添乱了，赶快回家去吧，算我求你了。"

电话挂断了。

我呆呆地看着手里的电话，显示屏上一个呆傻的男人正愣愣地看着我。

"服务员，"我喊了一声，"再来瓶清酒。"

两个小时后，我来到了一间网吧。我几乎是跌进去的，眼前天旋地转，我看见屋子里的电脑似乎都走样了，矮矮的胖胖的像一群小怪物挤压着向我冲过来，我哆嗦的手几乎都按不住鼠标了，但是我还是坚持着把电脑打开了，我进入了 QQ 里面，用那个新的用户名给雯雯发了一条信息：

你在哪？我想你。我们见面吧。

然后我就下线了。我要了一瓶矿泉水，喝到一半眼睛就开始发粘了。最后眼前一阵模糊，我睡着了。

电话把我打醒了。我惊喜地把电话从衣袋里拿出来，我想安琪终于和那个刘总忙活完了，一定是她后悔那样和我说话，来接我了。

打开手机盖，一个陌生的号码，接了，就听见一个熟悉的声音传了过来：

"我在 QQ 上和你说了很多话你怎么不理我？你现在在哪？"

我一下子清醒过来了，不是安琪，是雯雯，她回话了。

"雯雯，"我说，"我在一个网吧，我想见你，就今晚，你能出来吗？"

"好啊。我们在哪见面？"

我想了一想，说："天岛咖啡。"

赶到天岛咖啡的时候，夜色已浓，我头重脚轻地上楼，天旋地转，现在是几点钟了，我也不知道。我只知道一件事，我老婆和一个什么老总就在这里，他们在其中的某一个房间里，谈业务，也许谈完后，还会去开房，然后上床，再云雨一番。

服务员问我订了座位吗，我说没有。我又问他，青莲的那个包间里有人来过吗？服务员说刚刚有过，不过现在他们已经走了。

走了，他妈的。

我问服务员那是什么人，服务员告诉我说，是一男一女。

我仔细询问了这两个人的情况，服务员审慎地看了我一眼，告诉我说，那个座位是金鼎的刘总订的，刚才来的就是刘总，这里他经常来，每次都是点这个房间，所以他们都认识他了。

原来如此，看来胡一平没有说谎。

服务员问我要些什么，我问他有啤酒吗？服务员很善意地提醒我说，像我这种情况，最好还是先喝点茶静一下，他们这里通常在夜里十二点以后是不卖酒的。

好，那就来茶。服务员一听说喝茶，立刻来了精神，给我推荐了很多种茶，我最后要了苦丁茶。

茶端上来，一口饮下，不知不觉间，脑子里清醒了很多。

有电话打过来了，我打开电话，是安琪打来的。电话是我们家的号码。

这说明什么？他们没有去开房，她已经回家了？或者另一种可能是，他们已经开完房办完事，她自己回家了。

我把手机挂掉，我不想接她的电话，说什么呢？互相争吵没有意义，要我向她道歉，我也做不到。这个时候回家又难免会陷入互相指责与猜疑中，我不想回去，也不想接电话。

电话响了几声，不再响了。

喝了几杯苦丁茶，我的头脑越发清醒了，我再忆刚才的每一个细节，好像是雯雯打了一个电话，她马上就要来这里与我会合。

等她来了，我要和她说什么？

突然间一个想法撞进我脑海中，把我吓了一跳。

今晚只要我愿意，雯雯就会落网了。只要拨一个电话就行。

现在开始，给韩力去个电话。

这个想法让我全身一阵发冷，但是又有种莫名的兴奋。

在我的内心深处，有一个念头悄悄地出现，一点点越来越强烈了。

把雯雯交出去，这样你就可以彻底解脱了。

一个声音在悄悄地对我说。

电话就在我的手上，只要我拨一个号码，今晚雯雯就会落网。

不交出她来，你也别想洗清。韩力有话：三天之内，你若不能把她带来，你就要再回来。

趁着她还没来，我只要给韩力拨一个电话，这里面就没我的事了，我依然可以回到以前的生活中去，很阳光，很简单，很实际，说不定还能重新拾回我和安琪之间久违了的爱情。

我把电话拿出来，打开盖，用手触摸着键盘上的数字，手有些发抖，内心深处的那个声音正在急急地催促着：

拨吧，拨吧，让韩力来处理这一切事情，你就解脱了。

我开始拨号，很慢很慢。但是号终有拨完的时候，我知道，只要这个号码拨全了，一按发射，我就彻底解脱了。

号码一个个地出现在手机屏幕上，终于拨全了韩力的号码，我将手指按在"发射"键上，还没来得及有所行动，突然头顶上响起一个声音——

"对不起，我来晚了，让你久等了吧。"

抬头看，只见隔断式包间的门口，雯雯充满青春朝气地站在门口，她看着我，脸上的表情寂静而安详。今天的她，与以往相比简直有了天壤之别，上身是一件黑色的休闲 T 恤，下身穿着一条洗得发白的牛仔裤，脸上不施脂粉，一袭短短的黑发，很随意地散了下来，清纯可人，不带一点风尘之气。有那么一刻，我的眼前一阵恍惚，她的神态与装束，真是像极了离我而去的第一个女友麦芽。以至我那刚刚被酒精灼烧的大脑，一下子有种轮回转世的感觉，我真的误以为我又回到了大学时代，好不容易见着了约会时迟到的梦中女孩。

"怎么了？"雯雯看我呆呆的，忍不住一笑说，"看傻了？我有那么好看吗？也不请我坐下。"

她坐在了我对面的椅子上，我们四目对视间，一个想法突然强烈地占据了我的心灵，我不给韩力打那个电话，今晚我要用我自己的方式来解决眼前的问题。

"雯雯，"我看着她的眼睛，很认真地说，"你去自首吧。就在今晚。"

9

雯雯瞪大眼睛看着我，一言不发。

我开始很小心地对她进行劝说，多年来的工作经验让我越来越擅长于倾听别人诉说，以至于自己在各种场合都主动地有意识地放弃了话语权，但今晚，我必须让自己成为一个重新占据话语主动权的人，我要挽救一个已经就要死亡的灵魂，也是挽救我自己。

我依然带着浓浓的酒意，有点语无伦次地对她说起了这次全国开展的跨省网络扫黄活动，对她说起了胡东东，一个我从小看到大的孩子，赵清明，一个我一直很推崇的有为青年如何相继地成为罪犯的过程，也对她说起我现在的处境，和她的处境，我们的处境都非常危险了，但是只要她能自首，悔过，一切还有转机。我向她保证，我会帮助她完成这一切，我会从一个好朋友的角度出发，替她着想，我劝她一定要悬崖勒马，不能再执迷不悟了。

我不断说着，直到说得口干舌燥，因为酒精的作用，我的话缺乏逻辑，有些颠三倒四，这期间她始终没有插话，只是听我不停地说着。眼睛定定地看着我，眼神非常平静，她越是平静，我就越是心虚，我不停地说着，可是越说心里越没底气。我看着她的眼睛，突然发现自己似乎在自说自话，因为虽然她一直在看着我，静静地听我说，但是我又感到她的眼神里有种很空旷的东西，似乎在看着我，又似乎穿透了我的身体飘向远方，什么也没看。这眼神似曾相识啊！很多年前，有那么一段时间，麦芽在决定出国与我分手的时候，也经常用这种眼神看着我，这眼神一直让我手足无措，让我不停地说但越说心里越没有底气，就好像我知道有些事情要结束，但是却无力挽回一样。今晚，她竟然也出现了这种眼神，与那个人极其相似。今晚她真的非常像她，她的面容在昏暗的灯光下影影绰绰的，很不真实。在我眼中她们两人的形象不断重合，有时恍如一人，有时又分得很清，我知道可能是酒精在我身体里搁浅了一会再次发作了，但为什么我的头脑却越来越清醒。

我一直说着，说着，一个令人不寒而栗的念头突然出现，竟让我再也没有办法说教下去了。

她们会不会其实就是一个人？

可是这不可能，这不可能的，是没有这个可能的！

我呆若木鸡地坐在那里，为这个大胆的想法而震惊。

"你出了很多汗。"雯雯突然说话了。她从手包里拿出一叠纸巾，从桌子对面伸过手，轻轻地用纸巾在我头上擦拭着。

我一把抓住她的手："你在听我说吗？我和你说了这么多，你是不是一点也没有听进去？"

雯雯轻轻一笑，摇了摇头。"不，我在听着。"

"那你就没什么感想吗？"

"对不起，让你因为我受了连累。"她说，她手在我的手里轻轻挣了一下，但是我没有放手。

"现在别说谁对不起谁的话了。你和我一起去公安局吧。我那里有个朋友，他答应我会照顾你的。你这样下去，会把自己毁掉的。"

雯雯看着桌面上我握着她的手的那只手，咬紧了嘴唇，突然我感到她的手紧紧地抓住了我的手，长长的指甲刺进了我的皮肤里，很痛，但是我依然没有放手。

"痛吗？"雯雯微笑着说，"我想一定很痛吧，但是你没有放手，我喜欢这样被人紧紧拉着手的感觉，已经很久了，没有这样的感觉了。没有人这样地握着我的手，不管痛还是不痛，也不会松开。"

她抬起头来看着我，我们四目交接间，她的眼睛湿润了。

"你有没有想过，"雯雯语调平静地说，"即使我去自首了，但是自首以后会怎么办？我还会有什么样的生活？"

"你可以忘记过去，重新选择一种生活。"

"怎么重新选择？"雯雯反问，"假装什么也没发生过，假装自己的身体还是纯洁的没有被任何人看过吗？你有没有想过，当我自首了以后，当我的事情被电视、报纸、网站登出来后，我会是什么样感受？还会不会有人像你这样，握住我的手不放？"

"可是，你现在又怎么样？你现在生活得就很好吗？雯雯，你听我说，任何事一旦决定了，都会有很难做的时候，但是必须要挺过去，要不，你就一步也前进不了。"

"是的。我知道。我现在的生活很差，但是我也知道，我自首了以后，我的生活会更差。"雯雯的眼泪悄悄流了下来，"你了解我吗？你知道我其实是个什么人吗？我其实是个妓女，甚至不如一个妓女，妓女们在床上被一个人强奸，一天最多也超不过十次吧？可我是在电脑屏幕前被很多人强奸，没有限度，也没有次数，妓女至少还知道是谁在占有着她的肉体，但是我连这一点都做不到。"

雯雯哭出声来。我从桌上递起纸巾给她。

雯雯接过纸巾擦了一把，情绪越发地激动起来，说："你知道我最怕的是什么吗？我最怕的是人的眼睛，因为我每天都被这些眼睛强奸着，被很多人的眼睛，他们来自全国各地，都是什么人我一无所知，但是却每天都在被他们凌辱着。我不管做什么样的表演，脸上挂着多恶心的笑容，我也永远不会看他们的眼睛。现在在生活中我最怕的就是和人面对面地对视，真的。如果有一天当警察把我放到审讯台前，看着我的眼睛时，我会崩溃的。我不敢想像，当我的事情被公开后，当有人向我投过来这样那样的眼神时，我会怎么样，我一定会疯掉的。"

雯雯把头伏在我的手上，哭了起来。我用手轻抚着她的头发，我知道她说的都是对的，这种内心的恐惧是我无法帮助她的。

我让她哭了一会，将她的头扶了起来，说："雯雯，抬起头来，看着我的眼睛。"

雯雯抬起头来，她的眼睛里蓄满了泪水，楚楚可怜，我的心疼了一下。我将她的脸托起，让她的脸与我的脸在同一水平线，让她的视线和我的视线平行。

"看着我。雯雯，"我说，"现在，看着我的眼睛，我也是那些用眼睛强奸过你的人，但从今天开始，我发誓永远不再这样做了。你要勇敢地看着我，这是一个曾经强奸过你的人的眼睛，你要正视他，面对他，你不要怕，你看着我，不许眨眼，不许躲闪，不许哭，也不许再想其他的事情。你只要看着我，想像着，你不是在看我，你是在看所有的人，在看这个世界，在看你自己曾经破碎和污浊过的内心，你要勇敢地看。你一定要对自己说，你能承受得住。以前你在虚拟的世界里犯罪，但在现实的世界中，你将是清白的，也将是纯洁的。从今往后，你要远离那个虚幻的世界，你要敢于面对现实，从现在开始，你看着我，这就是你面对崭新生活的开始。"

我们两人四目相交，我在她的眼神里看见了我自己的影子，我想她一定也在我的眼神里看见了她的影子，这世界就是这样，你中有我，我中有你，实中有虚，虚中有实，虚虚实实，颠颠倒倒，人生轮回不息，如此而以。

雯雯毫不畏惧地看着我，泪水不再流了，她的眼神里有种炽烈的火焰，正在燃烧，燃烧着她自己，也燃烧着我。

"怎么样？你从我的眼睛里看见了什么？"我问。

"李文波，"她梦呓一般地轻声说，"我从你的眼睛里看见了我自己，我发现自己长得真是挺好看的。"

"我也从你的眼睛里看见了我自己，我长得真是太难看了。"

如同一朵花渐渐绽放，雯雯不由自主地笑了。

"李文波，我问你，你了解我吗？"

"不知道。"

"你不了解我，一点也不了解我。"雯雯将眼神转向别处，"你心目中的我，并不是真实的我，你眼中的我，也不是真实的我。"

"不会的。我是一个看人从来不会走眼的人。"

"但这一次，你大错特错了。"雯雯轻轻地说。

我们把眼神从对方那里抽离，无言地喝了一会儿咖啡，雯雯突然兴奋起来，说："结账吧。咱们走。"

"去哪？"

"去一个地方，让你见见我生活中的另一面。"

第十四章

1

我们来到了一座靠海的民宅。这里远离市区，环境很幽静，海风轻轻吹拂着脸颊，海浪的声音环绕在耳边，空气中带着一丝甜蜜的味道。

我们上了这套民宅的三楼，打开门，里面一片漆黑，雯雯开了灯，灯光也很昏暗，在昏暗的灯光下，我发现自己面对的是一个很小的客厅。一台电脑放在屋里的左侧，一个可视头胡乱放在主机上，还有一张桌子摆在地中央，上面放着很多的方便面盒，杂乱而又充满着生活的气息。

"这是你现在租住的地方吗？"我问。

"不，是我们的。"

我环顾这间屋子，客厅里家具简陋，除了厚厚的密不透风的窗帘外，看不见什么有特色的东西。

"来吧，"雯雯说，"参观一下，这就是我们工作和学习的地方啊。"

她领我进入其中的一间卧室，推开门再打开灯后，奇景出现了。这间十几平方米的房间，除了几件极简单的家具外，还有四台电脑，每台电脑旁都至少有两个可视头，电脑被从房顶悬挂下来的布帘隔起来，成了一个个小包间，我感觉自己好像进入了一个拥挤的网吧。这里和客厅一样，窗子紧闭，窗帘极厚，一点光也透不进来。

"再看看这个屋。"雯雯又领我推开了另一间卧室，这也是一个十几平方米大的卧室，最引人注目的是房子中间有一根钢管竖了起来，从房顶一直固定到地板上，这间屋子铺的全是木质地板，四台电脑环绕在钢管的四周，可视头对着钢管的方向摆放，这样就人为地围出了一个以钢管为中心的舞台。

"这是一个舞蹈表演场所。必须要光脚跳，这样动静才会小些。"雯雯指着那根钢管说，"地方很窄，跳不太开。不过，把那个管子弄来安上也挺费事的，你别小看那根管子，现在很多夜总会都是用这个来表演的，这是美国正宗的钢管秀的器材，材料很贵。这个就算是我们这个聊天室的特色了。"

我们又进了第三个卧室，这里面摆着两张床，床上有被，床的四周也摆满了电脑，有个帘子从房顶吊下来，把两张床隔开，就像两个房间一样了。电脑在床头放着，如果有人在床上做什么，透过可视头会看得一清二楚。

"我明白了，这是你们进行视频表演的地方对吗？"我说。

雯雯点头："没错，我们基本上一天都是泡在这里，现在我手下有六个人，大家同时上线，从晚上九点开始一直到早上四点。"

"那你们住在哪里呢？"

雯雯向下指了指："楼下有个两室两厅的房子，我们工作结束后就住回那里。"

"你们包了两间房？"

"是的，"雯雯说，"这是上个月刚租下来的。这样很方便我们做活，我们一般白天就在楼下睡觉。如果有些宝贝来了例假或是有什么事不能表演的时候，她们也会在工作的时间选择在楼下休息，只有表演的时候才用上楼上这间。"

"在这里表演，会被人发现吗？"

"我想不会。我是经过仔细调研后才选择的这里。这里远离市区，又在海边。住户很少，到了晚上来往的人更少。再加上这套住宅因为建在海边附近，晚上海风和海浪发出的声音很大，只要把门窗封住，应该说里面怎么闹，外面也很难听见。对于做视频表演的人来说，这是一个非常理想的地方。"

我环顾了一下四周，长这么大生平第一次来到这样的地方，看着屋里一台台电脑的屏幕在夜空下闪着森冷的光芒，有种很诡异的感觉。

　　"如果条子们发现了这里，我们就全完了。"雯雯说，"这是一个非常隐秘的场所，一年来，我们换了几个地方，这里是我千挑万选才选中的。在这段时间里，决不能再出事了。为此，我们不惜增加成本，用两个名字租了上下两层，而且所有的人都发过毒誓，除了我们之外，决不能带任何人来这里。平时表演时，楼下总会有人轮流值班，就是起警戒作用。如果条子来了或楼下有什么异常情况，第一时间里大家就会知道。我们就会马上全部转移到楼下，上面空无一人时，就算条子闯进去，也不会出事了。"

　　"你们可真是考虑得太周全了，"我说，"可是为什么把我带到这里呢？你不怕我把条子带来？"

　　雯雯笑了笑，说："从见到的第一天起，我就没有过这种担心。"

　　我们挨个屋子里转了转，雯雯感慨地说："看看这里的每个屋子吧，就是在这里，我们每天给那些会员们进行各种各样的表演，有时是在桌子旁，有时在床上，有时还要围着钢管进行脱衣舞表演，这多像一个夜总会啊！只不过，这是一个网上的夜总会，我们是一群夜总会里的妓女，同样的，也是网上的。"

　　"你的那些宝贝们呢？"

　　"我把她们支走了。我告诉她们，今天所有的表演全部结束，休假一天。因为我的男朋友要来，我要陪他。"

　　我看了雯雯一眼，说："男朋友？找了这个借口？"

　　"是啊，"雯雯拉住我的手，"难道一个妓女就不能有男朋友吗？"

　　我握紧她的手，用力捏了一下，说："不要这么说自己，你不能这样自暴自弃。"

　　雯雯摇摇头，笑了，说："没有。其实我很高兴，这么多年来我一直过着见不得光的生活。但是今天当我和她们撒这个谎的时候，我真的很高兴，我要是有你这样的男朋友，多好啊！虽然我知道这是不可能的，但人有时候这样地撒撒谎，也是好的。"

我轻轻抚着她的脸，说："不要这么说，这世上没有什么事是不可能的。只要你肯改变，一切都是有可能的。现在，我就让你看看，其实这种可能一直就存在着的。"我突然有了一个想法，于是快步走过去，把屋子里所有的灯全关上了。

本来就被遮蔽得很严实的屋里，突然间没有了一点光亮，一下就漆黑一片，几乎伸手不见五指了。

雯雯惊慌地喊了一声："干什么？你关灯干什么？"我摸着黑走近她，拉住了她的手，她像抓住一根救命稻草一样，紧紧拉住了我。

"现在，拉着我的手，不要松开，我们向前走。"

我领着她一步步向窗口走去，走到窗前我们停住了，我屏住呼吸，抓住窗帘的一角，用力一扯，窗帘很厚很沉，一下子竟没扯开，我再使劲一拉，"嘶"的一声有布帛撕扯的声音，几米长的窗帘突然从中间裂开了，坠了下来，如水的月光带着一种被释放了的久违的光彩一下子泻了进来，屋子里被照亮了，只见窗外，一轮明月高悬天上，远处一片深色的黑暗中，有一点红光在闪烁，那是海中的灯塔的眼睛，正在探照着脚下未知而混沌的世界。

"啊，太美了。"雯雯惊呼了一声，把脸贴到了窗子上，月光就在我们的头顶，隔着一层玻璃，朦胧如情人的眼波。面对着窗外的如水月光与黑色的海岸线，雯雯的眼神迷离，表情沉醉，令我怦然心动。"来，让我们把窗子打开，把月光全放进来吧。"我一边说着一边拉着她，我们把所有的窗帘全拉了下来，把所有的窗子全都打开了，一阵清冽的海风从各个敞开的窗子里吹了进来，残存在窗棂上的窗帘碎布迎风飘扬起来，隐约间海浪起伏的声音也传了进来，很低沉，雯雯的头发也飘了起来，风吹乱了她的头发，像一个不食人间烟火的仙子。月光不受一点阻碍地照射了进来，映在雯雯的脸上，映在我的脸上，我们互相对视一眼，发现在月光下的对方，很纯洁，也都很美丽。雯雯倒向了我的怀里，不假思索地，我搂紧了她的腰，将她的红唇捕捉到我的嘴里。

她的舌头在我的嘴里轻轻地颤动着，她的口腔里有种口香糖的香气，很奇怪，我发现自己全身所有的细胞在这一吻之下似乎都活了起来，久已没有的欲望全都涌了上来，我用力地吻着她，笨拙地抚摸着她的身体，她也同样搂紧着我，贪婪地吻着我，身体紧紧贴着我。

我们在月光掩映的窗前狂吻，而此时，厚厚的窗帘都已经被撕破，屋子里满是月光，就在这月光的怀抱里，我们深深地吻着，抚摸着对方的身体，欲望如火一样地在双方的身心里燃烧。忘了是谁先开始的了，我们已经不能忍受任何能隔离开我们身体的东西，我们开始互相解开对方的衣服，只一会儿工夫，都赤裸着面对对方了，月光下，我看见雯雯的身体有一种惨白的光辉，很洁净，也很秀美，细腻的肩背，丰滑的胸乳，曲线流畅的腰臀，一如青春般地丰盈成熟，坚挺苗壮，更让我那久已萎缩的身体与久已委顿的精神迅速走向复苏。我抚摸着这些青春的印记，把她的整个身体环抱起来，在月光扫满的屋子里旋转，旋转，雯雯不停地笑着，这是我第一次听见她这样放肆大胆地笑着，银铃一样的笑声，令久违了的情感突然喷薄而出。我抱着她，一直旋转着，直至旋转倒在一张床上，我把她压在身下，我们再次深深地吻着，吻着吻着，我的身子被翻转了过来，她骑在了我的身上，在我的头顶，她长发乱舞着，向下俯视着我，像一个女巫。我们身边伫立着一台台冰冷的电脑，电脑显示屏上闪着森冷的光芒，在这头顶月光温柔地抚摸与身边电脑显示屏森冷光辉的照映下，我们彼此进入了对方的身体，很顺利很直接，没有前戏，也没有任何的阻挡与推就。我们迅速走入了对方的身体里，当她开始动的时候，我恍然间已经不知道这是什么地方，是在现实生活中，还是在电脑所隐藏的那个地下社会里，但这一切都不重要了，重要的是，在她不断的剧烈动作下，我的高潮出现了，这种感觉已经消失太久了。

在这剧烈的，亢奋的时候，我突然问了她一个与此刻的情绪毫不相关的问题，我问她："你认识麦家慧吗？"

她没有回答我的问题，仍然在剧烈地动着，当我终于翻过身把她压在身下时，我想我的问题是多余的。

2

很畅快的一个夜晚。

窗子还是开着的。屋子里海风吹彻，窗外海浪的鼾声阵阵，但是我们不感到寒冷。因为我们正在用彼此的体温温暖着对方。

雯雯俯在了我的胸前，一言不发，但是脸上的表情却是很满足，也很幸福的样子。

我筋疲力尽，腿都软了，但是脑子很清楚，我担心的这一切，终于发生了。

"你在想什么呢？"她打破沉默，碰碰我。

"我在想，你终于还是实现了对我的承诺。"我轻轻抚着她的头发，说："你已经不再欠我任何东西了。"

雯雯轻轻用舌头擦着我的耳际说："但是，你快乐吗？"

"我很快乐。"我说，被她的舌头弄得很痒，全身颤动了一下。她察觉到了，用手向下一摸，笑着说："又有反应了，你还要吗？"

我挡住她的手："等一下吧。我累得腰都直不起来了，人一上岁数，就不行了。"

"性原来真的是很快乐的。"雯雯沉思着说，"我真的没想到，在这个痛苦的地方我还能真正体会到性的快乐。"

"我也感到很奇异，这些电脑都放在身边，让我有种感觉，似乎我们现在是在电脑的里面做爱，而不是在现实生活中。但是这感觉却真的很让人难忘。你为什么会选择在这里和我这样呢？"

我说。

"因为在这间屋、这些电脑里面装着很多痛苦的回忆。但是这痛苦的记忆因为你来了，终于有了些温暖。我要你记住这个地方，记住我，我也要我自己记住你，记住在我痛苦的时候你曾出现在这里，给了我一些温暖。"雯雯轻轻地用舌头在我肩上擦着，喃喃自语着："你知道吗？这间房子白天我们这些人谁也不会来，晚上来这里就是一个工作的场所，大家只要一进来，情欲就全都自动停止了。这是一个滋生痛苦的地方，我曾经发过毒誓，除了自己以外，决不让任何其他人进入这个地方，见证我的痛苦，否则我就不得好死。"

"可是，你却把我带了进来，你不怕誓言灵验吗？"

"不怕，因为比起要和你在一起的事，毒誓发作了也没什么可怕的。"

我感动地搂紧了她丰满的身体，说："为什么？我何德何能，要你对我这样的好？"

"因为我爱你，自从第一次在面馆里见到你时，我就爱上了你。"雯雯在我的怀里支起身子，目光炯炯地望着我，"可是，你爱我吗？"

我凝视着她的眼睛，沉静地说："老实说，我不知道。"

"其实也没什么，你爱不爱我并不重要。"雯雯的眼眶湿润了，"我从没有要求你也爱我，我们本来就是两个世界的人，但是我欠你的，我一定要还你。"

"雯雯，爱是一个很难说清楚的事情，但是在你的生活里，必须要清楚的不是爱或不爱，欠还是不欠，而是下一步要如何走下去，"我把她的脸托起，"我想知道，明天早上，你会做出什么样的选择？是和我走，还是继续留在这里。"

雯雯默然了。她把头埋进我的怀里，我感觉到她的胸脯在急促起伏着。

"雯雯，"我指着窗子说，"你看，这屋子里的窗帘都已经被我扯坏了，它们再也不起作用了，所以月光才能照进来，你喜欢这月光吗？明天早上，你如果还把这些窗子全都关上，把窗帘全都挂上，那这里就什么光也进不来了。"

雯雯顺着我的手向窗前望去，表情很复杂。

"雯雯，不管怎么样，到了明天早上，我们两人必须要有一个选择，是走是留，你只有一个晚上的时间去决定。"

我感到胸前有种湿湿的感觉，低头一看，是雯雯的眼泪滴在了我的胸口。

雯雯抽泣着说："我向你保证，明天早上，我不会再来这里了，永远也不会再来这里了。"

我一阵惊喜，坐了起来，把她搂在怀里，说："太好了，你想通了。"

雯雯低低地应了一声。

我难捺心中的喜悦，紧紧搂着她，吻着她的脸颊。

"雯雯，我也向你保证，我一定会让你平安无事的。真的，我一定会让你拥有一个全新的生活的。"

雯雯含着泪笑了笑，说："我想你会做到的，只不过过了今晚，你就不再属于我了。"

我抱住她，一时无言以对。

她说的其实是有道理的。过了今晚，我会把她送到韩力那里，我们之间，将不会再有未来。这也正如同当年麦家慧离开我一样，那是因为她也清楚地知道，我们之间不会有未来。

可是，就算明知这一点，一想到这些我的心里仍会很惆怅，很压抑，不知当年她离开我时，是不是也和我有过同样的心绪？

现在，我的心里仍然是这种感觉。

"你怎么了，是不是生气了。"看我半天不说话，雯雯有些慌了。

"没有，"我强颜欢笑，"我只是在想，你真是个悲观的人。哪有你说的那么惨啊！"

"不用骗我了。"雯雯凄然一笑，"但是也没关系，我从来也没想过会拥有你。就像我怎么也想不到自己在情感迟钝了这么多年以后还会爱上一个人一样。不过，这一切都不重要，对我来说，一生有一晚就足够了。"她把脸贴了上来，与我面对面地凝视，离得那样近，她的脸几乎都要贴在我的脸上。我看见她的眼睛深深地凝视着我，里面蕴含着无尽的深意。

　　雯雯说："我对生活没有什么太高的要求，我只是想在今晚彻底地拥有你，一个我曾经爱过的人。我要你也好好地看着我，别眨眼，也别躲，更不要想别的事。我只要你全神贯注地看着我，你看吧，这是我的脸，一张属于你的脸，也许过了今晚，你将再也不会见到这张脸，也许过了今晚，这个人的感情也会面目全非了。"

　　我刮了她的鼻子一下："胡说？过了今晚，才是我们之间一个新的开始，哪会再也见不到你呢？"

　　雯雯低声说了一句："希望如此。但愿如此。"

3

　　我是早上被手机的铃声音震醒的。昨天晚上，在雯雯的主动要求下，我们又做了两次，已经很久没有这样淋漓酣畅过了，就算在新婚的时候我和安琪也从来没有这样激情过，在凌晨三点钟的时候，我们两人都累得几乎站也站也不起来了，相继拥抱着睡去了。

　　铃声响了至少有十多遍才把我惊醒。我睁开惺忪的睡眼，第一眼就被窗外的阳光刺痛了。原来天已经完全亮了。昨晚温柔的月光已经被上午炽烈的阳光取代了，一下子就灼痛了我的眼。

　　我躺在床上，听着电话一遍遍地响，全身仍然很无力的感觉，我不想起来，但是电话很执著，我咒骂一句，决定还是接一下吧。习惯性地伸出手向旁边摸去，床边没有人，雯雯不在。

我下了床，从桌上把电话拿过来，好像是故意气我，电话一拿到手立刻就不响了。我看了看上面的未接号码，是一个手机号，安琪的手机号。

昨晚我一夜未归，她一定是要责问这件事情。

我决定不回，因为我不知道如何开口和她解释这一切。

昨天夜里，在我还不能确定她是否做出了背叛我的事之前，我先背叛了她。

这时候我已经完全清醒了，我想我其实没有理由指责安琪什么，她未必做出什么伤害我的事来，但是我肯定已经做出了伤害她的事，男女之间的这种事，对错很难区分，任何的指责与咒骂都是非常情绪化的，不理智的，也没有多大意义。

我和一个萍水相逢的女人一夜激情后，应该如何面对接下来的事？是忘记一切，再回到原来的生活中去？还是继续这样下去，享受雯雯丰满的身体继续放纵自己的情欲？

这个问题令我头痛。

我站了起来，发现窗子全部已经关好了，我的衣服也叠好了放在了桌上，地上那些碎裂的窗帘也被叠起来放在了墙角，看来，雯雯早上起来收拾了一下。

雯雯。我喊了一声。

没有人答应。我突然有种不好的预感，她是不是已经走了？还是——

我挨个屋地去找，哪个屋里都没有她。

我颓然地走回卧室，坐在了床上，看来她真是走了。

她终于还是没有选择和我一起去自首，我现在已经没法再找到她了，因为我没有她的任何联系方式。

坐在床上，我百无聊赖，决定还是给安琪打个电话吧，有些问题虽然令人头痛，但还是要解决的。

我站起来走到桌前，把手机拿了过来，就在这时，突然，我发现桌上除了我的手机，还有一个东西放在那儿。

是一个黑色的防水帆布包。

这个东西很眼熟，我拿了起来，掂了掂，分量还很沉，在布包的正面，还写着一行娟秀的钢笔字：

"这是给你的，请打开它。"

我想起来了，这个东西曾经被雯雯藏在了马桶的水箱盖里，然后由我替她取了出来，后来几经辗转，又由我再次取出来给了雯雯。上一次见到这个东西时是在那间网络宾馆里。

东西还是那个东西，但不同的是，布包正面多了一行字，应该是雯雯写的吧。

我把那个包拿起来，发现这个布包的封口已经被打开了，上次给雯雯的时候，本来是缝制得严严实实的。

我把包里的东西倒出，从里面掉出一个厚厚的硬皮的记事本，还有一个大信封，我用手在包里掏了掏，没有东西了。

原来包里只放着这么两件东西。我拿起了那个信封，见上面也写着几个字：给你的。

字上的墨迹和刚才在布包上的一样，看来也是她写上去的。

我把信封打开，里面有厚厚的一叠信纸，纸里还夹着一张照片。

我先拿出照片看，发现这是一张放大了的黑白照片，上面有密密麻麻的一群人，是一个大的合影照，我扫了一眼，突然心头有种被雷电击中了般的感觉。

这张照片，我见过。

这是一张很多年前的那种毕业照，上面全是稚气未脱的男孩女孩和一群老师装束的人。因为时间太久的缘故，照片已经有些泛黄了，但即使如此，在照片的正中间一个最醒目的位置上，依然可以看得很清楚，站在那里的一个女孩正是我当年的恋人——麦家慧。

⌗

我曾经看过这张照片，在我前女友那里，在我现在的老婆安琪那里，我都看过这张照片。我也永远难以忘记这张照片，那照片上的人，曾一度是我的最爱，但是我最后把照片撕掉了，因为她后来离我而去。现在，很奇怪的是，在一个萍水相逢的视频女郎的手里，我竟然再次发现了这张相片。难道这中间有什么联系吗？

也或者，雯雯竟然真的就是麦家慧？

我被自己的这个大胆的想法搞得心头怦怦乱跳，莫名其妙地兴奋起来，急匆匆地把照片放下，拿起了那一沓子信纸，上面写满了密密麻麻的字，字迹和墨迹与布包、信封上的一样，不用说，这也是雯雯写的，我想她是什么时候写的呢？应该是在我睡着了的时候吧。这么说，她昨晚上一直没睡，在我熟睡的时候，她写下了这封信，然后，绝尘而去了。

不管怎么说，这封信里一定有我所想知道的答案。

我把信打开，发现信纸的上面有几处洇湿的痕迹，我用手摸了摸，那种湿湿的感觉还在，我知道这是什么了，这是眼泪掉下去的痕迹，这么说，雯雯在写这封信时哭了，她是哭着写完的这封信。

展开信纸，坐在床上看这厚厚的信，信的字迹很潦草，似乎她在写的时候很急，心里也很激动，我仔细地读这封信，只看了几行字，那惊涛骇浪般的感觉就令我内心震颤起来，我再也坐不住了，索性站起来，走到窗前，站在阳光明媚的窗下读了起来。纸上的文字呼啸着向我冲来，而其中夹杂的风雨之声凄厉之意更令我的身心在这个上午的阳光普照之下，刹那间冰冷彻骨。

5

雯雯的信：

亲爱的，请允许我这样称呼你。尽管我明知你永远也不会爱我，但是我还是要这样地说一句。昨天晚上，在你熟睡的时候我留下了这封信，当你看到这封信的时候，我知道我们已经彻底结束了，你不可能再见到我了，永远没有可能了。从此以后，我会把我对你这段真情藏在心里，但不会再进入到你的生活，给你带来麻烦。

在我离开之前，有些事情我要和你说明白，要不，你会一直蒙在鼓里，把很多事情想错了。我要告诉你，你所见到的有关于我的一切都不是真的。真的，你永远也不会想到我为什么要和你说那些话，我为什么要你好好地看着我，看着我的脸，因为，那不是我的脸，那是另一个人的。我，拥有的不过是一张假面。

是的，那不是我。那是我花了五万块钱，把父母所有的存款都取走后伪造的一张脸，它属于另一个人，不属于我。我也知道，你被我吸引，是因为那张脸，如果你看到了真实的我，你不会这样地对我的。但是，你要相信，不管你是怎样的，我的心里是真的喜欢你的，我的脸是假的，但我的心是真的。

和你说说我的过去吧，对你来说，这是不是一直都是迷呢？我其实是一个长得很平常甚至于有些丑陋的女孩。从小到大，没有人注意过我，更没有男孩子主动表示过他们喜欢我。我是个很自卑的人，从小学到中学，我一直活在这种自卑的阴影里，对于一个女孩来说，长得丑就是罪过。再加上家庭条件差，更是罪上加罪。我的父母都是社会最底层的人，父亲是环卫工人，就是人们说的扫大街的，天不亮就要去上班，母亲一直病在床上，吃病老保，我家很穷。长得丑，又生长于这样一个家庭，是不会引人注意也不会被更多的人喜欢的。我从小就自卑，这种阴影一直持续到高中，自卑导致了我的学习成绩很差，也不太爱说话，几乎一点交际能力也没有，没有男孩子喜欢我，也没有女孩子愿意接近我，因为我的形象，再加上家里穷，总是穿着破烂的衣服，人们不愿主动接近我，甚至已经习惯不把我当回事了。

但是再平凡再丑陋的人也同样都有人的七情六欲，我现在就和你说说我的情事吧，因为这些事对于我成为现在的我，简直是太重要了。

上高二的时候，我的青春期也到来了。我开始喜欢上一个男孩，那是我哥哥的一个同学。他人很帅，是打篮球的，在体校上学，我哥哥第一次把他带到我家里来的时候，我一下子就被他迷住了，他高挺的身材，健壮的体格，还有那一笑起来就满口的白牙，都让我迷醉，这是一个健康而干净的男孩，和我班上的那些个满嘴脏话乳臭未干的毛孩子完全不同。他的篮球打得好，歌唱得也好，听说也有不少的女孩子追求他，喜欢他。这个人平时很傲的，我哥哥那天把他领回家来，也感到很荣幸，兴奋的他都有些语无伦次的。

那天这个男孩——我记得他叫高健，只在我家呆了十五分钟，但是我一下子就爱上了他，而且爱得一塌糊涂。晚上做梦也梦见了他，早上茶饭不思，老是想起他那天一笑就露出一口白牙的样子，你别笑我。我那时刚十七岁，正是青春萌动的时期。

但是我也知道，这是不可能的。他的家庭出身很好，又因为有篮球特长而成为体校的重点培养对象，前程似锦，追求者也多，他是不可能看上我的。但是我仍然无法停止对他的思念。我以前从来不看篮球，现在却为了他，一场不落地去体育场看球。我看球时候的表现和那些一心只为出风头的女拉拉队员不一样，我很低调。总是一个人坐在看台上最偏僻的角落里，等着我心爱的人出场，静静地看他的每一个动作，默默回味着，然后再渴望着能在梦里重温这每一眼记忆。

这种情绪一下持续到了高三，在这期间，我从没有喜欢上别的男孩，当然，也没有男孩子喜欢过我。我一直暗恋着他，也知道，其实他这一年多也没闲着。那些个女拉拉队员很多人就是冲着他去的，他也不客气，照单全收。他们这些体校的学生，本来就风流成性，睡几个女学生，都是并不新鲜的事。每天，当听见身边的女孩子说起他的那些风流韵事时，我表面上若无其事，但心里痛得要死，可是，我知道这和我毫无关系，即使他不和那些女孩子们在一起，他也不会选上我。

整个高三，我一直在这种惆怅的情绪中度过。学习成绩本来就不好，现在更差了。我父亲对我很失望，但是也没办法，我们家的经济状况，就是我上了大学也很难供得起我，尤其是我哥还要结婚，家里一共只有两万多块钱。上大学一年的学费和勤杂费用就得小一万块钱，我们家也掏不起。

在整个学校里，我没有朋友，没有一个可以倾诉的人。我是一个自卑的人，而因为这份明知不能得到的情感，更陷入了孤僻的边缘。我的话很少，也没有什么交往，在学校里除了一个教我们语文的严老师对我很好外，没什么朋友，也没有什么可以交心的人。严老师对我好，是因为我在语文这一科特别是作文上还是不错的，但是他不是我的班主任，他只能给我一些细小的照顾，解决不了大的问题，但这对我来说，也是难得的。

高三毕业那年，我没考上大学，只是和那一年的所有毕业班学生合照了一张毕业照，就和这个高中学校彻底断绝关系了。严老师认为我的底子还是不错的，他支持我补学一年，继续考，但是我家里不同意，我哥那年要结婚，家里拿不出钱来，我爸托人给我在商场找了一个当售货员的活，想让我早点上班，解决点家里的负担。我自己对考学这事也不上心，我认为我没什么希望再考上学了，考上了又有什么用，一个家里一贫如洗又长得丑的女孩，在大学里比在高中也好不了多少。

我还是去体育场看球，不过经常看不见高健了。听人说，他已经被石家庄的一所体校录取了，马上就要走了。

听说他要走后，被相思之情折磨得痛苦不堪的我终于忍不住了。我从哥哥那里打听到他的宿舍在哪儿，晚上，我去找他了。

如果那天晚上我不去找他，我的命运不会发生改变，也不会成为今天的我。那天晚上，我壮着胆子来到他的宿舍，在门口犹豫了好半天，我不知该不该进去，也不知进去要说什么，几次我都想离去，可是又一想，为他朝思暮想了两年多，就这么走了太不值了。我终于鼓起勇气，敲了敲门，但是门根本没锁，我一敲，门就自己开了。

高健坐在屋里，正一个人喝着闷酒，已经快要喝醉了。我后来才知道是为什么，他和他的女朋友分手了，他正为这个事烦恼呢，我突然进来，很唐突，但他认出我来了，是啊，像我这么丑的女孩儿，一般人见过也会有点印象的。他问我来干什么，我脸红，说不出来，他就让我坐下，还问我吃了吗？我说没吃，他说既然你哥和我那么熟，你也别客气了，一起吃吧。

我后来才知道他其实是个很随便的男人，那天晚上，他喝了很多酒，还逼着我喝酒，我想他后来醉得连我是谁都记不住了，见他那样，我其实应该离去，但是我没走，还陪着他喝了酒。后来他把我推倒在床上时，我几乎都没有反抗，我做梦也没有想到第一次单独找他竟然就这样了。但是我没有后悔，也没有恐惧，我只有兴奋。他把我按倒的时候，说了很多话，他说他也喜欢我，说他也一直注意着我，每次打球的时候都看见过我，他也知道我对他好，还说他要带我走什么的，他亲吻我的时候我全身都在颤抖，一点准备也没有，一点反抗也没有就这样被他把第一次拿去了。

那天晚上，尽管很疼，也为自己如此轻易失去了贞操而惶惑不安，但是我还是很幸福，也很满足，毕竟我终于让他知道了我对他的好，也终于知道了他其实也是爱着我的。那天晚上，他因酒醉而睡了之后，我把他的宿舍整个地收拾了一遍，男生宿舍真是太脏乱了，太需要有一个女孩来照应了。我心甘情愿地收拾了他的屋子，很仔细地擦拭了每一处角落里的污秽，还把他的衣服从里到外都洗了，我一边干，一边幸福地想，要是以后总能这样，一边收拾着我们的家一边听着他均匀的鼾声，那是一件多么幸福的事。

那天晚上我没回家，就在他身边搂着他睡了。那一年，我十八岁。我的处女贞操就这样心甘情愿地给了这个男人。

早上，我是被他推醒的，睁开眼睛，我看见的是一个男人愤怒而紧张的脸，他问我昨晚发生了什么？又问我是谁？我被他严肃的表情吓傻了，好像是自己做了什么错事。一时语无伦次，什么话也说不出来，他起来看了看四周，屋里已经窗明几净，一尘不染，他再看了看床单上的血迹，突然什么都明白了。他低下头去，说了声："对不起，我昨晚上把你当成另一个人了。"然后就走了。这一走，一天就没回来。

不，应该说，以后就再也没回来。我在宿舍里一直坐了一个上午，他也没有回来。后来我听说，他连行李都没收拾，当天下午就去石家庄了。

我回到家里，大病了一场，没人知道我去了哪里，也没人关心我去了哪里。我爸只是一心催促我，要我赶快准备上班，去办交接仪式什么的。两天后，我就去那个商场上班了，卖内衣。

可是我不能忘记他，我听说他在石家庄的体校里任教，还经常带队出去打篮球，但自己不怎么上场了，好像是他的腿有伤了，但是他当教练也有一套，带的队经常取得好名次。

我越发思念他了。每个晚上一闭眼就想起他俯在我身上时的那种激动的感觉，我已经陷入到难以自拔的相思中去了。而内衣售货员那单调乏味的、一点创造力也没有的工作又让我厌烦到极点，就是在这种双层折磨下，我患了抑郁症，甚至经常想到要自杀的问题。

我给高健写过很多信，诉说那晚上的情况，但是他一封信也没有回，我也找过他们单位的电话，可是我没有勇气给他打，他要是真喜欢我，早就应该给我回信了，信都不回，我打电话又能说什么？

我明显消瘦了，一下子瘦了十多斤，食欲不振，精神萎靡，再这样下去，我就要疯了，就要死了，我知道自己不能这样下去了。有一天，我在一张报纸上看到了一条广告，终于让我下了一个今生最大胆的决定。

那是一个关于脸部整型的广告，说是北京新引进了一种技术，可以安全地、完美地、不露痕迹地重新修复一个人的面孔，这是一种从德国引进来的整容技术，在世界各地颇有影响，其整型效果非常好，目前国内已经有近万人使用这种技术改变了容貌。这篇广告做得很大，上面还有不少顾客整容前后的对照，很多人长得比我还要丑，但是整完后都变得非常漂亮，几乎和以前判若两人。

要是在从前，这样的广告我只是一笑置之。但是在这个时候，它深深打动了我。整容，是啊，我怎么没想到这一步呢？我开始幻想，假如那天早上，高健醒来后看到的不是我这张丑陋的脸，而是一张漂亮的面孔，他还会不会这样忙不迭地逃走呢？答案是，肯定不会的。

我对着镜子，把衣服脱光了看着自己，其实我的身材非常好，虽然有些丰满但身上绝没有任何的赘肉，在正常情况下，这种前挺后撅的身材可以令男人发狂，但一切都毁在这张脸上了，我要是把这张脸换了，会不会换回我失去的爱情呢？

这个想法一直萦绕在我心里，越来越强烈，以至后来我根本无心工作，请了一天假，专门去了北京，找到了这家医院，我把我的要求和美容医生说了，她仔细看了看我的脸型，说要想变得更漂亮是没问题的，但是，这个手术因为采用外国的高新技术，比较贵，要五万元才能做。

五万元，天哪！这是一个多么大的数字？我从来没见过这么多的钱，我们家的所有财产才不过两万多元，我去哪儿找这笔钱？

在后来的几天我一直在想着这件事，说实话，我在那时不到二十岁，很单纯很幼稚，也没经过什么事，我只想得到高健，简直再没有任何的要求了。这想法太狂热了，终于导致我做了一件非常对不起家人的事。我把家里的存款，那些准备给我哥结婚用的钱全取走了。

我又去找严老师，谎称我母亲患了绝症，说我家的钱都存了死期取不出来，想先从他那借点钱周转一下，一个月以后就还他。严老师是个君子，他压根也没想到我会骗他，尽管他家里也没有太多的钱，但他说治病要紧，还是把家里仅有的三万多块钱都给了我。甚至连借条都没让我写。他太相信我了。我从他那里取了钱后，就在一个早晨出发去北京了。

从那天起到今天，我没有回过我的家乡一次。从我拿走家里的钱和严老师的钱那一天起，我就知道，我不可能还他们，我也没有能力还他们，我伤害了我的父母和对我一直很好的老师了。但这一切比起换回高健的爱情来，都微不足道。

在北京的医院里，医生问我做成什么形象，他们拿出了一大堆电影明星的照片，让我挑一种适合自己的形象，我对这些都不太喜欢，但自己也说不准什么样子最适合自己，和医生沟通了好长时间也没有达成共识，这一摩擦半天就过去了。我去的那天有很多人都排队等着做手术，医生见我老是拿不定主意，有点生气了，问我还做不做，不做就来下一个。慌乱中，我随手从书包翻出一张相片，那是我高中的一个毕业照，照片中间有一个梳长辫子的姑娘，很漂亮，我不知道她叫什么，只知道她是严老师他们那个班的，在我们上学的时候还当过领操员，好像有个外号叫"校花"，听说学校里有很多人追求她，她也很高傲。这种人我在学校里是可望而不可及的，平时远远地看她在台上领操、领舞什么的，很羡慕，但我没什么机会和她接触，甚至连她的名字我都不知道。那天看到了她的这张照片，我突然有了种冲动，我发现只要有钱，我也可以变成和她一样的美女，这个发现让我很兴奋，我顿时对桌上那些明星们的相貌都没了兴趣，我指着她说，就按照她的样子做吧。

就这样，在忙乱中我把手术做了，几天拆线后，我发现手术做得很成功，我终于拥有了一张漂亮的脸。那张照片我一直留着，本来我对这个学校和这些同学都没有什么留恋的，但是现在很奇怪，我居然以其中的一位我叫不上名来的同学做了参照，把自己做成了她的样子，这张我本来要扔掉的照片就被我保留下来了。这个形象我很喜欢，因为很生活化，她让我想起我一生中最纯洁的那段时光，校园时光。不过，医生说照片上的人多少有些变形，我们两人只是局部一些地方很像，出来以后还是有很大差异的。这个也正合我意，我又不想成为她的翻版，要那么像干什么。

我在北京给家里去了电话，我爸暴跳如雷，但我人在外地，他拿我也没什么办法，我告诉他，家我是先不回去了，但是我一定会把钱还给他们的，还有让他转告严老师，我也一定会把钱还给他。

整容成功的我，就这样去了石家庄。我想给高健一个惊喜，就没有给他写信，我想直接找到他。

在石家庄，我先找到了一个住处，然后又费尽九牛二虎之力才找到了高健的体校，这里离市区很远，我坐了一天车才到。在路上我一直在想，当高健看到我这么漂亮的时候他会不会接受我的爱情，我想是会的，他曾说过他喜欢我，也曾说过他一直发现我在注意着他，我们之间的问题无非是我长得太不好的原因，我相信当这一切不是问题的时候，我是会重新拥有他的。

到了学校，校工说高健不在，接着从他口中我听到了一个让我大吃一惊的消息：高健上个月已经结婚了。

你没法想象我当时的心情，我把所有的钱都拿走了，就是为了能换一张脸来换取他的欢心。但是没想到，他结婚了，他竟然这么快，刚走上工作岗位就结婚了，才不过一个月而已，这个打击来得太突然太刺激，把我的计划和未来全都打乱了，我的梦想也彻底破碎了。

那天拖着沉重的脚步往回走，我不知道我应该往哪走，我虽然拥有了一张比较漂亮的脸，但是我得到了什么，我一无所有。我换回了一张脸，输了一切。

家我回不去了，我把我哥结婚的钱偷走了，我把我老师的钱骗走了，我没脸回去了。但是在这里也一样没有出路，人生地不熟，我的口袋里只有不到五十元钱，只够买一张回家的单程车票，可是我不能回去。

没有办法，要想活下去，必须要找事干，先养活自己，再想法还家里人，还严老师的钱。我开始出去找工作，我干过很多份工作，当过饭店服务员、保姆、礼仪小姐什么的，但是没有一份干得长的，而这些工作的丢失全是因为我有一张漂亮的脸。这个世界上有太多无聊的男人、好色的男人，也有太多嫉妒心强的女人、心态不正常的女人，我找的这几份工作中到处充斥着这两类人，在他们的夹板中，很难让我把这些工作平平安安地做下去，而更关键的是，这些工作的收入太少，想还钱，简直难上加难。

最后，这张漂亮的脸还是替我找了一条出路，在一个一块儿做过小保姆的老乡的勾引下，我去了一家夜总会，成为了一个坐台小姐。

在我二十岁的那年，成为坐台小姐是我必然的宿命。在那里我见惯了男人的猥琐，那些个好色的男人们，他们白天道貌岸然，晚上则全无廉耻，令人作呕，我瞧不起他们，但是为了一点点钱，还不得不强颜欢笑，因为我长得漂亮，有一阵子还是当红的坐台小姐。那些个色鬼们、色狼们，个个都想占我便宜，总是变着法子约我出台，但是，我一直没有答应，虽然做的是小姐工作，但是我有我的原则，我只坐台，不出台，可以让这帮家伙们在身上抠抠摸摸，但决不陪他们睡觉。这个做法让我身边的同事们很不理解，因为在夜总会坐台，你要想赚的小费多，必然要出台。而且还可以用这个手段交一批熟客，可以在夜总会以外的场合里单独交易，那就不用给老板抽头了。她们不理解我，但是我知道，这是我最后的道德底线，我要是连这条都违背了，就和那些廉价的妓女没什么两样了。

因为从不出台的缘故，我的客人相对少了一些，但是我的知名度却增加了，很多人来夜总会时都点我，看能不能啃得动这块骨头。有时候，看着这帮色迷迷的家伙往前冲时，我又有一种兴奋的感觉，他们哪知道，这个从不出台的小姐其实是个丑女，而他们都是让我那张假的面具骗了。

我做了一段时间，赚了不到一万块钱，这段时间我一直坚持只坐不出，但最后终于还是打破了自己的规矩，因为那个人——高健出现了。

那是我坐台四个月的时候，有天晚上来个客人直接点我，我一看，吓了一跳，原来是高健。我没想到他居然也到这里来了，他已经变了很多，胖了，一身的名牌衣服，很成功的样子。他当然认不出我来，他点了我的钟，要我陪他喝酒，他那天不是一个人来的，和几个人，原来他已经不在体校干了，开始做生意了，而且做的是软件销售生意，看那意思，很成功。

那天晚上，高健搂我在怀里，不停地在我身上摸索，他们在一起喝酒，满口的污言秽语。我非常失望，这个原本很健康干净的男孩子在这时和那些色鬼们没什么两样，或许他们本来就是一类人。

喝到一定程度，这几个人开始把自己一些嫖娼的丑事当成谈资笑料，在那里无所顾忌地说着。有人问高健，睡过多少处女，高健把我搂在怀里，笑着掰着手指一个个数着，说可能有十来个吧，这时突然高健提到了我。

我还记得高健当时是这样说的："我他妈的最衰的一次是睡过一个丑八怪，当时我喝多了，把母猪当凤凰了。不过，虽然睡了一条丑母狗，但还真是个处女，一下就见红了，而且身材真是太棒了，就可惜了，那张脸太要命了。"然后就是一阵得意的狂笑。

那天晚上，我气得全身发抖，脸都白了，直至今天，我一想到他说出这么难听的话来还是气得心疼得都绞成一团了。可是，尽管那么气愤，我当时的表现还是很平静，我一直坐在他怀里听他得意地讲着这段经历，讲我怎么后来迷上他给他写信什么的，他不停地说着，我的心一点点地冷了下来，由这时开始，我的心已经死了。高健后来要我出台，我想都没想，答应他了。但是要他付夜总会一百小费，付我三百小费。他很爽快，当场就掏了钱。

我们开房后，高健一点儿情调也没有，把我按倒在床上就要动手，他骑在我的身上时，我一点感觉也没有。这个曾经让我朝思暮想的男人，这时却只是一个色狼，他背着自己的太太，在外面拈花惹草，欺骗所有能让他骗的女人，他不是个人，我要用自己的方式来对付他。

我把他按倒，说要给"水晶之恋"的服务，他好像以前没做过这个，很兴奋。他躺在床上，脱得一丝不挂，任我摆布。我拿了很多果冻，涂抹在他的身上，那天晚上，我故意把空调的冷风开了，当湿冷的果冻倒在他身上，我看见他全身抖了一下，我想他一定是很冷，但是在他体内的色欲之火的燃烧下，他忘记了一切。

我把他所有的衣服拿起来，走到窗前，打开窗子，把裤带上别着的手机拿下来，其他的衣服全部都扔了下去。他躺在床上，眼睛上全是果冻，一点也看不见了，也不知我在干什么。我把他的衣服扔完，走到门口，说："对不起，现在睁开眼吧。我就是你说的那个丑母狗。祝你今晚玩得愉快。"

我关上门走了。听见门里面有愤怒的喊声，那天晚上，我一直笑着回了家。我不知道高健是怎么回去的，他光着身子在旅馆里的床上，一件衣服也没有，身上还涂满了果冻，这事想起来真是能笑死人。我笑啊笑，但最后眼睛里全是泪，我只是报复了他一下，但是我的一切都毁了。

那天晚上我离开了石家庄，我坐在长途汽车上，拿着高健的手机，查到了他家里的电话号码，我给他家里打电话，是他老婆接的，我对她讲明了这一切，告诉她高健是一个什么样的人。在打那个电话的时候我很清醒，我知道这个电话打出去后，高健可能会彻底完蛋。但他也不会放过我的，而我从此后要走上一条流亡的路。再也没法回头了。

　　夜总会还欠我几千块钱，但是也不能去要了。我把所有的钱都花了，在一家婚纱影楼前照了一组相，寄给了我的父母和严老师，在相片的后面我分别写上这样的话：这个人是我。他们接到相片后会知道我现在已经变成什么样了。此后，我一直在外面流浪，去过深圳、海南，有很多机会成为妓女和别人的二奶，但是我最后关头都把持住了，因为我不会为了钱而出卖肉体，那不是我的本意，也会突破了我的底线。首先，我不会当妓女，让那些个猪狗不如的男人在我身上爬来爬去，其次，我也不会成为别人的二奶，把一切都卖给一个老头或是暴发户，这甚至还不如妓女痛快。关键的是，我不想再成为男人的玩物，在夜总会里我见到了形形色色的男人，不管是什么身份地位，有文化没文化的，他们都是一群色情狂变态狂，我对他们已经完全绝望，而那个打篮球的骗子，更是让我看清了什么是男人，他们无耻、卑鄙、下流、没有责任感，应该被玩弄的人不是我，是他们。

　　写到这儿，你就会理解我为什么会走上今天的道路。我后来在网上认识了教授、芳姐姐，从他们那里找到了一条可以不被男人玩弄但仍然可以快速致富的方法。在网络里，我什么也不用付出，只需要露一下身体，展现一下那张经过处理后的假面，就可以让很多无耻的男人上当、掏钱。他们什么也不会得到，他们得到的不过是精神上虚假的满足，而这一切都是一个虚假的脸带给他们的。网络是虚假的，但金钱是真的，当金钱进入我的腰包的时候，我终于找到了一种快感，这些和高健一样无耻的男人，终于被我玩弄在手掌之上了。

　　每当我出现在网上时，我总是在想那些上网看我身体的窥淫癖们都是一副什么样的嘴脸，这让我很开心。我想这里面可能有我在夜总会接待过的那些个客人，也可能有高健，他不是做软件销售的吗？他肯定也经常上网。一想到有高健，我就有种莫名的兴奋。当他看到我在网上向大众们展示着身体的时候他会怎么想？不管怎么样，他是永远不会得到我了。让他看着我的身体自慰去吧、后悔去吧。这个想法鼓舞着我，我后来疯狂地投入到这个事里了。最初我和别人一块干，后来，我就挑头了，自己组织人员。我们租了房子，还买了很多黄色光盘，模仿那里面女人的声音和表情，还有一些挑逗性的动作，最可笑的是，我为了吸引会员，甚至还学会了正宗的脱衣舞，并且负责教会其他的宝贝们练习，我们的作息时间是晚九点至早四点在线，早八点半起床，但是要在九点钟开始进行舞蹈练习，一般练一小时，练的就是我学会的那种脱衣舞。

我把这件事当成一种事业来干了，干得有声有色，第一年里，我就把严老师的钱还了。第二年里，我赚了将近三万块钱，寄给了家里，但是我不能回去，我无法面对我的父母和兄长，我也无法面对曾经的同学。我想的是，赚够二十万以后就收手，找一个地方安家。做点儿小生意，把父母接过来，再找一个人嫁了算了。不过，教授可能是看我干得太好了，他不想要我收手，当我提出准备干一年就退出时，他采取行动了。

有一天在网上，芳姐姐在线和我聊天，给我发了一个文件，当我打开后，我很震惊地发现，居然是一个影音文件，上面有我在里面脱衣服和跳脱衣舞的镜头，我问这是从哪里来的，芳姐姐告诉我，是她从网上下载的，已经制成光盘了。芳姐姐说，教授让她提醒我，他知道我父母的家在哪里，也知道我到底是谁。如果我做出了他不愿让我做的事，他会把光盘四处散发的，第一个就发给我的父母。

你想想吧，这时候我的心里是多么恐惧，直到此刻我才知道，原来这一切都不是偶然的。其实我的命运一直被人掌握着，在网络上，好像人与人之间互相没有接触，但仍然有一个看不见的力量控制着我，操纵着我，而最可怕的是，一年多来，我竟然对此一无所知，心甘情愿地为之效力，把自己从一个困境里又推入了另一个困境。

我不能让我的父母知道我在干什么，也不能让他们把光盘寄到我曾经学习和工作过的地方，那样我的一切，我父母的一切也都被他们毁了。于是，就这样，我被教授、芳姐姐他们牢牢控制了，没办法，只能继续干下去了。

可是这是个很危险的工作，一年来，我们的据点几次都被人挖掉，很多宝贝都被捉获。我也成了通缉犯，这个时候我也知道，如果再不收手，我的一生就完了。

就是在这个时候，我遇见了你，真的，这是我生命中出现的第三个转折。那天你救了我，我却用药把你迷倒了。在你家里，我看了你的电脑，还看了你在电脑上写的东西，我知道你原来是一个记者，还是一个很有正义感的记者，我发现你和我从前在夜总会、在网络上遇见的那些个男人都不一样，由那天开始，我爱上了你，但是也利用了你，我利用你帮助我摆脱困境，利用你帮助我抓住芳姐姐，还有教授。

但是，我是真的爱上了你，可是这份爱情我注定得不到，这只是种奢求而已。

我给你留下了两样东西，一件是我的日记，就写在那个硬皮记事本里。那里面记载着我成为视频女郎后的每一段经历，里面有很多对破获网络色情犯罪有价值的东西，你看着处理吧。还有一样，是我当年的毕业照，那上面有我们那一届毕业生三百多人的照片，我就在里面，但是，我想你不会猜得出哪一个是我，因为你从来没有见过我那时的样子。不过这样也好，就把我那张漂亮的脸记住吧。这个照片中有一个人，我就是仿照她的样子整了容，你就把她当成我也行，反正我们也有相像的地方。呵呵。

请原谅我，我不能和你一起去了。这么多年来，我一直用自己独特的方式来解决身边的困境，现在也是一样。我不会让警方抓住我，那就跟把黄色光盘寄到我家里来是一样的，一样会使我的父母抬不起头来、使我的家庭身败名裂。但是我也不能让教授再控制我了，芳姐姐被抓了，他可能猜得出是我在里面做了内鬼。可是他想不到的是，这两年来，通过调查，我对他的身份也略知一二。我要去一个地方，现在有一个机会，可以让我光明正大地回去，也许那里会有转机与真相。我曾在那里跌倒，现在还要在那里重新起步。

你不要试图来找我。我知道你这个人，是个重情义的人，也是个有责任感的人，你就算不爱我，也一定会来找我的。但是我要告诉你，你不要来找我。因为我要去的地方，你不会找到的，还有就是，我早就已经作出一个决定，这个决定会让你永远也不会再见到我了。

你这么聪明，一定想到是什么了吧？对于我来说，要想彻底摆脱这一切，只有一个方法最有效，甚至比死了还有效，那就是我最早曾使用过的方法——整容。

我会再次整容，把自己的相貌由美再变成丑，看看能否恢复原样，这样的话，就没有人知道我是谁了，或者是，只有该知道我的才知我是谁，反正这世上真正知道我曾经整过容的人也没有几个。只要我现在的这张脸没有了，所有的证据和所有能要挟我的东西就都没了。

我会回到从前。一个相貌很丑的女孩，不会引起是非，不会惹人注意，不会让色情狂们神智颠倒，也不会成为教授他们这些人发财的工具，我相信整容之后，我自己会走上一条平静的生活之路的，但这是我的路，不是你的。

亲爱的，一个很丑的女孩曾经爱上了你，并且终于没有亏欠了你，现在她还要继续过一个丑女孩应该过的日子了，你忘了这一切吧。如果怀念，就把那张照片上的女孩当作我吧。她很漂亮，但是虚假，我很丑，但是真实，你记住吧，在虚假的外表下面，有我的一颗真心曾经属于过你。

我的眼泪流出来了，我不能再写下去了，我要走了，去一个遥远的地方，再重新寻找我失去的一切。把我忘记，不要来找我，切记。

雯雯

6

许久许久，我的心难以平静。

对于雯雯这个人，我曾经有过很多的疑问与假设，但是当看到她给我留下的这封信时，我感觉，以前所有的猜测都是错误的。

信纸上哭过的痕迹，我在想，昨夜她是用怎样的一种情绪面对着这封信上的每一个字，我相信这是她最后一次流泪了，流完这次泪，她的心从此就会彻底死去了。

这世间真是有无穷无尽的巧合，谁能想到，雯雯，麦芽，安琪，她们竟然都在一个学校里生活过，她们不在一个班上，但是，却同在一个年级，各自走上了不同的道路，最后，又无一例外，与我，这个局外人发生了致命的关系。

大千世界，无奇不有。谁可操纵命运？谁又能预测到你在下一秒钟会遇见谁，碰上什么事？

我把信收好，放进自己的口袋里。再把那张照片铺开，仔细地看着照片上的每一个人。

她在哪？她是谁？

照片至少有四百人排在一起，一个又一个黑白色的小脑袋挤在一起，这里有二百多男生，二百多女生，这二百多女生中，大多数面相平凡，貌不出众，我的前女友在正中最显要的位置上，我现任的老婆只露出了不到半个脑袋，从这张照片上，很难看出谁是谁，谁又拥有着什么样的形象。

每个人都有可能是她，除了我认识的麦芽与安琪。

雯雯至今也万万没有想到的是，她所崇拜与模仿的那个女孩竟然是我的前任女友。

当然，有很多事情都是人们无法想到的。麦芽也不会想到，安琪会在以后的日子里成为我的老婆，而这一年级里有一个她从来没看过一眼的丑女孩竟然会和我有了一段感情。

那所学校里，曾经有过这样的三个女孩，她们在同一个环境里成长，但是又面对着不同的命运，可是她们谁也想不到，在未来的岁月里，竟然都会爱上同一个男人。

可是这个男人，又如何面对她们的真情？

我这一生，亏欠的人太多，但是亏欠最多的还是她们三个。

我坐在那里，看着眼前的照片，浮想联翩，雯雯、安琪、麦芽，面对照片上这些女孩子纯真的目光，我无地自容。

寂静的空气里，电话突然响了一下，我拿过来一看，是一个短信。

是安琪发来的短信。

短信这样写道：

"对不起，我今天早上想了想，我最近做的是有些过分，你嫉妒了，其实也表明你还爱我。我想我们之前可能有一些问题，但不应该是这种问题。我们都应该好好地冷静一下。我今天早上坐火车去我的母校了，严老师昨晚来电话，说很多同学现在都到了，最远的来自新疆，每天都在陆续地来很多人。他们都希望我快点去，我想也许那里会让我的心态更静一些，我就去了。"

因为手机内存不够的缘故，这个很长的短信没有完，我又按了下一条。

上面接着写道："这两天，你也好好静一静，想一想，我们之间的问题到底出在哪里。昨天给你打了一晚上的电话，你不接，我也不知你在哪里过的。我不想听你再解释了。我今天早上走的时候两个眼睛全是肿的，希望我回来的时候，我不会再为这种事哭成这样。"

安琪走了。今天早上雯雯也走了。

安琪要冷静一下，我也同样需要。我们都需要重新审视一下自己的婚姻与爱情。

这些年来，我一直在反问自己，安琪是否真的爱我？特别是在我令她失去了亲人又丢掉了工作以后，我们之间从来没有出现过感情上的争执，但关系却突然变冷了，很冰冷，不像夫妻，倒像是同事，不得不扭在一起的同事了。

她还爱我吗？

我还爱她吗？

我们之间已经有太多的时间没有发生过什么了，没有一起上过街，没有一起看过电视、收拾房间，没有一起出门旅游，甚至做爱质量极度糟糕，这一切是为了什么？

我看着她给我发的短信。昨夜，有两个女人曾经哭泣，都是为了一个人。虽然她们哭泣的理由完全不同，但有一点是相通的，都是为那已经失去了的爱情。

她们都失去了我。可是我得到了什么？

我给安琪发了一个短信：

"对不起，是我不好。请在那里多呆两天。心情平静了再回来吧。"

按了发送，短信发出去了。

望着手机上那个信息发送过去的动画图像，突然间，我心里似乎被什么东西触动了一下。

不对啊。这些事里有一些蹊跷。

我仔细调动全身的每一根神经，回想这个触动了我一下的事情是什么？

今天，安琪走了，雯雯也走了。

这个事没有任何的联系，因为她们两个人虽然与我都有关系，但彼此却毫无任何瓜葛，而且只要我不说，她们之间永远也不会有任何的联系。

但是，她们今天早上都走了。这里面似乎有什么共通的东西。

是什么呢？

我把安琪的手机短信再次打开，仔细地看。

几天前，安琪收到了一封信件，上面有一张翻拍了放大了的毕业照片，还有一个请柬，那是同城中学百年校庆给所有的毕业生发来的请柬。

百年校庆？

雯雯与安琪是同一所学校的。

我把雯雯的信件拿出来，在最后几页里，找到了这样的话：

"我要去一个地方，现在有一个机会，可以让我光明正大地回去，也许那里会有转机与真相。我曾在那里跌倒，现在还要在那里重新起步。"

去一个地方，转机与真相，跌倒与起步。

百年校庆。同学。邀请。

雯雯是假名，她拥有着一张假面。但是，她是同城中学的一名学生。

安琪在短信里说：很多同学现在都到了，最远的来自新疆，每天都在陆续地来很多人。

很多同学都去了。每天来很多人。

去一个地方，曾在那里跌倒，也要在那里重生。

纯洁的毕业照片上，纯洁的女孩子们。

突然间，一个本来十分模糊的事情在我的脑子里渐渐清晰。

我知道雯雯去了哪里。我也知道，她要去那个地方找寻什么。

7

人算不如天算。

雯雯是一个非常聪明的女孩，她的智商其实根本不在麦芽、安琪、万绮珊她们这些个女孩之下，她算计出了很多的事情，但是唯一没想到的是，我居然和她那所学校有如此深的联系。

所以，这一刻我明白了，她走了，但不是没有目的地走的。她去了她曾经出去的地方，利用那个机会，去重新开始。

她会把自己修整成原来的样子，再次面对那所曾经包容了她的校园，那些曾经熟悉的同学，那段曾经深入过的生活。

·只是物是人非，时过境迁，她还可以重新开始吗？

我呢，我应该去做什么？寻找还是阻止她？或是在背后默默地祝福？

二十分钟以后，我离开了这里。走之前我抄下了这间屋子的门牌号码，还带走了那本日记。

在楼下的一个小邮电所里，我把我抄下来的号码连同那个日记一块放在了一个快件信封里，发了一封快件，寄给了韩力。

我给韩力发了一个短信：

"一天以后你会收到一封快件，那里面有一个地址，是视频犯罪分子们的活动场所，还有一本日记，是关莉写的，记了一些相关的证据，这些对你破案可能有用。你要我三天之内交出关莉，我可以负责任地告诉你，她已经逃走了。我不知她去了哪里。"

两分钟不到，韩力的短信发来了：

"搞什么东东，你在哪？赶快回局里见我。"

我给他回了一个：

"没什么，我又做了一回正义使者。从现在开始，我把我所有知道与能够拿出的证据都给你了，这事和我没关系了，你别再烦我了。"

韩力的电话打来了。

我没接。

电话响了几遍。不响了，韩力又发了个短信：

"你什么时候发的快件。这么重要的东西，为什么不当面交给我。"

我发回他：

"对不起，我老婆跑了，我要去找她。这事比帮你破案重要。

我没时间去局子里找你了。"

这个短信发出去后，韩力不再回话了。

我一个人信步在海边走着，快中午了，海边上零零星星没有几个人。这里，通常只有到晚上才会有人的，当地的居民们，在劳累了一天之后，会选择这个地方来散散步，放松一下疲倦的心灵，也会有一些情侣，从很远的地方赶来，在海风的吹拂下，温习着浪漫的梦想。

这个海边我很熟悉。我的老家没有海，不像这个城市四面环海，这片海在没有建码头之前，当年是一个比较热闹的浴场。过去我和安琪刚结婚的时候，也曾骑着自行车骑一个小时的路来这里，在海风中搂抱亲吻，感受浪漫的氛围，不过这都是过去了。这里建了码头以后，海里全是大石块，还有一个排油口往外排油，海水里全是油烟子味了，没人游泳了，但是，海滩还是很像样的，人们还是会选择在这里散步的。

中午，没有什么人，我在海滩上漫步，想着下一步我要做什么，海风吹来，我的脑子渐渐清醒，很多以前模糊的事都突然清晰起来了。

这时，电话响了，一个陌生的号码。

我以为是雯雯，兴奋地接过了电话，但不是她，是万绮珊。

她问我在哪？我说在海边散步，她说二十分钟以后她也到，有事找我。

第十五章

1

万绮珊开车来到海边的时候，海水刚刚涨潮，白浪滔天地向上翻涌，很壮观，把我走过的那些刚刚还很干燥的沙地都打湿了。

因为海水涨潮了，我不得不向后退了几米，一回头就看见万绮珊正从车上下来。她也看着我，从马路的那头向我挥手，这个时候在一个开放式的海滩上找一个人简直太容易了，也难怪，到中午饭时间了，也就只有我和少数几个渔民还在这里瞎转。

她把车停在了沿海马路上，给我打了一个电话让我过去到她车里来，我突然来了兴致，要她下来，一边走一边谈。

万绮珊没办法，脱掉高跟鞋用一只手提着从公路的护栏上翻过来了，她赤裸着两只白白的脚，远远地走过来，我迎着她走过去，冷不丁一看，以为我们俩是在这里幽会的情侣呢。

万绮珊深一脚浅一脚走过来，也难怪她要脱鞋，她穿的那双鞋跟不但高而且又尖又细，走在这软沙上非摔跟头不可。

"你可真浪漫呢，大记者。"万绮珊老远就冲我喊，"一个人来海边散步啊，真是个大闲人！"

我笑笑，伸出手来扶她，她摆了摆手表示不用。看得出，她对这种赤脚走在沙地上的感觉还是挺不错的。她问我在哪儿能坐会儿，我指了指前面的一处礁石，她来之前，我早就相中那地方了，她问那边是否风大，我保证说那窝风，不会吹乱她的头发的。

我们俩人向那边走去，她赤裸着两只白白的脚，欢快地走着，七分裤下，是白白两截小腿，因为走在沙地上的缘故，她走的时候扭动的幅度大了一些，紧身裤将丰满的臀部勾勒得呼之欲出，我跟在后面，也难免有些心猿意马。

我们两人坐在礁石上，对面是一望无际的大海，身后，是一排排民宅。昨夜，我就是在那里与一个不知名的女人发生了一夜欢情。

我指着眼前的大海，说："挺浪漫的是吗？这真是约会的好场所。现在别人要是来偷窥，准以为咱俩有一手，在这儿幽会呢。"

万绮珊白了我一眼，啐了一声说："狗嘴吐不出象牙！谁像你，没事的大中午往海边跑，把人都晒死了。"

"呵呵，现在不是流行日光浴吗？"

万绮珊没接着我的话调笑，她直截了当地说："我来找你，主要是问一件事。你和安琪是不是又吵嘴了？"

　　我笑笑："怎么，地球人都知道了？"

　　"昨晚上我给安琪打电话来时，她情绪不太好，我问她怎么回事，她都和我说了。"

　　"你们姐妹俩真是无话不谈。"

　　"你算说对了，别看安琪比我大三岁，不过，我俩的感情可是一直不错，跟姐妹差不多。"万绮珊说，"我想替她来劝劝你，一个大男人，不要老那么小心眼，听风就是雨的，什么事啊。"

　　原来她是当说客了。我苦笑着说："怎么，你认为我是那种小心眼的人吗？"

　　"就是。先是那个什么喝醉了的老莫，这次又是那个喝醉了的老胡。我看，你这两次都挺上心了，你真是越来越小男人了。"

　　"你批评得对，我改。以后，我再不干涉安琪的事了，行不？"

　　"也不是那么说。"万绮珊掠了掠被风吹乱的头发，"夫妻俩，互相信任最好，总是没事猜疑，那还有个好吗？你呀，把安琪气成这样，我看你将来怎么赔罪。"

　　我无限感慨，说："是啊，这次她可能是真生气了。今天一大早就走了，说是去母校了，我估计也是躲我的面大。"

　　"去找她啊。你也不是没有脚，正好去她的学校看看，帮她找找过去的生活轨迹，顺便也重新体会一下谈恋爱的那种感觉，感情也是需要温故知新的。"

　　我的心动了一下，不得不承认，万绮珊的话还是有道理的。

　　万绮珊说："其实安琪心里还是特拿你当回事的。昨晚上，她和我打了有一个多小时的电话，她一直在说你。"

　　"说我什么？"

　　"说你不理解她，说你小心眼，说你一点责任心也没有，说你一点也不替她着想，还说了很多你的毛病。"

　　"原来是背后说我坏话呢。"

"不管是好话坏话，她一直在说的人只有你，而不是其他人。"万绮珊深深地看了我一眼，"如果一个女人在背后所有的话题都是围绕着一个男人来说的，在我看来，这就是爱。只有傻子才会不珍惜，不把这种爱当回事。"

一个浪花打过来，在我们脚下碎成点滴，我看着浪花，沉默了片刻，说："看来，你是来给安琪当说客的？"

"你错了。"万绮珊把身子靠在礁石上，腿绷得直直的，很舒服的样子，"你不了解安琪吗？她那么倔强的性子，会需要我当说客吗？我来找你，是有另一个事。"

"什么？"

"我要结婚了，来跟你说一声，算给个喜信吧。"

我很吃惊，问："是吗？和谁？"

"你认识的，是胡一平。"

"噢。"我愣了一下，不知说什么好。

"怎么？不相信？"

"也不是，我只是觉得很突然。"

万绮珊自嘲地笑了笑，说："是的，在老胡刚离婚不到一个月的时间，我就冲进来了，是很突然，所有认识我们俩的人都这样认为的。"

我沉寂了一会，望着眼前的海浪默不作声。海浪不断地拍打在我们脚下的礁石上，爆裂成雪白的碎块，一股咸湿的味道直冲进鼻子里，

万绮珊见我不说话，用手碰了碰我："怎么这么心事重重的，也不恭喜我一下？"

我突然冲动起来，认真地说："绮珊，你要结婚了，我本来是该恭喜你的。可是我现在只想问你一下，你和胡一平之间有爱情吗？"

万绮珊愣了一下，我没敢看她，毕竟我俩还不是很熟，这样直接问她这个问题，也许她会生气，但我什么都不顾了，我今天

特想找一个人谈谈什么是爱情。

万绮珊说："爱情？我不知道你说的爱情是什么意思？"

"你刚才说过，如果一个女人在背后所有的话题都是围绕着一个男人说的，那就是爱。我就是说的那种爱情。"

万绮珊沉思了一会，望着眼前涌起的浪涛，哑然失笑了。

"你笑什么？"

"笑你太迂腐了。不过，也真说到点子上了。"万绮珊捡起一块小石子，坐直身子奋力扔向海水里。

"你看你看，"她很欢快地指着海里说，"我打起水漂来了，有三个呢。"

"这有什么？看我的。"我也拿起一块小石头，扔进水里，打得不如她好，只有两个。

"你也不行啊！我小时候干这个可是高手。"万绮珊看我没她多，高兴得拍手笑着说。

我被她激起了玩心。于是捡了一个适中的石头再次扔进水里，这一次打得不错，打出了四个。

我和万绮珊你一下我一下地扔起了石头，好像回到了小的时候，也似乎把那个话题忘了。

打了一会，万绮珊说胳膊疼，又坐下来了。我也不再扔了，突然间，我们沉默下来了，快乐的气氛又远去了。

"还是接着你的话题吧。我坦白，"万绮珊举起一只手，做宣誓状，"你说的那种爱，我们没有。"

"那为什么还要结婚？"

"我和胡一平不是你和安琪，你们曾经在最纯真的时候相识，然后这样一路走了下来，我们俩人从认识的那一天开始就都成精了，这样的人，再谈什么风花雪月，不太可笑了吗？"

"那你们就是政治联姻了，不，是强强联手，是一场生意对吧？"

"不管你怎么说。"万绮珊说，"每个人有每个人的活法。活着是最重要的，其他的都次之。"

"可以解释一下吗?"

万绮珊将一块小石头拿了起来，在手里把玩着，一阵风吹来，她的头发又乱了，但这次，她无瑕理护了。

"我把我要结婚的消息告诉他们的时候，听到的全是恭喜与赞美的话，但我知道，没有几个人是真心的，他们是怎么想的我全明白，可是这不重要。不管从哪个角度讲，胡一平也不是个糟糕的男人。在这个社会上，事业有成，或者说的俗点儿，是否有钱，就是一个衡量一个人是否成功的标志。某种程度上讲，也是衡量一场婚姻是否成功的标志。"

"这个不大可信吧，那胡一平和胡夫人都有钱，怎么还是离婚了?"

"墨西哥有个电视剧，叫《富人也哭》。"万绮珊看着我说，"富人也哭，我承认。但是有的时候，很多人宁可要富人的哭，也不会要穷人的笑，我就是那样的人。"

我嘲讽地说:"富人也哭，看来你是早就做好准备了。"

"你错了，不是早就做好准备了，是只有现在才是最好的一个时机。"万绮珊冷静地说，"我在进入生意圈的那一天起就给自己立下了目标，不管谁出多少钱，我也永不给人当情人，当偏房。我只要一个名正言顺的身份，这不光是一个身份，还是一个社会的认可。现在这个机会来了，胡一平的老婆和他离了，孩子也送走了，这里就他一个人在掌舵，他需要一个家，我需要一个靠山，我们有共同的需要。过去，他追我，只是想拿我当个玩物，他给我花钱一掷千金，是因为他得不到我。我要是当时就范了，那就傻了，那样会让他得到我，但是我永远也别想得到他。那种情况下，不管腻成什么样，也不过一时的。但是现在不同了，他得到我了，虽然他不会再像当初那样地宠爱我了，可是我也得到他了。你说得对，我们这里可能没有太多爱的东西，但这是一场事业，属于我的一场事业，我会把这场婚姻经营好，让所有等着看笑话的人包括你在内，都没法看我的笑话。"

我无言以对，婚姻如果成为了这样精心的一场算计，一场角逐，那人们要感情还有何用呢？

"你怎么不说话了，是不是对我的这种想法特别不屑？"

"没有，绮珊，我只是想知道，在你将要结婚之前，你是否问过自己，曾经有过真爱吗？"我索性把问题挑明吧。

万绮珊看着我，目不转睛地看着我，说："当然，多年前我就爱上过一个人，你想知道是谁吗？"

"说说吧。"

"是你。"

我大吃一惊，差点从礁石上掉到海里去了。

万绮珊忍不住扑哧一笑："别害怕。我说的是曾经，可不是现在。曾经我真的爱上过你，在那个时候，我要是能像现在这样和你在海边坐一会儿，一定会激动得一晚上睡不着的。"

我惊慌地说："可是从来没有听你说过。"

万绮珊眺望着海面，深情地说："我不会和你说的。五年前，你第一次给我们上课的时候我就爱上你了。不过，我们那一班有六十多个学生，你从上课那天起就从来没有正眼看过我一眼，我知道，你是不可能会爱上我的。"

我仔细地回忆起当年给这些新丁们授课时的情景，但是怎么也想不起万绮珊这个人来。

万琦珊说："你那时一共给我们上了五节课，我一直在想着如何利用这五节课的时间接近你，表达我的这份爱意，可惜，最后我也没有勇气这样做。"

我无奈地摇了摇头，无话可说。

"爱一个人是很痛苦的事，尤其是你不能说出来，他也不会知道的时候。这种情绪一直伴随着我很多年。你当时给我讲的所有课我都记着呢。我记得你曾经在课上反复地说，我们是新闻工作者，我们的工作性质决定了我们首先要做一个正直的人，先对得起自己的良心，然后才能对得起这份职业。"万绮珊学着我的腔调说着，然后苦笑了一下，"不过，敬爱的老师，很对不起的是，我没做到你说的那样。几年后，你捅了个大娄子，很多人都在关心着这个事态的发展，这里面也有我。但是，我只是关心你，却没有想着做你这样的人，所以那时我就知道，咱们俩走的不是一条路，你更不会有理由爱上我这样的人的。"

"绮珊，我——"

"不用说了，都是陈芝麻烂谷子了，也不是什么大不了的事。"万绮珊站了起来，挺挺胸，很轻松的样子，"当年您的那些学生们，其实都和我一样，拼命奔跑在一条直奔小康的路上，把您的话基本上全忘了。这就是现实，你不服也不行。我曾经爱上过你，但那只是曾经，而不是现在，再说，现在的你也不是当年的你了。这也正如现在的我也不是当年的我一样。"

我望着万绮珊，海风吹拂着她的头发，她很美丽，如同一个落入凡间的精灵，但，其实她也一直就在凡间，也不过是一个精灵中的凡人而已。可是我呢，我不是凡间的人吗？所不同的是，我不是这样的精灵。她是，安琪是，雯雯呢？

一想起雯雯，我的心沉重了。

"我理解，"我说，"我理解。"

万绮珊说："我不认为你理解。真的，老师。你要是理解，就不会像现在这样了。爱情这个东西很奇怪，没有的时候，让人抓心抓肺，一旦有了，就贬值了，也不新鲜了，这就像你，有人爱你，你不会去珍惜，你爱着别人，但是你也不懂得如何善待这份感情。其实对我们来说，这世界不管有多少人在身边绕来绕去，也无非就两种人值得珍惜——你爱的人和爱你的人，可惜，大多数人只顾着和其他无关的人周旋，却总是不会去珍惜这两种人。"

我呆坐在那里，看着万绮珊，想：为什么我遇上的女人一个个都是这么聪明，而只有我一直愚笨如斯呢。

"好吧，老师，歪理邪说，让你见笑了，我也不多说了。"万绮珊站了起来，"下周三中午，绿原大酒店。欢迎你带着安琪来参加。老胡和你有点儿隔阂，他不太好意思亲自来通知你，特意让我和你说一声，你要来了，他会很高兴的。你继续一个人浪漫吧，我走了不陪你了。"

万绮珊拍拍我的肩，赤着脚很轻盈地从礁石上下来，向她停车的方向走去。

"绮珊，等一等。"我在后面喊。

万绮珊回过头来，问："怎么了？"

"你捎我一下吧。我想去一趟火车站。"

两小时后，我上了一列火车，前往的地方是临海市。

万绮珊说得对，这世界不管有多少人在身边绕来绕去，也无非就两种人值得珍惜——你爱的人和爱你的人。

我要亲自去一趟那所学校，去寻找我的妻子——安琪。

还有，她，雯雯。

2

在我坐上火车的三个小时后，韩力又把电话打来了。我接了电话，他问我在什么地方，我告诉他，我出门了。他问我去哪儿，我说找老婆去，但地方不能告诉你。

"我知道你要去干什么。你给我听着，不管你怎么包庇她，我们还是要抓获她，我不管她和你是什么关系，上没上过床，你要是敢通风报信，我就抓你。"

小韩同志气急败坏地说。

我笑了，问他，我给他的信件收到了吗？

小韩同志说他们已经收到了。他的情绪稍微平和了一下。他说他现在正在看这些日记，已经有一批人去我说的那个地方了。他又说赵清明昨晚上又供出了很多东西，对此案的进展有突破性发展。

我把电话挂断了，这个案子和我一点关系也没有了，该怎么突破怎么突破吧。

到达临海市时已经是晚上了。

这个城市我非常熟悉，十多年前，我们这批从农村来的孩子们，个个都是带着出人头地的梦想来到这里，为了大学梦与功名梦而把自己最纯真的岁月留在了这里。这些人中就有我，但没有麦家慧和雯雯，她们和我们不一样，她们就是在这里长大的，土生土长，户口在这里，很容易就能直接升学，不像我们，从农村考进来，要费很多的周折。所以我们进入了不同的学校，我们这些农村和郊区来的进了第一中学，她们则分到了当地人最多的同城中学，他们这些人中当然也混进了一批外地人，其中就有安琪。

尽管已经有十多年没来了，这里的变化并不是很大。还是那个样子，一座土城，连空气都带着一股子的土腥味。这里的人说话尾音长，男人的声音很软，女人则要刚强得多，人的性格也一样，男人多不能主外，女人却个个是好的内当家。很多女孩在这样的环境里生长，她们最后大都会选择走出去，因为她们受强悍的母亲的影响要大于那个沉默而无主见的父亲，所以，她们会认为世界都是这个样子，女人没有什么地方会比男人差。

有很多人走出去了。这里面有我的前女友麦家慧，她走得很远，一下子跑出国门了。听安琪前两天念叨，这次校庆的同学会她不会来的，因为没有她的联系方式。雯雯也从这里走出去了，一个丑女孩，带着一份爱情的憧憬走了出去，但是，她还是会带着一颗破碎的心回来的，她就在这里，但是我找不到她。

我打了一个车，直奔同城中学。在这所城市的各个学校的门口附近，应该还有很多的小旅馆，我当年考上这里的重点一中时，那所学校门口就有很多这样的小旅馆。同城中学也有，当年很多从农村来的家长们就住在这里，把孩子们寄送过来后，他们最多住一晚上就走。这些小旅馆很便宜，一天十元钱，四人铺，二十元钱的是双人的。我父母当年就住过那种四人铺，我们在这里吃了一顿包子后，一年零两个月后才见了第二面。

车一直开着，我在想现在是不是应该给安琪打一个电话，告诉她我也来了。但是最后我还是打消了这个念头，明天再给她打吧。现在，她应该是在某一个酒店和她敬爱的严老师以及来自祖国各地的同学们欢聚呢。在这个时候突然接到老公追剿过来的电话实在是很乏味的事情，明天早上再给她打吧，让她今天和同学们好好疯疯，明天再有一个惊喜。

车停在同城中学门口。我来不及观赏这个当年女友和现任妻子的母校，急忙地就去找宾馆，很遗憾那种小旅馆已经没有了，取而代之的是几个很像样甚至都可能够星级的宾馆，我去了几家，最便宜的一间是188元，我心中暗暗叫苦，这和我原来以为是二十元一间的标准差得太远，没办法，先住下吧。

刚刚住下，还没来得及洗个澡，电话来了。小韩同志的。

"我知道你现在在哪。"小韩同志开门见山，一点客套也没有地说，"我们已经把那些个从事表演的宝贝们全抓住了。我警告你，你老实待在那里等我，别再做任何出格的事了。我把你当朋友，才冒着违反纪律的风险给你打的电话，你要好自为之。"

韩力挂了电话，我手持电话呆若木鸡地站在那里。

韩力说他知道我在哪儿？他要我等他。这意味着什么，这是不是意味着关莉马上就要落网了。

她在哪？她的整容手术做了吗？

不会的，从昨天晚上到今天晚上，她怎么也不可能这么快就整容吧？

我要通知她，她必须要赶快解决这个事情，要不，等韩力他们来，和临海市警方一联手，她就没有活路了。

可是，到哪去找她呢？

我想了又想，只有一个地方，如果要找她，那里会发现她的。

3

这个学校和从前没什么两样的，操场、教学楼、沉默寡言的教工，一到上午就把阳光盛得满满的操场的跑道，还有那些个生长了不知多少年，刻满了岁月风尘的老槐树、香樟树、柳树、栀子树。

脚踏在操场跑道那松软的泥土上，突然间思绪飞扬，回到了十多年前。

在那时候，我们这些高三的毕业生们，在枯燥的学习之余，经常来这里和这里的小兄弟们联谊，所谓联谊也不过是一场球赛之后，缓解一下被高考复习充斥的大脑而已。我第一次就是在这个跑道上见到的麦家慧。那年她刚十六，我比她大三岁，她把头发束在脑后，和几个女孩并排着跑过来，短裤下，两条健美的腿被晒得黝黑，小腿肌腱鼓起，像个假小子，我第一眼见到她就喜欢上她了。后来我们踢球的时候，她成了拉拉队员，再后来，就好上了。真奇怪，雯雯的第一次恋爱经历和我们也差不多，我想对于大多数中学生来说，爱情的方式都差不多吧。我想那个时候雯雯会不会也在看我们踢球的这些人中，但是不会的，雯雯说她是在高二的时候，经常去看篮球的，那时我已经大一了。虽然时间和空间都很接近，但是我们没有理由碰上的。

我在大一的时候经常给麦芽写信，一直坚持到她高三毕业。这个绰号也是我给她起的。她后来考上了和我同一所大学，其实也是因为受我的影响。我们高中时都在一个城市里上学，大学时又能够进入同一个学校，从十几岁就开始相恋，一直坚持到青年时代，这是缘分，也是命运，我们恋情突飞猛进，又都喜欢打口磁带，有那么一段，真像两个志同道合的艺术青年。

后来，大三那年我和她回过一次这里，她陪我去了我的那个农村子弟学校，我也陪她来到这里。我们一起找到了那棵老橡树，这是这个校园唯一一棵这样的树，当年，我在这树下曾经很酸地给麦芽念过舒婷的名诗《致橡树》，那是我第一次约她，她刚十六，还是个孩子呢。我们那次又来到了这里，在橡树下拥吻了一分三十五秒，作为对那段天真生活的纪念，一年后，麦芽决定离开我时，曾嘱托我，有机会一定要再去那棵老橡树下，看看那棵树是否还活着。不过，这么多年来，我一直没有兑现这个承诺。

现在，我就向那棵橡树的方向走去。

学校里很热闹，不断地有校工和学生模样的人出没，扛着各种各样的彩旗、鲜花，还有各种缓带和装饰品，也不断见到和我一样的成年人，三一群俩一伙地在这里走动着。在校园的办公楼门前正在搭起一座彩虹门，一条横幅也挂起来了，上面写着："庆祝同城中学百年华诞。"

一所学校可以坚持百年，真是了不起，我走在这里，想像着一百年前，这里有很多和我们一样的人，带着少年的梦想来到这里，然后就投进了风雨兼程的人生。这一百年里，会发生多少故事，谁能预料，谁又能说清？

走到校园的尽头，我看见那棵橡树了，它还在，还活着，尽管已经老得不行了，但是枝叶还是生长着的。当年这里曾经留下过我的初吻，也曾见证了一段真正的爱情，现在，物是人非，可它还活着。我激动地走上前去，抚摸着那棵树的每一寸肌肤，眼前浮现出一个画面：一个女孩把腿搭在树杈上，用力压着，腰与腿绷得直直的，而一个稚气未脱的男孩子，靠在树干上，一边看着那个女孩，一边很激昂地念着：

"我如果爱你，绝不像攀援的凌霄花，借你的高枝来炫耀自己，我如果爱你，绝不学痴情的鸟儿，为绿阴重复单纯的歌曲——"

我掏出手机，给安琪打电话，这个时候，我很想她可以和我在这里共同回味一下，虽然这块地方不是我和她的见证，但至少也曾见证过我们当年的少年时光，我想她也可能会来过的吧。

电话拨过去，是不在服务区的声音。

我想她昨晚一定是闹得很晚，可能现在还没有起床吧。毕竟高中同学的相聚，多年不见了，一定是彻夜未眠吧。

我把手机关上，决定再等一会给她打。这时操场上响起了高音喇叭的声音：

"各位同学们，你们好，现在是北京时间九点整，校园广播站开始广播了。还有一天，我们学校的百年校庆就要到来了，校庆过后，又将要有一批高三的毕业生离开学校，走进更高的学府，为祖国美好的明天而拼搏进取。在这个特殊的日子里，今天一大早，就有一位不愿留下姓名的女校友过来，代表她自己和所有曾在这里学习过的同学，给即将毕业的同学们，点播一首歌曲，祝他们永远记住这纯真美好的高中时光，早一步进入大学殿堂，成为有用的人才。"

稍后，旋律响了起来：

"如果没有遇见你，

我将会是在哪里？

日子过得怎么样，

人生是否要珍惜？

也许遇见某一人，

过着相同的日子，

不知道会不会，也有爱情甜如蜜？

任时光匆匆流去我只在乎你，

心甘情愿感染你的气息，

人生几何，能够得到知己，

失去生命的力量也不可惜。

所以我求求你，

别让我离开你，

除了你我不能感到一丝丝情意

……"

非常熟悉的一首邓丽君的老歌，熟悉的旋律萦绕在整个校园，令人徒然生起一种伤感的情绪。

一边走一边听着这首老歌，我突然间想起了什么。

不久前，也在某一个地方听过这首歌。

是在哪里听过呢？

我家里就有邓丽君的全套专辑，是邓丽君死后我买的。

对了，就是在我家里听过的，而我是和一个人一起听的。

雯雯！

播音员的声音在我耳边回荡。"今天一大早，就有一位不愿留下姓名的女校友过来，代表她自己和所有曾在这里学习过的同学，给即将毕业的同学们，点播一首歌曲……"

她一定已经来了。

我拦住了一个校工，打听校广播站在哪里。校工说，在校办公楼的三楼。

我匆匆向校办公楼的方向跑去，在底下看到了校广播站的标志，三楼上面。有一个大大的高音喇叭竖在那里，从里面传出了一阵阵的歌声。

我抬起头来向上看，这时，三楼上面也有个人正在楼梯处往下看，我们俩四目交对，把对方都看清楚了。

"雯雯！"我大喊了一声。

她向下看了我一眼，冲我挥了挥手，然后突然间，她的身影就消失了。

我迅速地跑上楼去，楼道里到处可见花枝招展的男生女生，但是没有她，我疯狂地跑遍了整个楼层，但是没有找到她，她不见了。

※

我到处寻找她，但是找了一个上午，也没有在学校里找到她。

快到中午的时候，有个电话打来了。是一个手机号。

我接了电话，雯雯冷静的声音传了过来："你来了！"

"是的，你在哪儿？"我焦急地问。

"不要问了。你不该来找我的，我们之间已经结束了。你难道没有看过我给你写的信吗？"

"我看了，可是，我还是要来见你。你听我说，你现在的处境还是很危险。警方可能查出你了，他们马上要来了。"

"那又怎么样？后天我就去做整容手术，到时谁也不会认出来我的。"

"可是，我怕你等不到那一天就会被他们捉住的。再说你做了整容手术也没有用的，医院会证明你去过那儿整过容，如果他们知道了你真正的身份，也可以去你的家里把你抓住，你这样做，只能是罪加一等。"

"那你要我怎么办？"

"雯雯，如果你相信我。"我尽量让自己表现地极其诚恳，"自首吧。赶在他们通缉你之前自首，不会有事的。"

电话那头沉默了。

"雯雯，你在听我说吗？"我着急地问。

雯雯突然说："你现在身边有人吗？有条子吗？"

"没有，干什么？"

"有个事我告诉你。教授已经直接和我联系了。"

"什么？"我的心一下吊了起来，"他找你了。"

"他在网上给我发了一个信息，要我跟他联系。我没回话，今天早上，他给我发了一个站内短信，说要我接替芳姐姐的位置，还给了我一个最新的代理账号，要我再发展一批人，做网络代理人。"

这真是个意外的收获。我问："那你答应他了吗？"

"答应了。"

"为什么？"

"因为不这样，我就永远也不知道他是谁。"雯雯说，"我和他撒了谎，我说我早就知道他是谁了，我说我来这里就是找他的。"

"撒谎？为什么？"

"因为我差不多已经猜到他是谁了。"雯雯说："我只是要核实一下，他是不是那个人？"

"你猜到了是谁吗？"

"不管是谁，我想你都不会认识这个人的，再说，这事与你无关。"

"你真傻，你一定要告诉我他是谁。我不会让你一个人去见他的。"

"我也说不准，他是不是我想的那个人。"雯雯迟疑了一下，"你真的想知道他是谁吗？"

"我当然想。"

"如果你一定想知道，下午三点，在校园东面的丽晶咖啡屋里，我等你。"

"干什么？"

"傻瓜。他也会来，我们约在那里见面的。"

我禁不住打个寒战。"你这么有把握他会来？"

雯雯肯定地说："他会来。因为我有能要挟他的东西，他一定会来的。"

"那我们怎么办？"

"你真傻。你不是劝我自首吗？"

我突然明白了，心头一阵狂喜。说："雯雯，你终于想通了！"

"不，没有想通。我其实还可以走的。但是我累了，而且如果我走了，我怕你还会来找我，你总有一天会被我连累死的。"

"原来这一切都是为了我？"我感动地说，"雯雯，为了我让你做出这么大的牺牲，我要怎样才能报答你。"

"谈不上。我罪孽深重，曾经害了很多人，我也知道无论怎样我也难逃法律的制裁，但是，你今天来这里找我，我很感动，我决定不再害你。"

我激动得说不出话来。看来，我对韩力的承诺要实现了，但是这并不代表一切就平安无事了。我说："雯雯，既然你已经猜到他是谁了，那为什么不去找警方把一切说明白呢？我们通知警方吧。"

"没有用。我只是猜测，光凭猜测不能定一个人的罪的。但是要想拿到真正的证据，就必须把他引出来。我们是用站内短信联系的，他在短信里说他下午会来找我。这些都是有用的证据，警方现在没法抓他，是因为他至今也没有出现。如果他真的来了，那这个证据就更加有力了。"

"雯雯，你在哪里？我要见你。"

"下午再见吧。我在商场里，给我妈买东西呢。他们还都不知道我回来呢。我想给他们个惊喜，不过，过了今天下午，我怕我不大可能会有时间再来做这些事了。我现在只想安静地待一会儿，一边给家人购物，一边想想下面的路该怎么走。在这个敏感的时候我们最好不要先见面，下午再见吧。"

"你还会整容吗？"

"会的，但是要等这些事完了以后了，我讨厌自己的这张脸。"

我真诚地说："到时我陪你一起去好吗？"

"好。"在电话那头听不出她有什么感情。

"雯雯，"我想起了一件事，于是问她，"有个事我一直不明白，你为什么也会喜欢那首《爱会将我们分开》啊？"

"呵呵，"雯雯在电话那头笑了，"因为你啊，你有个坏毛病，总是不关电脑就出门。头第一次去你家时，你电脑里有很多文章里都写着这首歌呢，我后来找着了，也下载了一首，其实我哪知道这是什么歌啊？"

5

我决定还是先不给安琪打电话了，因为这个时候，我无暇分心去找她。我给韩力拨了一个电话。

韩力听我说完了整个事情的经过，沉默了一会儿，说："你有把握她没有骗你吗？"

"我有把握。"

"你现在在哪儿？"

我告诉他，在同城中学的操场上。

"在那里等我。我一会儿开车去接你。"

"一会儿？什么意思？"

"我现在就在临海市公安局网监中心的大楼里。"

"你已经来了。什么时候到的？"

"今天早上。"

"韩力，有件事我要求你，如果这次能够捉住教授，关莉算不算是戴罪立功呢。"

"应该算吧，这个还要具体商议。但是我会帮你，你相信我。"

"那好吧。我在哪里等你？"

"三十分钟后，你在学校门口等我。我这里正在收取一些证据，我看这次我们赢定了。"

韩力非常有信心，他要我一定不要动，看那意思，他们那里也掌握了一些很有价值的情况，我把电话挂断，脚步轻快地向学校门口走去。

在学校门口，几辆汽车一前一后地开了进来，有一辆桑塔纳开到了最后，车窗摇开，一个人伸出头来与门口的校工打招呼。在玻璃窗内，有个人坐在副驾驶的位子向外看了一眼，惊鸿一瞥间，我认出她来了，是安琪。

安琪已经来了，而且是坐着某个人的车来了，我想上去打个招呼，但是车窗已经关上了。车子直接开了进去，她应该没有看见我。

开车的人我没有看清楚，但肯定是个男人，可能是这次来参加校庆的同学。这次的校庆将持续两天，估计今天该来的同学们可能都来了。

我想了想，还是决定先不给安琪打电话。今天的事情不少，等处理完了再和她联系吧。

车子一直向里开去，车上贴着黑色的防爆膜，里面什么也看不见。真好笑，我就这样站在校园门口，眼看着我的妻子和我擦肩而过。

她万万也想不到，在她到达这里不到五个小时后，我也来了。我们会在晚上相聚，下午三点钟，韩力和临海市警方的人将会出现在那个咖啡厅，等到晚上一切就都会结束了。

我站在校园的门口，等韩力。这时已经快近中午了，阳光很毒，我躲到了一个比较阴凉的地方，在校园正门的边上，既可以看见校园门口的街道，也可以看见校园里面的情况。

我在想安琪现在在里面干什么，她可能正在找当年教过她的那些老师们叙旧吧。不过，校庆是明天开始，安琪似乎来得有点太急了，其实按理说，这些程序在明天开始也不晚啊。我想，安琪来得这么急是和我有关的，要不是她生我的气，一向珍惜时间的她，是不会在这里耽搁一整天的。

有很多车出出进进，平时学校里是不会有这么多车的，这一切都和明天早上的那场百年校庆有关。一辆黑色桑塔纳开出来了，看着很眼熟，好像是接安琪的那辆车，车子开得很快，一晃就过去了，我看了看车牌号，应该是那辆车吧。不知道安琪是不是在里面。已经到中午了，我想她可能是坐着这辆车去吃饭了吧。

我坐在那里等了二十多分钟了，韩力他们还没有来。现在正是中午下班时间，正是堵车的高峰，这里离他们市局应该是有一段距离的，他们三十分钟内未必能及时赶到我这里。我已经做好长时间等的准备了。

手机突然响了，我看了看，一个似曾相识的手机号。

接了。雯雯急促的声音传了过来：

"计划有变了。他刚才给我打了一个电话过来。说要马上见我。而且地点也变了，在去往郊区的路上一个叫绿野山庄的茶楼里。"

我吃了一惊："什么？那是什么地方？"

"离我这里不远，往东走，穿过一条街就是通往郊区的路，大约要开车十五分钟就到了。那座茶楼建在半山腰上，下了车还要走一段山路才能上去，很安静。城里人度周末时常常去那里，一边看山一边喝茶，是个休闲场所。不过在这样的工作日里那儿很少有人。他突然选了这个地方，可能是图个安静吧。"

"他要你什么时候到？"

"他说他已经上路了，他要我二十分钟赶到，他说他只等我三十分钟，如果我不来，这次见面就取消了。"

"你现在在哪？"

"我已经在路上了。"

"什么？你一个人去了？"

"是的。我必须去。"雯雯很坚定地说："不管这里有什么鬼，这是我能够见到他的唯一机会，就算里面有什么问题，我也要去见一见。"

"我觉得你应该留在原地，等着我来了一起去。我觉得这里面似乎有什么危险。"

雯雯在电话里笑了，说："你以为我是去见毒贩吗？这是最普通的网友见面，他不会伤害我的，没那个必要。这种罪犯就算被抓着了也判不了几年，没什么人会为这个事杀人灭口的，再说，我想他敢见我，就肯定有这个自信，即使我把条子们都带来，他一样会有办法可以把自己洗得干干净净的。"

"你怎么这么有把握？"

"这是网络上的游戏,玩这个游戏的人全是高手,而网络犯罪最难搞的是什么你知道吗?就是如何界定犯罪事实,如何量刑和定刑。他在这一点上比我清楚,我想他可能把这一切都做好了,我们根本找不到任何有利的证据,要不他不会见我的。"

"那你为什么还要去?"

"我想见一见这个人是谁,可能是好奇吧。我对他一直很感兴趣。我想用自己的方法彻底解决我们俩之间的事。"

"那好吧,你先去吧。我随后就到,你再把地址和我说一遍。"

两分钟后,我打了一个车,要那司机以最快的速度赶往绿野山庄。

司机不太情愿,说:"那可远着呢。打表吗?"

我说:"随便你。不打表也行。"

司机发动车子,说:"不打表,给个整数,七十走一圈吧。不过,到了山路我们的车可上不去了,危险,你得自己走上去,可能还要走个十分钟吧。"

我说没问题,让他快开。司机发动车子,这人比较爱唠叨,一边走一边和我介绍这个绿野山庄的情况。这是一个品茶的好地方,方圆百里全是茶庄,因此有人投资在这里建了一栋小别墅,对外公开接客,可以住宿,也可以吃饭,周末还有固定的茶道表演,由来自全国各地的茶艺大师们亲自操茗,在这里很有名,基本是给城里的大款和闲人们度假的地方。

这人唠叨了半天,我哪有心思听他白话。突然想起了应该赶快给韩力打个电话的,忙把电话打过去了。

一接电话韩力就说,别急,马上到,堵车了。

我说不是这事,把情况再次和他说了一遍。韩力在电话里和司机里说了一句什么,然后又给我打电话,说他们的车已经马上调头了,他要我别急,随时和关莉保持联系,他们会以最快的速度先到现场,他要我到了后要给他打电话,但是不要急于现身找关莉,以免打草惊蛇。

我说明白，电话放下了。我想韩力他们可能会比我先到，因为毕竟他们那个是警车，可以在路上开的比较方便一些。

车子开过一个路口，果然像我预料的那样，堵车了。现在是十二点多一点，正是下班高峰，狭窄的马路上车子排成一条长龙。我们的车排在大后面了。

我摇开车窗，很焦急地向外面望去，司机说："不要急，得堵一会呢。前面修路呢，所有的车都走这一条路了。"

"是吗，那会堵多少时间呢？"

"说不准，要是提前一点走，哪怕只有十分钟就不会这样了。前面学校多，很多家长开车接孩子回家，都塞在这了，现在是一天里车最多的时候。"

车子被堵了近十分钟，寸步难行。我很焦急地给雯雯打了一个电话。

"你现在在哪？"

"我已经出市区了，快到了。"

"我这里堵车要慢一些。你不要急，我一会就会过来的。"

"我没有急，一会到了地方我会给你发短信的。但是这期间你就别给我来电话了，我怕到了之后再接电话会引起他怀疑。"

"雯雯，你尽量拖住他，不要慌，我马上会赶到的。"

"好的。你放心吧，绿野山庄是一个公众场所，光天化日的，在大厅里喝茶，什么事也不会有。你进茶楼后，就坐在那里等我，别把他吓走了。"

"你放心，我会的。从现在开始咱们就短信联系了。"

我放下电话，给韩力他们打电话，问他们到哪了，韩力说还没有出市区，但是他们走的是另一条路，堵车不太厉害。

我放下电话，很愤怒地质问司机："还有一条路，你为什么不走那条路？"

司机无奈地说："不是我不想走，你也看见了，开不过去啊，家长接孩子的车都不按规矩停，把路口堵上了，我没办法，才转到了这条路上，你要往那边走，堵得更厉害。"

鬼知道他说的是不是真的。但是车确实是越堵越厉害了，很多车喇叭一起鸣叫着，让人听了心烦意乱。

好不容易擦着走了几步，终于抢到路口了，车又停下了。

"怎么回事？"我焦急地问。

"大哥，你往上看。"司机说："红灯啊。"

等红灯过去，那边的车又上来了，这里简直就像一个菜市场，车辆极多，但是见不到一个维持秩序的警察，无数大小型号的车塞在一起，缓缓爬行着。

我急得脸上的汗都下来了，再给韩力打电话，他说他们已经出了市区了。韩力让我再描述一遍关莉的形象，我仔细地说了一遍，韩力说明白，你不用着急，我们肯定会先到的。

车子终于突破瓶颈地带，开始走上一条比较通畅的路。

"谢天谢地。总算是可以走一条好路了，加大点马力，师傅。"

"好喽。我也憋坏了，说实话要不是冲钱的面子上，我可真是懒得在这里蹭。"

司机将车开到八十迈，不一会，就上了一条通畅的大路，两旁绿树如荫，田园遍野，已经上了郊区了。

"快到了。"司机说，"十分八分钟都用不了就到了。"

我的手机突然震动了一下，我打开，见上面是个短信。

打开短信，上面写着几个奇怪的字：

"C7588"

我看了看，发送短信的号码是雯雯的。

这是什么意思？

我给她发了一个短信，问：什么意思？

一分钟过去了，她没有回。

我想她现在可能已经到绿野山庄了，多半已经和教授在一起了，我不能给她去电话，也最好别发短信，以免引起对方的怀疑。

但是韩力他们也快到了吧？

我给韩力打电话，刚在手机上拨一个号，突然一声巨响，车子一阵剧烈的震荡，停住了，我的头险些撞在车前面的挡风玻璃上。

"怎么回事？"我惊魂未定地说。

"他妈的，"司机气愤地骂道，"爆胎了！"

6

车子坏在半路上了。

我极度气愤地站在那里，看着那个司机满头大汗地换轮胎，心里极其懊悔，为什么会坐上这么个破车。

"别急，一会就好。"司机一边干活，一边安慰我。

我站到一旁，再次给雯雯发了一个短信，还是没有人回。

她现在在干什么？

我想我不应该给她打电话，这个时候，打电话和发短信都可能是不合适的。但是我非常关心的是，他们现在碰上面了吗？那个人是谁？

等了一会儿，车还是没有换好。这个司机真他妈的是太衰了！我等不及了，给韩力打电话，刚拨了一个号，电话就打过来了，竟然是韩力打过来的。

我急忙接了电话："喂，你们到了吧？她在吗？"

韩力的声音很低沉："见到她了。"

"她怎么样？"

电话里好一阵子沉默，韩力再次说话时，声音更低沉了："不怎么样。"

"什么意思？"

韩力迟疑着，审慎着词语说："我们在山路的入口处发现了她，她被车撞了，血流了一地，120急救车现在正在赶往这里和我们会合。"

我的头轰然一声，眼前金星闪闪："怎么回事？谁撞了她？"

"不知道。我们来的时候，肇事者已经走了。我们有理由肯定，这是一起蓄意的谋杀活动。我们查看了她的伤口，她是先被车撞在腰上的，倒地后，车又从她的上半身上碾了过去，那个肇事车可能一直就停在山路入口处等她，当她一上山时，就猛地撞了过去，撞了一下之后，又碾了上去。"

我的手在颤抖，心也开始发慌，教授竟然谋杀了雯雯，为什么会这样？我颤抖着声音问道："她现在怎么样？她还活着吗？"

韩力叹了一口气，说："我知道这对你来说，肯定是个难以接受的事实，但是，她死了，我们赶到的时候，她就死了，车压碎了她的脸。"

手机掉在地上，我的头脑一片空白，眼前一阵模糊，什么也看不见了。

"修好了！"在我身后，传来了司机的欢叫声，"继续上路吧，先生。"

7

我来到医院的停尸房时，韩力和一群警察都在那里。我要往里进，警察挡住了我。韩力走出来，和那个警察耳语了几句，警察放行了。

"我建议你还是不要去看她吧。"韩力把手放在我的肩上，"脸被压碎了，胸腔粉碎型骨折，上身已经没有一块完整的骨头，很难看。"

我没理他，径直走了进去。

停尸房里，阴森森地，空荡荡地，只有一张床摆在那里，一个蒙着白色单子的人形躯体倒在上面。

我走了过去。在她的尸体前面站住，几小时前，我在学校的办公楼里曾与她四目相交，那时我没有追上她，如果追上了，也许一切都会改变。现在，她已经变成了一个被白色的单子蒙起来的人形躯体，这一切的转变实在是太突然了，而我难以想像，在这被单下面，蒙着的那个躯体已经被糟毁成什么样子了。

她就躺在那里，我已经看不见她的脸，那张不属于她的脸，我也永远不会看到她的另一张脸，那张真正属于她的脸，而她回来后要刻意改造的第三张脸，也要永远地带到来生去了，我今生也不会再见到。这个人的真面目，留在我记忆里的，永远只是一张假面，一张曾经属于我前任女朋友的假面。

"文波。你需要我帮你揭开这单子吗？"韩力见我呆呆地望着这具被蒙上的尸体，以为我有些胆怯，说了这样一句话。

"不用了。"我说。

我从怀里拿出一个东西，那是一张照片，一张毕业照，这上面有她，她就在这些人的中间，也许正在笑着，也许表情麻木，也许沉默不言，也许，一切都有可能，照片上，每一个人都有可能是她，也都有可能不是她，我今生将不会再揭开这个答案。

谁是她？她是谁？

这张破碎的脸，真正的面孔应该是什么样子的？有谁还会知道答案？

我把照片放在白色的单子上。

"麻烦你和这里的人说一声，请将这个东西与她的尸体一起火化，这是她唯一的遗物。"我对韩力说。

韩力担忧地看了我一眼，点了点头。

我走出停尸房，漫无目的地下了楼，楼下有一排塑料长椅，是给等待病人手术的家属们准备的。我坐了下去，突然发现自己已经泪流满面。

我低下头去，低声抽泣了起来。

有人轻轻地拍了拍我，抬起头来，发现是韩力，正把一包纸巾递给我。

　　我抽出一条纸巾，擦了擦眼睛，韩力拍拍我的肩，和我一起坐了下来。

　　"怎么会这样呢?"韩力仰天长叹，"网络案件变成了刑事案件，这在我的破案生涯中还是头一次。"

　　"是我杀了她，"我把手伸出去，"让他们来抓我吧。"

　　"开什么玩笑?"

　　"其实她根本就不用死。"我痛苦地把头低了下去，双手插进了乱乱的头发里，"如果我上午发现她时就追上她，如果她给我打电话时我就全力阻止她，如果我早一点把她交到你的手上，她就不会死，是我害了她，我是害她的凶手。"

　　"不能这么说。"韩力说，"关键的是，你在明她在暗，你一直没有她真正的联系方式，你不知道她真实的身份，也没有办法找到她，我们也是一样，如果能找着她，让她在我们的监视中，一切都好办了。可是偏偏我们就没来得及找着她在哪，杀她的人也是算计到了这一点，但他比我们快，他布下了一个局，引她自己送上门来了。"

　　韩力伸个长长的懒腰，分析说："我现在想，这个凶手是一个既凶残又非常有经验的人，他杀人的方法算计得非常精确。他从一开始就布下了一个局，其实他压根就不想和关莉见面，他先把关莉引出来，约好地点，把大家注意力都牵引过去后，又突然改变计划，打我们个措手不及，其目的只有一个，不惜一切代价也要杀了这个组织里的背叛者。他杀人的这个地方选得也很准确，在远离都市寂静又很少有人出没的山路上动手，既不容易被人发觉，又十分有利于他借助汽车这种工具作案，他甚至不用下车，不用让关莉看见他的样子就可以杀掉对方。而且最巧妙的是，他和我们玩了一个时间差，利用我们与关莉不能同步到达的这段时间，利用了市区堵车与必须要走一段山路的地形特点，他从容地把握这个时间差作案，然后再从另一条道上开着车离去。这个人，对地形、时间与作案手法的算计都非常的精确，这不像是一个网络罪犯的手法，倒像是个刑事罪犯常用的手段，而且这是一个智商极高的刑事犯罪分子。一般的网络犯罪分子不会走这一步，除非是有特别特殊的原因在里面。"

我抬起头来，责备地说："你现在分析得头头是道，但坏人在什么地方，你就没有一点头绪吗？"

"我可以肯定这是一次蓄意的谋杀，已经重新立案调查了。"韩力说，"你放心。我们会协助调查清楚这个案件。我们也不是完全没有头绪。有一件事，我不妨和你说吧，我们发现关莉尸体的时候，她的身上虽然已经伤得体无完肤，但是她的手上却拿着一部手机，这个手机也被压坏了，屏幕全碎了。但也可能她曾用这手机和罪犯联系过，我们会查清的。"

我在心里冷笑了一声，韩力真是分析家。还真让他猜着了。她有个信息就在我的手机里，但是，我打不定主意是否现在就告诉他。

"那个手机已经作为物证被留下了。"韩力说，"你放心，关莉的事一定会水落石出的。"

我点点头。站了起来，韩力问我去哪。我说我要出去透透气。

已经是下午四点钟了，外面依旧是一片暖洋洋的阳光普照，这就是春日里的特点，虽然有时起风，但阳光总是暖的，站在病房的门口，暖阳下我的心寒冷如冰。我拿出我的手机进入短信息功能，翻出了雯雯的短信。

在她临死的一刹那，她拿出了手机，也许手机一直就在她手上拿着从没放手，从那张破碎的脸上，她艰难地睁开眼睛，打开了手机，她在上面写了个信息，只有几个数字，她已经没有力气再写上别的什么了，当她按上回复信息时，她的心跳可能就完全停止了。感谢现代化的通讯手段，可以在最后一刻把这个回复信息传给我。让我终于还与她有了简短的交流。

但这个能说明真相的数字信息是什么呢？

我打开手机，看着手机上的这个短信息，陷入沉思中。

一声汽车喇叭把我从沉浸中惊醒，一辆红色汽车不满地在我身边鸣叫，原来我挡住它的进道了。

我把道给它让出来，看着它开进去，就在它消失的一瞬间，我望着这车子的后身，突然间脑海中灵光一闪，我想起了一件事，刹那间全明白了。

这个短信息里其实已经告诉了我们，是谁杀害的雯雯！

事不宜迟，我飞快地跑出医院，来到门口截住了一辆汽车。

"快，快！"我说："去同城中学，找最近的道开！"

第十六章

1

那辆汽车就停在那里，黑色桑塔纳，七成新。车身似乎被洗过了，但一看就不是专业人士洗的，很粗糙。可以看得出，主要洗的是轮胎与前后保险杆附近，车窗什么的都没动，但是前后保险杆和车轮胎却有明显的擦过的痕迹，特别是轮胎，上面的水迹还没有干。

这是傍晚时分的校园，明天校庆就要开始，很多人出出入入，车辆堆满了停车场，但是这辆车却形只影单地停在办公楼一个不被人注意的角落里，没有放入停车场。我绕到车的后面，低下头去，发现车底盘处有污泥，抠一块下来，这泥里还有一些青草芽，这不是城市的污泥，这应该是郊区或是山上的，在汽车后轮的轮胎里侧有一点鲜红的痕迹，我用手蹭了蹭，因为时间比较紧促的原因，洗车人可能把这一块漏洗了，再加上阳光照不到的缘故，鲜红的地方还有些湿润，我把沾染上了一点鲜红印迹的手指放到嘴里舔了舔，咸咸的，有些腥味，我有把握认为，这是血迹。

夕阳映照下来，照在车牌上，最后面的几个数字有些反光地凸现出来："……C7588"

这不是巧合，雯雯在临死前的最后一刹那，发了一个信息给我。

这个信息，有几个数字组成，我现在明白了，这是一个汽车牌子后面几位数字的号码。

开这辆车的人，可能就是杀害她的凶手。在他撞完人开走的时候，雯雯看到了后面的车牌。

这辆车，我在今天看见过两次，车上坐的人之一，就有一个是我非常熟悉的人。

我的老婆——安琪。

安琪曾经在这车上坐着，这说明了什么？

说明她与这次谋杀有关系？或者说，她就是凶手吗？

她是教授？

没什么不可能的，芳姐姐可以是个男的，教授也一样可以是个女的。

我突然一阵不寒而栗，我妻子是凶手？

会是她吗？

我的大脑快速运转着。一个坐在车上的人，一个女人，一个和雯雯曾经同在一个学校的女人，一个了解她底细的人，一个凶手。

这是我的妻子吗？

不，这不是她，尽管我们之间有太多的问题与隔阂，但是我保证，这个不是她！不是她！

我把头低下去，我要再看看这车上有什么？

我又在另一个轮胎的内侧发现了血迹，我用袋里的手绢把血迹拭了一下，这上面的血可以进行化验，如果和雯雯的血型一样，就可以有力地说明一件事。

凶手就是这个开车的人。

安琪？可她只是个乘客，她不是开车的人，开车的人才是最有嫌疑的？

"喂，你干什么呢你？"

一声断喝突然打断了我。我从车底盘处抬起头来，看见一个校工打扮的人正在呵斥着。

"你要干什么？你爬到车底下干什么去了？"校工走上前来，非常警惕地说。

"不好意思。"我举了个敬手礼，"我刚才在这儿停了一下自行车，但是走的时候发现家里的钥匙丢在这儿了，我来看看是不是在这车底下呢。我没什么恶意。真的，师傅。"

校工的脸色缓和了。"底下没什么东西吧。我刚才刚扫过。你找着了吗？"

"没有。我想我可能丢到别处了吧。"

校工走上前来，用手在前边指指，说："你不是这个学校的人吧，现在学校已经要关门了，你还是快走吧。"

"我马上走，师傅。不过走之前，我想问问，这车是谁开的？"

"你问这个干什么？"

"没什么，随便问问。"我灵机一动，说："我一直想买个二手桑塔纳，我看这车也不新了，跟你们领导说说，卖我得了！真的！"

校工啐了一口，说："胡说。我们这车买了还不到三年，我们校领导能卖你？"

"这是谁的车，可真够寒酸的，现在这款都淘汰了。"

"你可别说瞎话。这车在我们学校还是好车呢。"

"是吗？那这是哪个领导开的，我不信现在还有这么节俭的领导？"

校工犹豫了一下，说："这是我们严副校长的车。"

"哪个严副校长？不会是以前教语文的那个严宏吧？"

"没错，就是他。"

2

他坐在办公室的书桌前，落日余晖下，可以看见他的头发有些白的印迹，但是他的模样一点也没有变。和从前一样，还是那么儒雅、稳定、充满自信。

我站在门口凝视他。这个人我很熟悉，在很多年前，我和刚上高二的麦家慧好上后，他不止一次地阻挠过我们。我也很嫉妒麦芽这么信任他崇拜他。他不是麦芽班里的班主任，但却是我的老婆安琪的班主任。可是他无论对安琪还是对麦芽都特别好。这让我非常嫉妒，在那时候我想了很多的损招来对付他，但是没有一次成功的。

他坐在那里皱着眉，伏在桌上，很辛苦地思索着的样子。我听麦芽说过，他是一个很负责任的教师，教课认真，生活的也很清苦，他的家庭生活很不幸，儿子早逝，妻子离异，但是他仍然几十年如一日，不求名不求利，一直拼搏在讲台上，他曾无数次获得过十佳教师的称号，也曾有很多机会可以远走高飞，但他却留了下来，在这教书教了二十年。

我在门口轻轻咳了一声，他抬起头来，透过金丝边眼镜，我发现他还是老了，眼角的皱纹多了不少道，眼神中也有种恍惚不清晰的感觉。

"您是？"他怀疑地看着我。我现在已经面目全非了，我想他不会认出来我的。

"我姓李，李文波，"我自我介绍了一下，接着问，"您是严老师吧？"

他点了点头。接着问："你也是从这个学校毕业的吧，明天才校庆呢，有什么事找我吗？"

"是这样，我不是你班上的学生，但我老婆是，您认识一个叫安琪的人吧。"

他推了推已经坠下鼻梁的眼镜，说："认识的。那是我班上的一个学生，我还是他们的班主任呢。怎么，你是她爱人？"

"是的。我来这里，就是想找她的，上午我看见她坐在您车里了，我能问您一下吗？她在哪儿？"

"她走了。"

"走了，她不是要参加明天的校庆吗？"

"她公司突然有了急事，她必须得马上去解决，所以她就先走了。今天上午她来学校看了看，请了我们几个从前的老师吃了一顿饭，中午就走了。我送她去的车站。"严宏说，"怎么，你没和她联系上吗？"

我说："我们不是一起来的，大家各有各的事，她还不知道我来了。"

"噢。"严宏应了一声，又把头低下去看桌上放着的一叠教案。表情有些冷淡，我知道，这是一种无声的逐客方式。

我指了指桌前的一个椅子，说："严老师，我能坐下来吗？有些事想和您谈谈。"

严宏看了我一眼，不是很情愿地说："当然可以，不过，咱们谈不了太长时间的，我一会儿可能会很忙，明天校庆，要准备很多东西。"

我坐了下来，眼睛扫视着这屋子。发现在墙角有一台电脑，在另一张桌上还有一台手提电脑。

我指了指桌上的那台电脑，说："严老师，您平时上网吗？"

严宏不解地看了我一眼，说："上。怎么了？"

"没什么，我只是好奇想问一下，您喜欢聊天吗？"

"不喜欢。我从不聊天。"

"是吗？"我笑笑，"那咱们正好相反，我是一个聊天狂，我觉得聊天很有意思，很隐秘，也很刺激，我上过很多的聊天室，我给您介绍一个好的，好不好？"

严宏不太高兴地抬起头说："这些事我不是很有兴趣，你有什么事就直说吧。对不起，我的时间很紧，咱们就别绕弯子了。"

"好的。"我说，"严老师，我知道您很忙，不过，还是有个很私人化的问题想问问您，今天中午是不是您开车送我老婆去的车站？"

严宏很不高兴地说："学校里的司机都因校庆的事被抽调出去了，所以我就临时送了她一下，怎么，这有什么不妥吗？"

"没有。"我把身子往前贴了一下，"我只是很好奇一件事，在把我老婆送走之后的那段时间里，您去了哪儿？"

严宏直视了我一眼，这是自从进屋以来，我们第一次互相正视对方的眼睛，我发现，他很镇定，至少在眼神里，没有一丝惊慌。

"你问这个干什么？"严宏冷淡地说，"想调查我吗？"

"不敢，我只是好奇。"我直视着他的眼睛，冷静地说，"严老师，我有把握相信，你送走我妻子后，没有马上回到学校。"

严宏哼了一声，说："是吗？那我去了哪？"

"和我一样。您也是一个热衷于网络的人，我认为您去一个地方，等一个人去了。"

严宏笑了："那我等谁去了？"

"一个女网友，"我说，"同时，还是您当年接济过的一个学生。"

"噢，是吗？你接着说下去，后来呢？"

我坐在椅子上，眺望窗外，从我这个角度可以看见那辆车正停在树下，没有人动过。

"严老师，问你一件旧事吧，几个月前，我在网上认识了一个叫关莉的人，您记得她吗？"

"从来没听说过。"

"不会吧，她是九三届毕业的，和安琪同年级，也是您教过的学生。"

严宏在那儿沉思了一下，说："我教过很多学生，也许有人叫这个名字吧，但我不可能都把她们记住的。"

"我想您应该把她记住，因为她经常和我谈起您，说您曾经在她最危难的时候接济过她，说您是这个学校唯一关心她的人，她一辈子都很感谢您。"

"我记不起有这种事，我没有带过这样的一个学生，你应该是找错人了。"严宏有些不耐烦地说："你如果想查这个人的一些事，我建议你去隔壁的教务处，那里面有学生档案，我可以和他们说一声，明天你可以去查一查。"

"不用了。"我站了起来，"我只是想来给您带个话，关莉让我告诉您一句，她很想见你。"

"我不认识她，她见我干什么？"

我轻轻地笑了笑，说："是吗？我想也许是她记错了，也许是您记错了，但是只要你们一见面就应该真相大白了吧。她现在在医院里，被车撞了，但是她还活着，还记得很多事情。"

严宏呆呆地坐在那里，盯着桌子，我看不见他的表情，但能感觉得出来，他很沮丧。

我在和他打一场心理战，这个时候，我知道，我一定要利用我多年来作为媒体工作者的经验，诱导他说出不该说的话，否则的话，这件事情就将不会再有真相了。

我假装漫不经心地说："她在赴一个网友间的约会时被人撞了，那个人撞倒了她，又在她身上有意识地碾了过去，可能是太紧张了吧，肇事者连车都没有下，也不检查一下她是否还活着，就忙着跑掉了。她应该是没有救了，可是她命大，全身的骨头都碎了，但心脏却没有被撞坏，她还活着，但是她却成了一个残废。她的一生都被那个人毁了，一个她信任过的人，一个她一直以为是恩人的人，那个人，现在却坐在阳光普照下的办公椅上，很悠闲，很君子，很志得意满，意气风发，但是却把她送进了地狱。很可怜啊，她已经奄奄一息，却还在想着见那个人一面，说一句谢谢，但那个人却说，从来就不认识她。"

"等等，"严宏终于沉不住气了，"你的话里似乎有针对性，你在怀疑我，怀疑是我撞了她，对吗？"

"不是怀疑，严老师。"我把头伸了过去，直视着他的眼睛，"而是肯定，我认为，您就是那个杀人的凶手，不，是杀人未遂的凶手。"

3

严宏毫不畏惧地看着我，在他的眼中，我始终没有看到那种我意想中的惊慌与恐惧，这让我多少有些失望和没了底气。

"你对你的话负责吗？"他狠狠地问我。

"当然。"

严宏把手伸向了电话，说："虽然我根本就不知道你在说什么，但我知道，在我国的法律里，还有诽谤罪这一条吧，我现在只要拨一个电话，校保卫处的人就会来把你轰出去，或者，直接把你交给110，我现在给你个机会，从我的办公室里出去，要不，我就请人让你出去。"

"不用了。"我说，"我自己会走。我只是很失望，在我妻子和我前任女朋友的眼中，您是一个大好人，曾如此地令她们崇拜和欣赏，可是现在证明这一切全是错的。我本来是想帮你一把的，但是现在我发现，您不需要我的帮助。您的一个学生生命垂危，这一切都是您造成的，但是我却在您的眼中，没有看到一丝忏悔，所以，我放弃你了，但是有人还会来找你，会让你明白，你做过了什么事情，就一定为之负责。"

我站起来，缓慢地走到了门口，门是开着的，门外，那辆车很显眼地停在那里。我在等着他阻止我走出去，快喊我吧！我在心里不停地说，喊我！如果他不喊我，我刚才的话就白说了。

"等等。"终于，在我一只脚已经踏出门外的时候，他喊我了。

我回过头来，发现严宏很颓丧地坐在那里，只一瞬间，他的气色突然变得很差，脸色变得惨白，精神也有些恍惚了。

"我想起你来了，"严宏说，"你是隔壁一中的那个学生，经常来我们学校踢球的那个黑小子，对吗？"

"没错，我还和你们学校的校花，您的得意门生麦家慧谈过恋爱。"

"噢，原来是你，"严宏恍然大悟地说，"你胖得太厉害了，我真是一下子没认出你来呢。"他冲我招了招手，"你坐吧，咱们再谈一谈，也算是故人呢。不过，坐下之前麻烦你把门关一下好吗？"

我把门关上，重新坐了下来与他面对，我知道，我们之间的较量这时才刚刚开始，我一定要非常小心，才能揭露出事情的真相。

"在你心中，我是一个坏人，对吗？"严宏很冷静也很认真地说。

"没错。"我说，"尽管在我的妻子、我的前任女友、我认识的关莉心目中，您都是个大好人，但我认为，您很坏，真的。"

严宏很痛苦地低下头去，一只手托住额头，沉思了片刻，当他抬起头来时，我很惊异地发现，他的眼中蓄满了泪水。

"你知道吗，几年前，我的大儿子死了。"他低沉着声音说。

我没想到他突然说出这一句话。我从安琪那里知道，他是有一个儿子曾经因病早逝了，但现在突然听他说起这事，不知道是什么意思，所以没有接话。

严宏手托着额头，眼睛定定地望着前方，眼神很茫然。"我大儿子其实可以不用死的。他得了脑瘤，不是没有治的，北京就有一家医院专门治这种病，成活率很高，天津也有一家很好的医院，但是当我们去那里的时候一切都晚了，这一切都是因为我。在我们最该去大医院就诊的时候，我凑不起钱。因为我把所有的积蓄都借给了一个人，我无条件地信任了她，但是她没有在说好的日期内还我的钱，所以我差了这些钱，就不能及时把孩子送去看病，结果，他被耽误了。"

"是这样吗，"我不知说什么好，只得勉强地说一句，"中年丧子，那确实是人世间最让人痛苦的事。"

"也不是，那都是十多年前的事了，我那时也不过就三十多岁，还谈不上中年丧子吧。"严宏稍稍轻松了一些说："这件事情已经过去很多年了，我已经把这种痛苦淡忘了，但是，有件事我不能忘，如果我当时还能拿出三万块钱来，如果我当时还能借到三万块钱，我儿子也许会活下来。"

我的心里隐隐有一丝不安，我想我已经越来越接近事实了。我问："那个借您钱的人，一直没有还您钱吗？"

"不，她后来还了。"严宏眼圈又红了起来，"但是在我把所有的积蓄借给她四年之后。我儿子那时已经死了整整两年了。"

我长叹一口气，说："那个借您钱的人，她又是谁呢？"

"是一个学生。"严宏将头靠在椅背上，陷入了对往事的回忆中，"那是一个非常聪明但是却又不太引人注意的学生。我一直认为，她是个可造之材，但是缺乏一个能真正关心她的人合理地引导。我对她是很不错的，我对所有的学生其实都是很不错的。有天下午，她来找我，说她妈病了，要一笔钱，她说她们家的钱为了她哥明年结婚的缘故，全存了死期了，拿不出来。所以她来向我借钱，我并不宽裕，但是我还是借了她，我知道她妈妈的病，人命关天，我不能眼看着一个人因为差那么一点点钱就死去吧。我把钱借她了，她要给我写个借条，说最多一个月后就会还我，我没让她写。因为我信任她，我信任她就像信任我自己的孩子。然后，她就失踪了。半年后我儿子得了病，要很多钱，我去她家要钱，但是，她家人不承认我曾经借给她钱，不承认，因为什么？因为我没有借条，因为她从来也没有和她家人说过她给我借过钱。这是她家人的借口，我没有从她家拿回一分钱，我儿子就那样在县医院里等着观察，不停地输一些比较便宜的药液，一次大手术的价格是多少你知道吗？十万块。那是在十年前，十万块是个什么概念你也知道吧！我没有钱，我出生在一个农民家庭，我当时只是一个从农村抽上来的农民老师，我不是这个学校的正式工，我甚至不能享受正式工应该有的那些医保待遇。没办法，我就只能到处借，我借了很多钱，借到最后，没有一个朋友敢再给我借钱了，是啊，谁敢把钱往一个无底洞里塞呢？他们在背后都说，我儿子患的是绝症，是脑癌晚期，他活不了了。但是我知道，他是有救的，他应该有救的，可是最后，我儿子还是死了。因为他的病情被耽误的时间太长了。是我害了他。就为了这个，我妻子放弃了我，不，是抛弃了我，因为她不愿再和一个废物一起生活了，这是她临走时说的话。四年以后我的那个学生又回来了，把钱还给了我，可是，我儿子已经死了，在他活着的时候，我从她家里没有要出过一分钱，但是现在他死了，她却把钱还上了。你说，这个世界是不是很好笑？"

严宏干笑了两声，却说不下去了，他的声音有些哽咽。

我不知道该怎么面对这个话题，严宏为了这种信任而付出了这么大的代价，我想即使雯雯也决不会想到的。

"她做的是很过分，"我说，"可是，她的心里很内疚，她一直在为这件事而忏悔，再说，当时的情况很特殊，她并不了解内情，已经过去这么多年了，你现在还不能原谅她吗？"

"原谅？"严宏笑了笑，他笑着但是眼睛里一点笑意也没有，这个反差的表现令他的神情更加阴冷了起来，"我可以原谅她，我也没有资格要求她为这个事就内疚一辈子，毕竟，人总是会死的，只是个时间早晚的问题。但是，你也说过，人既然做出了什么事，就要为这个事承担责任，她也要承担她自己的那份责任吧。这个要求也不过分吧。"

"可是，难道就因为这个，她就要付出生命的代价吗？这对她，是不是太不公平了？"

"公平？什么叫公平？"严宏冷笑着，"我也想找到这个东西。我教学已经整整二十一年了，从一个民办小学的教师，再到被抽调到城里来做临时工，教学，再到转正，然后再教书，这一教就是二十多年。二十多年了，我为这个事业付出了多少心血，带出了多少毕业班，培养了多少人才，大家有目共睹，可是我过的什么样的生活？因为那些鬼才知道怎么回事的学历、职称、什么硬件条件，我一直没法把自己的待遇再提上一格，还有，因为没有人，没有社会关系，我也根本就不可能有什么更大的发展，当了二十年的穷教师，这个社会给予了我什么？在这时候，你为什么不说公平这两个字。"

"不管以前怎么样，你现在生活还不错吧，你现在至少不是个穷教师，还是一个学校的副校长吧？"

严宏鄙夷地说："是吗，在一个有一正四副编制的学校里，用二十多年的时间换来了一个排名最后的副职，你认为这很公平吗？"

"可是很多人不如你，我进来时看见很多人都熬白了头发，不也就是一个普通教师吗？"

严宏摇了摇头："那不一样，他们是心甘情愿，但是我不甘心，我清苦了大半辈子，可是换来的除了两袖清风，还有一个儿子的不幸早逝，妻子的弃我而去外，就什么也没有了。你觉得这很公平吗？可以补偿我已经失去了的一切吗？"

严宏的情绪已经被调动起来了。我知道，这个时候，我一定要他保持这种旺盛的情绪才行，现在，这不是一场刑讯，而是一次采访。我在内心深处不断地提醒自己，你不要把这个人当成一个罪犯、一个坏蛋，只是把他当成一个采访对象就行了。你的老本行是做采访的，这就是一个真正的采访，做好这次采访你就赢了。

"我想，经营那些网站，是你为自己找的一条弥补心态平衡的方式吧？"我小心地问他。

严宏充满自信地一笑，说："我不知道你说的是什么。但是我要告诉你，我是一个教师，从前我一直认为教书是我的主业，教好书就对得起一切了。现在我还是一个教师，这一点没有变化，也永远不会变化。"

"不，"我说，"已经变了。当一个人通过不正当的手段一年能够赚到二十万的时候，我相信，一定已经有些东西发生了根本的变化了。"

"二十万？"严宏笑了，"你认为这是很大的一笔钱吗？我告诉你，我有一个学生，现在在一个基建公司当工程预算的负责人，正股级干部，你知道他一年如果不太勤快的话，可以赚到多少钱吗？——三十万，这只是一个保守的数字，一个连副科长都不是的干部，他却可以赚到那么多钱，可是我能吗？为什么他可以合理合法地捞这么多钱，但是我却不能？"

"这世界上有很多事情很不公平，你能一个一个找过来吗？"

"是的，我承认，我不能。可是，我一直认为，公平是个相对的概念，这个世界上没有绝对的公平，但是，我们个人却可以靠我们的努力创造一些相对的公平，这也就够了。"

"我不明白你的意思。"我说，"能否解释一下。"

"没什么好解释的。"严宏坚定地说，"我在努力改变着自己的命运，我没有做错什么。"

我点点头。"我明白了。一个学校里排名第五的领导，他所得到的权力是十分有限的。但是在网络里就不一样，他所拥有的权力是无限的，而这份权力的拥有和它的自由度，其实就取决于一件事——钱，对吗？"

严宏摊开双手，做个无所谓的表情，但我知道，我说中了他的要害了。

"是的，权力、金钱，在现实社会里，这些东西来之不易，要维持它更难。"我说，"就像你，干了二十多年，最后还是得靠资历才能提个一官半职，而即使当上了这个官，你得到的也是有限的，你要维持它，就要比以前还要小心。这是这个现实社会的存在法则，但是，在另一个世界却可以不遵守这些规则，所以像你们这样的人就一头扎进去那个世界里了，在那个世界里，你们找到了一种可以完全满足个人欲望的方法，只要一门心思赚钱，什么也不管什么也不顾，就可以成功，就可以实现所谓的无上自由，我说得对吗？"

严宏哼了一声，不作回答。

"你可以不理睬这个问题，但是我只想问一句，"我说，"就算你不想暴露自己，就算你真的喜欢把这种色情活动当成事业，但是值得为这点事就杀人吗？关莉她难道真的就那么该死吗？"

严宏问："你口口声声说我杀人的事？你有证据吗？"

"我是没有。但是有一件事你万万没有想到，我是你们不知道的一个重要人物。关莉曾经把你们的事告诉过我。"我说，"其实我早就应该想到，这个世界上，知道关莉整容的人，除了她的家人，剩下的人只有你。你知道她的一切情况，无论是过去的还是现在的，你也了解她家里的情况，所以，你很容易就可以控制她，你可以先把她拖进网络里，再不动声色地以另一种身份与她接头，然后，你就可以操纵她了，她就这样一步步地成为你的赚钱机器。你这是在报她从前的仇吧，可是，你已经控制了她，为什么还要杀她？杀她你就是死罪，这样做值得吗？"

"谁能证明我杀了人？"严宏反问，"她是谁，你能告诉我，这个被杀了的人是谁吗？"

我无言以对。我也不知她是谁，我想起了她那张被压碎了的脸，现在，除了严宏，谁也不知道她是谁。

"连一个人是谁都不知道，你拿什么来证明我杀人或是没杀人？"严宏反问，"法庭不是靠猜测和合理想像定一个人的罪的，要讲证据，还要讲作案动机，我问你，你刚才的话证据在哪？作案动机是什么？你能拿出一个合理的东西来验证吗？"

话说到这，我不得不承认，严宏的话很有道理，我不能，因为所有的一切都是在想像中，没有真正有力的证据。

"可是我知道你为什么杀她，可惜的是，雯雯开始并不知道。"

我说，"其实雯雯也和我一样，也猜出了幕后的那个人是你。以她的聪明，不会这么久也猜不出这些事情的。只不过，你在她心目中的形象太好了，她不能接受，或者说不敢相信你就是那个控制她的人的事实，于是，她没有把这个想法说给任何人听，甚至，她也没有说给我听。我想，这是她最后还对你存有幻想，她最后决定一个人去见你，我想她可能还是想用自己的方法来劝你放过她，或者是想说服你自首。可惜，她错了，错就错在她以为你还是从前的那个善良的人。她错在不该过早地打电话给你，还撒了一个谎，让你知道了她已经猜出了真相，她也错在不该回到家乡再来找你，自投罗网，而这些错误终于导致你最后对她下手。其实你早就想杀了她对吗？从你的儿子死后的那一天起，你就想杀了她。你一直在等着，只要她一回来，你就会动手的，对吗？你杀了她，不光是怕她把你的事说出来，其实也是为了替你儿子报仇，对吗？"

严宏冷静地看着我，突然笑了。

"你的推理很合乎逻辑，可惜完全是一番废话，因为你还是没有一个可以用来说服这种猜测地证据。"严宏说，"她是谁？你不知道，我也不知道，所以你的这种猜测和我有什么关系？"

"没有吗？"我痛心地说，"一个那样尊重你的人，一个本来想脱离一切重新开始的人，就这样残忍地被你杀害，你还能说出口，说这和你一点关系也没有吗？"

严宏说："我要告诉你，你说的这些人和事和我的生活没有任何关系的人。所以，我没有什么必要和你在这里探讨这个问题。"

"为什么？因为你现在在社会上有地位有身份，而关莉的出现会威胁到你现在的生活吗？所以，就算是她还没有掌握足够的证据，就算她可能不会去指证你，但是为了你现在好不容易得到的东西，你也一定会杀了她的。"

"有件事我要你明白，你不要试图诱导我。"严宏老练地说，"我可以负责任地告诉你一句，你所有的话都只是一种合理想像，没有证据，没有根据，这个时候也就一切都不成立，还有一件事我也可以更负责任地告诉你，我现在可以控制我自己的生活，控制我的情绪。但是你不能，你不能控制你自己，因为你已经失控了，你什么也不会得到，因为你压根也不知道，你现在说这些话做这些事，真正的目的是什么。"

"我当然知道，"我说，"我是替一个死去的冤魂讨一个公道。"

"好吧。"严宏说，"可以。你可以现在就去报警，可以告我，但是，我会找一个能干的律师来应对你，你要有证据，没有证据，你拿不出什么理由告我。我可以告诉你，明天的校庆我要主持整个开幕式，我一定会按时参加，没有人可以阻止我。"严宏突然站了起来，这是我进来后他第一次站起来，我发现他的身材高大挺拔，体格似乎比我健壮，他大踏步地向我走来，有那么一刻，我突然很惶恐，我以为他要袭击我了，看他的体格，他真的要动起手来，我可能还真有些危险，但是他却在我身边停住了，脸上的表情难以捉摸，似乎有些痛苦又有些轻松。他凝视了我一会儿，做了一个送客的手势，说："好了，我想我们之间已经就这个问题谈得很清楚了，我们没有什么可谈的了，现在我要休息一会儿，请你出去吧，走的时候，请把门给我带一下，谢谢。"

走出他的办公室时，天色已经近于傍晚了，这一天很漫长，因为发生了太多的事情。

我回过头看看严宏的办公室，门窗紧锁，屋子里黑洞洞的，没有开灯。我不知道严宏在这间关得严严实实的屋子里在干什么，但我想他可能已经习惯在这种封闭式的环境里生活了。他会把所有的门窗紧闭，然后打开电脑，带着一脸得意的表情进入那个带来他无限权力与无限乐趣的世界里，任意地操纵着别人的命运，任意操纵着别人的情绪，也有目的、有计划地操纵着别人的金钱。

我能体会到，一个副校长和一个网络皇帝之间的差异，也能想像得到，在这两者之间的反差中，一个多年来循规蹈矩的人终于享受了出轨乐趣后的满足。

我想起了赵清明的话："网络就是现代的鸦片。"

赵清明对这个网络时代的总结总是一针见血，可惜，他能把这些观察上升到理论，却不能用来指导实践，于是，他也一样地难逃自己的圈套。

严宏也一样。屋子紧闭，这也正如他的心情，当他打开电脑时，他可能会忘记一切，待遇、权力、丧子之痛、妻子离去之苦、被信任的人欺骗之恨，所有的在现实生活中让他备受挫折的东西，在这个虚拟的地下世界里，他都一一讨还回来了。

哪怕这是要很多人为之付出代价的，也在所不辞。

严宏把自己关在屋子里，我在屋子外，突然有一种格外感激的情结，我感激我还能呼吸到如此自由清新的空气，而不用和屋子里的那个人一样，利用一道光纤来寻找内心的平衡。

一辆汽车开了进来，停在严宏的车前，车门打开，韩力和几个警察从上面下来了。

"不好意思。"韩力先道歉，"我的手机没电了，刚装上电池就看见你给我发的短信，我们来得晚了吧？他怎么样？"

韩力怀疑地用手指了指黑洞洞的办公室。

"他稳稳地在里面坐着呢，这是个很骄傲很自信的人，如果他认为自己不会有事，他是不会逃的。"我疲倦地说。"我建议你们把那辆车扣下，车的轮胎里侧有血迹，还有一些从山上沾下来的淤泥，我想这些作为证据应该很重要吧？"

"非常重要。"韩力说，"如果上面的血迹与关莉的血型一样，那些泥和绿野山庄道路上的泥土土质一样，基本上这个证据就完全过硬了。"

"给你这个。"我从怀里掏出一个东西，扔了过去。

韩力接住了，问："什么？"

我说："这个叫录音笔，是我当年工作时常用的一个工具，好久没用了，今天派上用场了。里面有我们刚才的谈话录音，他很狡猾，没有正面回答我提出的所有敏感问题，但是我想，即使如此。这些录音里还是能够反映出很多问题的。"

韩力难以掩饰心中的喜悦，说："你小子也真是能干，不愧为老江湖，你要是总这么能干，我建议你改行到我们单位。"

我苦笑一下，韩力这时故作幽默，基本上没起什么效果。

韩力话锋一转："不过，今天晚上你还要辛苦一下，你现在是重要证人，得配合我们破案呢。所以，你还得再留这儿两天。"

"好。但是我请示一下首长，我现在可不可以找个地方先休息一会儿，这一天累死我了。"

韩力说："请便。不过现在犯罪嫌疑人没有落网之前，你还暂时不能自由活动。你就在车里坐会儿吧。一会儿咱们一起走。"

韩力拍拍我的肩，说晚上事都了结后，他请我吃夜宵，我点点头，韩力他们几个人向那间办公室走去。

我看着他们推门进去，我想严宏这时是什么样的表情？不过，是什么表情都与我无关了，剩下的事，都是韩力他们的事了。

我一个人走在傍晚夕阳残照的校园里。明天这里将有一场盛大的校庆，作为主持人和策划者之一的严老师，可能不会有机会参加了。

我走了很远，最后在那棵橡树前停下。

很多年前，我的初恋女友麦芽告诉我，如果有一天她永远地离开了我，请我替她来这橡树下看看。现在，我来实现对她的承诺了。

我想在这棵树下可能记载了很多人的青春岁月，从十六岁到十八岁这三年间，有太多青涩的故事被这棵树见证了，这里面有麦芽的，有雯雯的，有安琪的，也有我的。但现在，故事都已经散去，生活真相以一种令人无法抗拒的速度向我们走来，残酷而令人猝不及防。

　　我靠在这棵老树下，给安琪打了一个电话。

　　电话响了几声，安琪接了："喂。"

　　"是我。你在哪儿？"

　　安琪静默了一会儿。说："我现在在公司呢。"

　　我说："你还生我的气吗？"

　　没有应答。

　　"别生气了，我想通了，是我不好，两年来，我一直令你很失望，其实我心里也很痛苦。我现在想改变这一切，真的，但不知道是不是太迟了。如果我现在回去，安下心来，做一个你身边的好丈夫，一个你事业上的好帮手，你会不会原谅我？"

　　我诚挚地说完这些话，电话里听见安琪轻轻的喘息声，过了一会儿，她平静地说："你现在在哪儿？"

　　我撒了谎，说："我在北京，和韩力在一起，他有点私事要办。我帮他找一个在北京的同学，帮着解决呢。"

　　安琪对我的撒谎丝毫没有怀疑，说："是吗？那你什么时候回来？"

　　"如果一切顺利的话，可能明天晚上吧。也许还要晚两天，不过，我会尽量早一些回来的。"

　　"好吧，那就先这样吧。长途电话挺贵的，咱们就不在电话里说这事了，你回来之前再给我发个短信，我等你。"

　　电话挂断了。

　　我用手轻抚着那棵老橡树的树皮，突然间，一句话撞进心扉。

　　爱你的人与你爱的人，是你最该珍惜的两种人。可惜，我们大多数时间都是和那些无关的人在周旋。

　　这是万绮珊在那个海边和我说的话，现在又浮现在我的脑海里了。

　　是的，我应该珍惜的，有人走了，有人死了，而留下来的，应该就是我不能够再失去的了。

　　在我的生命里，现在留下来的只有安琪了。

我想起了安琪，突然间心生柔情。她刚才说：我等你。

在你认识的很多人中，无论是男是女，谁会这样坦然地对你说一句：我等你。

其实她跟我的这几年，很不快乐。可是，该死的是我，一直有意识地忽略着这件事。

我们曾经相爱过，但是又彼此疏远，其实并没有什么真正的原因，原因在于我们都是倔强的人，都坚持着不因自己的改变而向对方妥协。

但这是没有必要的。爱情也需要保鲜，同样的，爱情也不是可以永远常青的事物，它同样要靠两个人的经营。

我在橡树下盘算着这一切，回去后，我要重新开始，找一份稳定的工作，或者，就在安琪那里打工吧，先把房子供下来。再考虑一下，在收支比较平衡的情况下，要一个孩子，然后，抽一个时间回一次老家，自从我父亲死后，我一直还没有来得及回去一趟。

我要试着把生活重新拉回到正常的轨道上去。重新和安琪一起把曾经失去的东西再找回来。

重新开始，这个念头在我的脑海里越来越膨胀，最后竟然令我兴奋得坐不住了。

重新开始，与其等到明天，何不就在现在？

今晚仍然会是一个很不愉快的夜晚，因为韩力会把我拉进他们的那个审讯室里去，把我拉进整个事情里去，让我的记忆再次重来一遍。

可是，我现在已经厌倦了，对于这些事、这些人，这些与我毫无关系的所谓的什么案子，我要走，就在今晚走，忘记曾经不愉快的记忆，重新开始，我要找回安琪，重新把曾经拥有但已经失去的东西找回来！

这个念头让我突然激动起来了。

靠在这棵老橡树下，我现在格外怀念安琪那洁净光滑、充满弹性的躯体。

我要马上回家去，忘掉雯雯、严宏，还有韩力，还有这一天所发生的令人匪夷所思的事，我现在只想抱住安琪，给她一个惊喜，再回到从前的生活中去。

我想起了这个学校曾有一个后门，如果我没有记错的话，后门应该在这个时候是不会锁的。

我大步向那个方向走去，把手机关掉了。从现在开始，不接，也不打电话，让韩力他们见鬼去吧。

后门确实是没有锁的，一个门卫无精打采地坐在传达室里看报纸，连看都没有看我一眼。

我推开门，外面是乱哄哄的路口，很喧闹，很多出租车停在马路对面。没等我招手，有辆车就急匆匆地开了过来。

车在我跟前停下，车窗摇开了，司机从里面探头出来问："先生，您去哪？"

我拉开车门，坐了进去，说："去一个很远很远的地方，大约有三百多公里远，你能去吗？"

"啊？"司机非常错愕地望着我，好像看见了一个怪物。

5

回到家里时已经快十一点了。司机把我拉到一个高速公路口不远的地方，不愿再往前走了，是的，已经开出快三百公里了，天越来越黑，他肯定是怕回来不安全。

很幸运的，在高速路口上我等到了正回返程的长途客车，这是最后一班返程车，上了车，到了火车站再打车，折腾了将近四个小时后，回家了。

这里的空气很清新，很亲切，我从车里下来，贪婪地嗅着这熟悉的气息，才走了两天，竟有种久别的感觉。不管怎么样，有个家的感觉真是太好了！我上楼时的脚步很轻快，我想安琪可能已经睡了，都这么晚了。我会轻轻地推门进去，把衣服脱光钻进她的被窝里，紧紧抱住她，用力吻她，给她一个超级惊喜。

门锁上了，还上了双保险。我轻轻把门打开，注意不发出一点声音。门推开的时候，客厅的台灯还开着，安琪的外衣就很随便地扔在了沙发上，也不知她睡了没有，台灯关没有关，我轻手轻脚走进去，将门反锁上，脱掉了鞋子，换上拖鞋，往卧室里走，卧室的灯黑着呢，但是有灯光从卫生间传出了出来。

走到卫生间门口，听见里面有流水的声音很刺耳，这么晚了，她还在洗澡？

我来到卫生间门口，没有进去，隔着玻璃的门，只见里面雾气腾腾的，我把身子向前靠近，这时就听见里面除了流水的声音外，还传出了另一种很奇怪的声音。

我一时没反应过来，但是听了片刻，就察觉到，是很粗重的喘息声，是一个男人的，但是也夹杂着女人的喘息声音。

我轻轻拧动卫生间门锁上的把手，门没锁，一扭之下就开了。

只见卫生间的里面，淋浴的喷头还开着，水流冲力十足地冲了下来，而在这雾气腾腾的淋浴喷头下面，两个赤条条的身子正搂在一起。

不，他们不光是搂在一起，他们的身体应该是结合在一起。男的正把女的挤在墙角，下身不停地耸动着，用力地抽插着，女人则不断地呻吟着，激烈地摆动着身体。喷头里的水流了下来，噼里啪啦地击打在他们光着的身体上、头上，再流淌到了地板上的瓷砖上。

门外的冷空气突然冲进来，让卫生间里湿气与雾气一下子降了下来，我于是就很清晰地看见了靠在墙上的那个激烈呻吟的女人——她是我的妻子安琪。

我愣愣地站在那里，目瞪口呆，在安琪的惊叫声中，那个背对我的赤裸男子也把头转了过来，面色苍白地看着我。

这也是一个老相识，他就是我当年的同事——顾襄！

第十七章

1

一个人在终于作出了结婚的决定时，可能在欣喜之外，还会有种隐秘的惶惑的感觉。这种惶惑既来自于一个人对未来生活的恐惧，也来自于对以后的情感世界是否还能保持新鲜的迷惑，我不知道当要离婚的时候，是不是也会有这种感觉。一定也是会有的，但那是完全相反的一种感觉了，结婚时是对未知的生活的惶惑，而离婚则是知道了生活真相以后的另一种惶惑。

我们去协议离婚的那天，我突然有了这种惶惑的情绪，比结婚时来得更强烈。我想安琪可能也一样。所以大家一直故意找一些事情拖延，但是在下午快三点半的时候，我们知道已经不能再拖下去了，就一起去了。安琪没开车，她的车很及时在那天之前坏了，送厂子大修去了。我们也没打车，可能内心深处还有再拖一会儿的潜意识吧，居然没经沟通就意见一致了，破天荒地坐了趟公车。很长时间没坐这种车了，我上车后买了两张车票，然后我们就坐在了两个前后相连的座位上，我在前，她在后，从身旁的车窗里，我看见她的脸在后面映了出来，绷得紧紧的，眼睛死死地盯着我的后脑勺，很严肃，不知她在想什么。

那天本来上午很晴朗，但是等我们上了公车后，突然下起雨来了，雨很大，我们下了车以后雨还在下着，最后没有办法，只得站在公交车的站牌下面，眺望着对面的民政局大厦望洋兴叹。

站在那里躲雨的时候我们俩隔着一段距离，谁也没有说话，像两个陌生人。看着天上的雨，不禁让我想起了当年结婚时的情景，去民政局登记那天，也是这样一个雨天，那天我们出来时都被浇湿了，打不着车，最后很浪漫地在雨中走了十分钟，找到了一个很简陋的重庆火锅店。原本我们那天想好的庆祝方式是去最贵的地方吃一顿西餐的，但是因为这雨，计划搁浅了，于是就改成重庆麻辣烫了。

结婚时下着雨，分手时下着雨，真是太巧合了。似乎有什么寓意在里面，站在那里躲雨时我突然想念起那重庆火锅了，那天锅底的红油汤真是又辣又香，安琪吃得嘴都张不开了，我也差不多。晚上我们俩都闹肚子了，争着抢着上厕所。这也似乎有种预言，我们的婚姻就如同喝了那红油汤一样，吃多了会闹肚子的。

瞎想了几分钟后，雨终于停了，我们匆匆地赶到民政局，人家还有二十分钟就下班。不过，接待处的那位大姐还是很负责任地接待了我们，听我们讲了情况后，她说现在办不了，因为要下班了。我问她最早什么时候可以，她说两天以后吧，我说为什么要这么长时间，她很惊奇地说，你不知道，今天周五啊。

我们走出民政局的时候天有些放晴了。这次，我们打了个车回去了，我问安琪去哪，她说回公司，又问我，我说我还是会去韩力宿舍。她不再说话了。到了公司门口就要下车的时候她突然眼圈红了，她问我：你这么迫不及待的，是不是我们之间已经没有任何缓和的余地了。我说：是的，因为你已经把所有的后路都截断了。

2

那天突然撞见了他们之后，我的反应令我自己后来都很吃惊。首先，我没有大声呵斥这对奸夫淫妇，也没有很男人气地和顾襄大打出手，更没有把他们轰出去，相反，出去的还是我。看着眼前的两张惊愕的脸，我什么话也没说，把门关上了。很迅速地换上鞋就跑了出去，这一去，就再没有回来过。

为什么会有这样的反应我不知道。从那里跑出来后我去了一个洗浴中心呆了一夜，其间换了两个小姐，都付了大活的钱，但是什么也没干。听着她们在那里矫揉造作地打情骂俏，在我身上

乱摸乱动，我的脸上居然还有了笑容。那晚上过得很清静，没有
任何人给我电话，一直到早上我醒了后才想起来，我还一直关着
机呢。我把手机打开后，第一个接到的电话是韩力的，他责问我
为什么在这个关键的时候不告而别。我问候了他老母几句后，再
次把手机关上。然后就坐在那里，要了一盒烟，抽了起来，我从
来不抽烟，但是那个早上抽了一盒，在抽烟的时候我什么感觉也
没有，脑子里空空的，没有涌进来任何的人，任何的事。

四个小时以后，韩力来了。我搬进了他已经闲置了很长时间
的夜班宿舍。

我一直关机，安琪把电话打到了韩力那里，韩力找到了我，
我接过手机，听见安琪在那头不停地哭，我叹口气，说：别哭了，
离婚吧。

人世间总有很多流言飞语，在我们身边传来传去。关于我们
的事我不知道别人是如何传的，但对我来说，这一切都没有意义，
我根本无心去了解开真相，这段时间以来，我无意间发现太多我
不该知道的真相，但是非常滑稽的是，我对我身边的真相却一无
所知，当我突然发现了真相是这样的以后，我突然对调查其来龙
去脉丧失了兴趣。

几天的时间里，我一直关着机，也没有回过家。那严格意义
上也不是我的家，买房的钱大都是被我害死了的岳父掏的，尽管
房主的名字写的是我。但那不是我的房子，夫妻间就是这样，当
他们还在一起就是世界上最亲的人，但是他们要分手的时候，那
就是陌路了。一切都要分清，这样才能以绝后患。

安琪一直没有机会解释，她找不到我。只有我来找她，我和
她约了时间协议离婚后，又关机了。然后就钻进一个网吧里，一
呆就是一天。这期间安琪找过我好几次，但是我不想听她的解释，
现在，什么解释也没有用。

一切不可能重来了，当你亲眼目睹了你的妻子和另一个男人
在一起做爱，而她那激昂亢奋的表现又是你从来未见过的时候，

你还拿什么重来？我想即使重来了，装作一切没有发生过，但是只要上了床我就会想起那一幕。我会想起，一个比我年轻的身体也曾经这样地压在她的身上，令她拥有过那长久没有的激动，也曾让她辗转呻吟，高潮不断，我不是个保守的人，但是，一旦想起这些，再看看身边躺着的那个女人，我不敢保证我不会崩溃。

那天我听到安琪的呻吟声像是从另一个人身上传出的，这种动静对我来说实在是太陌生了。我现在明白了，夫妻之间，没有性，其实也等于一切都没有了，我们之间其实早就什么也没有了。在她不能享受性的快乐的那一天时，就没有了。

安琪后来又来了电话，说她有笔业务要做，可能要出去几天，去民政局协议离婚的时间是否可以拖一下，我说没问题。那一周的时间，很静，我知道安琪的想法，她是想拖一段时间，让我们都冷静下来，好好想一想以后的日子。但是，她有件事不知道，我其实从那天一见到他们之后就冷静下来了，真正需要冷静的是她。我不会回心转意的了。那样我的自尊心将会受不了的。

我天天泡在网上，因为无聊，也因为无所适从，没有家可以回，没有地方可以去。韩力没有时间理我，他们正在突击审讯取证，需要我的时候我就去，不需要我的时候我就在网吧呆着。我现在只能在网上找一点乐趣吧。打开网络，突然发现网上已经很干净了，性情世界变成了空白页，很多情色类的网站没有了，那种"裸频聊天室"几乎在一夜之间都不见了。我想，这是韩力他们的功劳吧。

在等待着去协议离婚的这段时间里，我每天只顾着上网、聊天，虽然黄色网站一夜绝迹，但是仍有很多方式可以让人突破瓶颈。比如聊天，一样的还可以做成很多事情，我和很多女人聊，聊视频，先看她们，后来也让她们看我。她们的身份各异，但共同点就是都很饥渴，比我还要饥渴，这些人中有离婚的中年妇女，有大学生，也有单位的女领导女老板，还有出来卖的妓女，她们的基本点是都很需要一个男人，当然这种需求的目的不同，有的是为了情欲，有的就是为了钱，有的则是因为生活太平淡，需要一点刺激。这里面有很多比较不一般的，比如有一个旅游系的大四学生，给我讲过她的故事：在她还有一年毕业时，导师带她参加了一次有上层人物参加的酒会，酒会上她被一个老总看上了，那个老总在送她回校的路上要强奸她，她死活不从，老总一把甩给了她四万块钱，四万块钱对她来说，是从来没有见过的很大的一笔钱，一下子把她镇住了，于是，她开始疲软了，让那个肥胖而又衰老的身体压了上来，从处女身上流出的血把车座都染湿了。那次经历以后，她一下子变了，从此无心上学，成了一个职业的鸡，只要三百元就可以做一次。她后来不但自己做，还把同学也拉进去了，因为听说现在这一行里大学生非常抢手，她甚至想专门组成一个诸如大学生伴友团之类的网上公司，把这个事业规范化集团化。

在和这些人聊天的过程中，我不断放着我下载的那首歌曲——伊安库提斯的《爱会将我们分开》，现在好了，终于可以不用避讳放心大胆地听这首歌了。在歌声中我有时会很感伤，想起很多人很多事，但更多的时候，是麻木。

在等待着安琪归来的这段日子里，发生了一些事，总的来说，和我都没太大关系，但是也有三件事，多少算是和我有那么一点联系。

第一件事是胡一平和万绮珊结婚了，就在我撞破安琪好事的三天后，他们举行了婚礼。我和安琪都没参加。连礼金也没有给，老实说我是把这事忘了。我是听别人说的，他们的婚礼并不隆重，很小型化，参加的人也不多，胡东东在上海甚至都没有回来。婚后两人就去欧洲旅行了，可能要去十一二天才能回来。

第二件事是来自一个久违的人的消息。雨琦被抓住了，罪名是藏毒，与黄色网站无关。有天晚上，一伙青年人去迪厅蹦迪，与一帮流氓发生口角，双方争斗起来。当警察把他们带走时，其中的一个女孩突然倒在地上抽搐起来。把衣服都扯碎了，露出了胳膊上的针眼，这是毒瘾发作的标志。警察马上警觉起来，把这个人送到了医院，之前又对她进行了全身搜查，从她身上搜出了摇头丸等毒品，这个事件一下子严重起来，马上由刑事案转到了缉毒科，而女孩的身份经查实后也确认了，就是雨琦。这个案子目前正在审理中，报纸上没有作出任何披露，我是听韩力和我说起的。还听说雨琦的父亲，这位检察院的副检察长，已经离职了。

第三个消息对我有些震动，严宏死了，是自杀的。死的时间就是在警方正要抓获他的那天，谁也没有想到他身上竟然藏有氰化钾，这是剧毒之药。在警方推门而入时，他吞下了这毒药，片刻间就当场死亡。这也是那天我能顺利脱身的原因。但是这对整个案情没有太大的影响，严宏被捉的几天后，全国大搜捕活动开始，全国各地十几名"教授"级的网络巨犯被抓获，这些人成分各异，但是基本上都是懂计算机的技术人才，性情世界被彻底捣毁。严宏的死，并没有延缓警方搜捕的脚步。

但是严宏的死，对我来说，却另有一层意义。他在死前还没来得及交代任何问题，这也就是说，人们再也无法知道，雯雯的真实身份是什么？可能在这个世界上，真正知道雯雯身份的人只有他了，但是他死了，雯雯，就彻底成了一个隐形的人。没有人知道她是从哪里来的，叫什么，长得是什么样子？也没有人知道，她曾经有过什么样的经历，曾经怎样地爱过一个人？唯一可以找到她的踪迹的，只有那张照片，那张照片上有几百个学生，她就是其中的一个，对我来说，有关她的资料与事情，从此后我所能知道的也就仅此而已。

3

我们约好了去民政局签字。离婚是肯定的了，安琪终于也不再坚持。她也知道，我看见的他们的那一幕太刺激神经，要想在以后的日子里装做什么事也没有，那几乎是不可能的。好在我们结婚后做过的最明智的事就是没有要孩子，这样就省却了很多麻烦。

那天把她送走后，天空突然变得异常晴朗，我的心情稍微好了一点。来到网吧，接上宽带，进入 QQ 聊天系统，突然间，一个好久不见的人上来了。

这个人是凤凰。

他换了一个头像，一开始我还没认出来，但是当他突然发了一个消息的时候，我才想起来，有很久很久，没见过他了。

凤凰开门见山：你已经把我忘了吧？

我：同样的问题应该是我问你。

凤凰：最近忙什么呢？

我：也没什么，很多事情，但是都结束了。

凤凰：我猜得出，最近你一定很不平静。

我：你又不是我肚子里的蛔虫，怎么猜出的？

凤凰：呵呵，生活在这么一个四处充满着诱惑的世界，谁能平静下来呢？

我：这话倒也是。

凤凰：那个网站还常去玩吗？

我：哪个？

凤凰：我想起来了，那个网站已经被封了。好像是网警们把那个网站的主管们全抓起来吧。

我：你消息还真是很灵通的。我还以为你这一阵子一直不在线上，也被抓起来了呢？

凤凰：我？开玩笑，我从来不做违法的事。

我：是吗？那个网站你没有份吗？

凤凰：我早就和你说过了，我对那种网站没兴趣，那种网站太张扬，野心太大，被取缔是迟早的事。我不会参与到那种地方去的。

我：你看来很明智啊。

凤凰：当然。我一直是个很明智的人，你呢？

我：什么意思？我不懂。

凤凰：我是说，最近生活得怎么样？你和你妻子之间和谐吗？

我：还行。你每次总是关心这事。

凤凰：是啊，很多夫妻之间都会出现问题，他们最初相爱，但后来却会因为各种各样的理由分开，有些问题是出在男人身上，有些是出在女人身上的，但不管怎么样，夫妻之间和性有关的问题总是最直接也是最致命的。

我：是吗？你谈什么事情时总是把性放在第一位。

凤凰：夫妻之间，没有性是不行的。但是光有性也是不行的。

我：我不太明白，这话有点儿自相矛盾。

凤凰：不是。我问你，你最近做过爱吗？

我：嗯？

凤凰：我是问你，一周有几次，每次能挺多长时间？

我：这很重要吗？

凤凰：不重要，我接下来只想告诉你的是，就算你一天做一次，每次都坚持一个小时，你依然不能保证你在性上不会出现问题。

我：我不太明白你想要说明什么？

凤凰：问你个私人问题吧？你忠于你太太吗？

我：你说的忠于是个什么概念？

凤凰：往俗了说，你和其他的女人睡过觉吗？

我无言以对。

凤凰：现在是这样一种情况，你不知道我是谁，我也不知道你是谁，大家坦诚相见，说说实话吧。

我：我没想不说实话，只是觉得说这种实话是否有意义？

凤凰：当然。你如果不能回答这个问题，就把这个提问的权利留给自己，你现在问你自己，你老婆忠实于你吗？她除了和你以外，和其他的人睡过觉吗？

我：你越说越不像话了。

凤凰：我认为我在说的是一个严肃的问题，在这个社会里，那些白天道貌岸然、衣冠楚楚、事业有成的男人女人，他们是否在心里敢问自己这个问题？他们是否有足够的底气能面对这个问题？

我：我认为只要心中有爱，这个问题是不重要的，重要的是，你在选择了以后是否还会犯同样的错误。

凤凰：你好像是说到了点子上了，但不透彻，我告诉你，我的伴侣就不止和我一个人睡过觉。这些事情我都知道可我们依然相爱着，你信吗？

我：不信。你会忍得住？

凤凰：为什么要忍呢？

我：开玩笑吧你，假如你老婆和别的男人睡了觉，被你看到了吗？你还会再爱她。这可能吗？

凤凰：为什么不可能。

我：不懂。

凤凰：你说的是不是你现在正在面临的问题。

我警觉起来：怎么？为什么这么说？

凤凰：胡乱猜一下吧，当然这可能不是你的问题，但是既然你提了这个问题，我们就权且拿它说事吧。我问你，你了解性吗？了解在夫妻生活中的性吗？

我：了解吧。

凤凰：不，你不了解。性的快乐不再于你插进去了还是泄出来了，而是在于满足。我刚才说过，即使你们一天做一次爱，一天坚持一个小时那么长的时间，也不代表你们是和谐的，也不代表你可以满足她。

我：那什么可以满足她？

凤凰：给她自由，性的自由。

我：自由？自由是什么？

凤凰：最大限度的自由，让她，和你，都能够享有最大限度的自由，性的自由。

我：我还是不太理解。

凤凰：你的问题和很多人的问题一样，不在于什么感情问题，只是在于性而已，但性不是一个人而是两个人的事，有的时候，你妻子和你最大的问题其实就在于，你们不够开放，不够自由。这种局限限制了你们的想像力，也让性不再美好，不再给你们带来那种久违了的满足感了。

我：你说得越来越抽象了。

凤凰：我再问你一遍，如果你妻子和其他的男人睡觉，你介意吗？

我：当然介意。

凤凰：如果你在性方面不能满足她，她不能满足你，你们为什么还要只选择那种僵化的形式——那种一个人永远只能跟一个性伴侣做爱的形式，为什么不考虑一下，换个角度，给对方更大的自由呢？

我：你的意思是：我们可以出去各自寻欢作乐，满足自己的情欲？

凤凰：你错了，让性得到自由得到最大限度的满足，可不是滥交，滥交是一种兽性的行为，不是改正夫妻关系的关键。其实在很多时候，性和爱是分开的，但也是不可分的，如果你能合理地在爱的基础上分配性的资源，我认为你们会得到最大限度的满足，甚至可以巩固你们的感情，就像我和我的伴侣。我们各自都和其他的人发生过关系，但彼此没有感到不忠，因为我们是公开的透明的，所以我们的感情很好，我们的性生活很自由，没有出现任何心理上生理上的问题。

我：你说的这些如何做到，我还是不明白。性是夫妻间必不可少的，也是带有唯一性的事情，我不知道，什么叫合理分配资源。难道纵容自己的伴侣和别人发生关系，这就是合理分配资源吗?

凤凰: 我在网上见过很多执迷不悟的人, 他们的心都很野很渴望性自由, 但是行为保守得却像永远不敢跳出河外的青蛙, 只能靠在黄色网站找些乐子。你和他们一样, 黄色网站只会让你们越来越变态, 越来越封闭, 越来越像个自渎者, 但是不能给你新的生命, 我认为你现在需要一个新的冲击。

我: 新冲击?

凤凰: 没错, 打开我发给你的这个链接网址, 你会发现, 你真正需要的是什么。

✦

我打开了凤凰在 QQ 上发给我的那个链接网址, 画面上一片漆黑, 一分钟过去了, 什么也没有。

我问凤凰: 怎么什么也没有啊?

凤凰: 别急。这个网站是我们自己建的, 下载很慢, 需要一些时间载入资源的。

两分钟过后, 画面开始出现东西, 有一些斑点类的东西进入屏幕画面, 不一会的工夫, 斑点越来越大, 在屏幕上飞来飞去, 最后变成了一只只卡通的凤凰, 各色各样, 挥舞着翅膀, 五彩缤纷的充斥了整个银幕。

我: 我看到这上面全是一些飞舞的凤凰。

凤凰: 那就对了。你看到右下角那个 GO 的标记了, 点它。

我点了, 画面色彩一变, 所有的凤凰都凝聚在一起了, 组成了四个红色的闪着亮光的大字:

凤凰联盟

我: 这是什么?

凤凰: 欢迎入内, 这是我们的家, 让爱成为永恒的家。

我再次点击这四个字，又进入了另一个画面里，这个画面很简单，在最上角处有两个字挂在上面，写着进入。字的下面是一组照片。把电脑显示屏排满了，我数了数，一共六张照片，每张照片上都是一对男女，好像都是夫妻，靠在一起样子很亲切，应该是很自然的生活照，这六张照片里的人都穿的比较正规，像是一些白领阶层的人打扮，但是有一个共同的特点，他们的脸被一道黑条挡住了，看不清模样。

　　我：这是什么意思？

　　凤凰：请点一下进入。

　　我点了一下进入，里面弹出一行字：

　　本网站不欢迎十八岁以下的人进入访问，本网站的内容也可能会令你感到不快和难以接受，如你对本网站的各种注册条款不能认可，请按取消退出。本网站将自动删除你在里面的所有资料及 ID，您将不会再以同样的身份进入这里。

　　下面是两个对话框，写着同意和不同意。

　　不用他说，这次我按了同意。

　　网站的页面刷新了一下，再次进入，我发现还是刚才那个画面，不同的是，又多了一张照片，但是这张照片上却没有图像，它被人为地涂白了，上面有个鼠标似的标志在闪闪晃动着。

　　我：这是什么网站？为什么这里会有一张空白的照片。

　　凤凰：这不是空白的，这是给你留的。你只要点击那空白处，就会弹出一个窗口，你可以在这个窗口里输入你的会员资料，再上传一些你们的照片，然后你就会发现你们也在上面了。

　　我：原来这是给我的？为什么？

　　凤凰：今天晚上，有七对夫妻将要在一起活动，但是其中的一对突然有事不能来了，我把这个名额留给了你。我已经帮助你申请了会员的身份，只要你愿意，你们将以这里的会员身份参加这次活动，不用再重新注册了。

　　我：活动？什么活动？

凤凰：你听说过交换伴侣吗？

我：啊?! 我只是听说过，可是没见过有这种网站。

凤凰：你今天很幸运，因为遇见了我。你现在进入的就是一个著名的地下交换伴侣网站，你已经成为其中的一员了。今晚活动的主题，就是交换伴侣。

5

交换伴侣，换妻!

天哪！我的脑海一片混乱，我居然进入了一个臭名昭著的换妻网？

我曾经和韩力探讨过这个问题，他说过在所有的色情网站里，有两个行为是最令人发指的，一个是猥亵幼儿，另一个就是换妻。

这两种行为，都是对人类文明最直接最野蛮的挑战，也是一个极限性的挑战，他们把色情上升为一种疯狂和兽性，已经超越了正常的人类所能接受的极限。

可是，今天我竟然和一位换妻网的高级会员在一起探讨换妻的事宜，而最可怕的是，在这之前，我对他的身份居然一无所知。

凤凰发话了：怎么了，很吃惊？

我：是，我没想到是这种网站，你们太疯狂了。

凤凰：我能想像得到你的反应。不过，有件事我要提醒你，我们没有一个人会比你更疯狂，在这里，所有的会员都是自愿的，没有一个是强迫进来的，当然，也一样允许他在不伤害我们大家的前提下退出。不过，我可以告诉你，加入进来的几百名会员，至今没有一个退出的。我们的网站还有一个特点，就是我们是不赢利的。除了活动场所的一些基础费用由大家以 AA 制的方式均摊以外，没有人会从中赢利。我们都是高尚的人，这个网站及它运行的活动都是高尚的，都是以不妨害别人为出发点的，所以，我敢说这是一个很有档次的网站。

我：很有档次？我倒觉得，你们这是在践踏人类的文明与理性！

凤凰：我不想来听你说教。我现在只想问你三个问题：我想请你如实地回答我，好不好？

我：你说吧。

凤凰：第一个问题：你曾经想过和你妻子以外的女人睡觉吗？

我：想过。

凤凰：当有这个机会时，你会这样干吗？

我：我不知道。

凤凰：好了，第二个问题：你想过和你老婆分开吗？或者说，你还爱她吗？

我：以前没有想过。但是现在我常常想这个问题，我觉得我应该还是在爱着她，但是我不知道怎样才能留住她。我想我们最后还是会分开的。

凤凰：好的。第三个问题：你肯放弃性吗？

我：放弃性？为什么？

凤凰：回答我，你可以没有性吗？

我：不可以吧，但我已经很长时间没有性了。

凤凰：你一直在自相矛盾啊，先生。如果这三个问题，你都不能做一个肯定的回答，那么，只能说明一个问题，你正需要成为这里的一分子，如果你进入这里，还不能肯定地回答这三个问题，你也就不配进入这个网站，我不会再邀你进行下一次活动。

我：你邀请我？你在里面是什么角色？这个网站又是怎么一回事？

凤凰：我想你对换妻网的历史了解得还不够。这类网站最早诞生的地方不是西方，而是日本和韩国，现在发展壮大的地方是在韩国。韩国有很多这样的网站，其中最大的换妻网站叫"夫妻PLUS，"目前已经有了5000多名会员，其中有1000多名会员为寻找换妻的对象，毫无顾忌地将自己的裸体照片和影像，及与其他会员的换妻性交场面的影像上传到网站。那里就是一个性的天堂，在那里，人们可以进行任何形式的性交活动，可以玩多人性交，也可以有一些 BT 类的行为，比如 SM、同性恋等等，前提是必须在自愿和互不反感的情况下进行。我们的网站就是按照他们的模式启动的，实话说，我们的总服务器也在韩国，很安全也很隐秘。今天晚上的伴侣中，就将会有一对在北京工作的韩国夫妻专程来到这里与大家见面。他们是这里的中坚分子，而我，呵呵，我不是韩国人或日本人，我是中国人，也是这里的组织者和管理者，其中一项职责就是专门负责招募你们这样的会员。

我：是不是可以说，这个网站是你和韩国人共同操纵的？

凤凰：不用说得那么难听，是建设。我们是在建设一个家园，而这个家园的成长与发展，靠每一个人的忠诚和努力。我可以很负责任地告诉你，如果没有我，你永远不会进入这个网站，所有的会员都必须经过严格的考验，成为会员还要首先缴纳一笔昂贵的会费，这是活动经费，我们不为了赢利，但必须有组织资金。而这些，对你全都免了，你可以直接顺畅地进入这里，不经过任何考验和缴费，就参与活动，网站建立以来，像你这样进来的会员还属于首次。

我：我真有点受宠若惊了。可是，为什么你要对我这么好呢？

凤凰：因为我对你很看重，我认为你是一个很有头脑的人，也是一个有很多问题需要有人真诚相助的人，我想成为你的朋友。这么多年来，我很少有主动想和一个人成为朋友的欲望，这就是我冒着被你出卖的危险接近你的主要原因。

我：凤凰，我们曾经认识吗？

凤凰：在时机成熟的时候，我会告诉你我是谁，但是现在不行，因为你还在外围，我想让你进来。当你成为这里的骨干以后，你自然会结识我，一切谜底都会揭开。

我：可是，为什么我会去做这种荒唐的事情呢？

凤凰：我问你，你曾经看过意大利电影大师帕索里尼的作品吗?

我：在我曾经是 DV 青年的时候，我曾经拥有过他的全集。

凤凰：帕索里尼临死前拍摄的最后一部电影叫做《萨洛或索多码的 120 天》，是根据十九世纪法国最著名的色情小说家萨德侯爵的书改编的。这部影片拍得惊世骇俗，它以完全写实的手法涉及到了人类种种的丑恶变态行为，甚至还有恋童癖、虐恋与食用屎尿等等变异行为，因此在全世界遭禁，这片子你看过吗?

我：看过。是上大学时看的盗版光盘。

凤凰：有什么感觉?

我：恶心，几天睡不着觉。

凤凰：可是，你不觉得人性就是那样吗? 在那些光鲜的外表下，每个人都或多或少地隐藏着各种不可告人的欲望，就像有些人平日里一本正经，但私底下却喜欢幼童，喜欢同性，喜欢施虐，甚至喜欢屎尿一样，网络满足了这种欲望，你也一样，网络也满足了你。

我：是吗? 它满足了我什么?

凤凰：满足了你潜在的欲望。你已经结了婚，但你结了婚后才发现，这不是你想要的婚姻，可是你究竟想要的是哪一种，你自己也不知道，于是你迷惑，其实你早就想交换一个伴侣了对吗? 只要是身在婚姻中的人都一样，他们几乎一进入就后悔了，剩下的就是维持，其实在他们的心里，寻找各种刺激最后的根源无非就是想重新选择一次，但是这些人都差不多一样，他们希望在体验另一种全新的刺激之后，还不丢掉现在的正在享受着的东西，人都是自私的，变态的，所有人都一样，吃着碗里看着锅里，明明已经占有了却还在眺望着下一个，你也一样。其实这根本不是一个问题，在你决定进入这个网站时，不管是进入性情世界还是进入凤凰联盟里时，你都早已经作出了选择，那是你的选择，不是我给你做出来的选择。

我再次无言以对，只能打一个感叹号来表示我现在的心情。

　　凤凰：你就像一棵树，地表以上，很挺拔，和别的树没什么两样，但是在地表以下，根茎已经腐烂，再也长不出绿叶枝蔓，你需要一个新的刺激，新的生活，来吧，就到这里来吧。我会给你这种生活的。

　　我：可是，即使我接受这个事实，你怎么能肯定我妻子会接受。

　　凤凰：那不是问题。你怎么肯定你妻子会不和你一样，也面临着同样的问题呢。

　　我：凤凰，我再说一次，你是个很可怕的人。

　　凤凰：少废话，去还是不去，今晚就要作出决定。不要不识抬举。

　　我：你们将会在哪里活动？

　　凤凰：行规是，在活动前两小时左右告诉你具体的地点，一般来说都是一些很偏僻的地方，可能很远，但是很安全，第一次会缴纳很高的会费，但我保证，只要参加一次，你一定会觉得物有所值。

　　我：可是，我想你们的这些活动是违法的。你不怕会被制裁吗？

　　凤凰：你只要把自己的照片加进去，就会有一封电邮发给你，那是一份协议文本。你需要的是在电邮里通读完这份协议，然后在活动之前签了它。这是一个网友活动的协议，协议是符合法律程序的，由一个律师会员起草的，很正规，也很合法，签了这个以后，一切都是自愿的行为，法律应该不会追到你的头上。不要以为我们是那种低级的靠卖服务器和贴些黄片就赚钱的网站，我们这里有的都是真正的精英，甚至包括一些懂法律的精英。协议已经说明了这一切，它会利用法律漏洞来处理事情。比如我问你，网友见面是违法的吗？网友见面后发生性行为了就违法了吗？网友之间出现了第三者与一夜情就是违法的了吗？这是道德问题，不是法律问题，法律的手伸不进这里。尤其是，我们这里从来没有未成年人，我们不吸引未成年人。所以我们不是违法的，因为我们有完全的手续，和完全可以说服法官的理由，还有的就是我们的道德观可能和大多数不一样，但是我们这里的人都认可我们的道德观，所以不会存在着出卖这种事。

我：我明白了，但是会有什么样的人参加活动？

凤凰：一般来说，有钱人多一些。有钱的人才会想着寻求刺激，寻求高质量的生活，也会有外国人，最常见的是日本人、韩国人，还有美国人。每次活动都是新鲜的，你在这里会见到各种层次的人，但是活动结束后，不管多么愉快，大家不会私底下再做联系，除非是下次活动，才可以见面。这是一种很棒的经验，没有负担，没有隐患，充满希望。很多人庸碌地过完了一生，但永远也不会在与那么多不同类型的人这样的接触。我敢保证，你会为此而疯狂，并且上瘾的。

我：这么伟大的活动，多长时间举行一次呢？

凤凰：如果正常，一个月三到四次，最近少了一些，因为风声很紧。

我：有很多人参加吗？听你这么说，简直像一个跨国性的活动了。

凤凰：你说得对，这就是一个打破了国际的活动，在这个性的世界里，你会发现，只要你拥有了性，你就拥有了全世界。

6

不管离婚结婚，总有个大门得向你敞开，容纳那些分分合合的人。今天，民政局的大门就向我们敞开着。

我们两人进去的时候，很惊奇的是发现还得等，人真是有意思，结婚的时候我们就和很多对人碰到了一起，等了半天才把结婚证领了，没想到离婚时也一样，也得等。今天是周一，周一的下午，竟然还是有很多人。看来这世上感情分分合合是每天都有的。我不明白，为什么离婚的人都愿意选择下午来进行，其实这种感觉挺不好的，签了字，没有几个小时，就要一个人面对黑夜了，多么恐怖！

我们不是特意赶到下午来的，安琪上午有个很重要的合同要签，上午一直在开会，离婚大计险些又被耽搁。我们下午来的也不太早，快三点了。她一进来，我就发现她眼圈黑了一大块，面容很憔悴，我可能比她也好不了哪去，这几天基本上以网吧为家，过着黑白颠倒的日子，我看着她的眼睛，说："你瘦了。"她苦笑了一下，没说什么。

到我们的时候，快要五点了，把离婚协议拿上来时，我的手抖了一下，我看了一下她，她没有看我，只是盯着桌面，牙紧紧地咬着嘴唇，把嘴唇咬得有些发白。

我用力抓住笔，控制住不断发抖的手，飞快地签了字。然后递过去，说："该你了。"

安琪没有看我，她看着那个协议，突然很不合时宜地幽默了一下，她说："真好笑，一天签了两遍字，第一次签字时我赚了今生最大的一笔钱，第二次签字时却丢了一个家庭。"

我干巴巴地说："没关系，有的赚就有的赔，人生就是这样的，我个人觉得，这样也好，总比只赔不赚的好。"

民政局的那个大姐看着我们俩直叹气，安琪把字也签了，这下子我们终于两清了。

走出民政局大门的时候，外面起风了，天突然阴了下来，安琪说："挺晚的了。你回去也没有地方吃饭了。咱们找个地方吃饭吧。"

老实说，当一纸离婚书终于尘埃落地了后，我的心里没有预想的那么堵心，反而有些轻松，看表情，安琪也差不多，于是，我也很轻松地说："好啊，去哪？"

我提议去吃西餐。我们就去了圣保罗西餐厅，结婚的时候就想吃这个庆祝，结果因为下雨，改吃重庆火锅了，没想到，离婚时，却把这个心愿了了。

坐在优雅而高贵而价钱同样高贵的西餐厅里，听着身边的小提琴手在那儿断断续续地拉着琴，我们就像一对热恋中的情侣那样，很优雅地坐在那里。

我们两人那天下午举止都很优雅，像极了那种没有钱但是还有身份的贵族。侍者过来时，问我点什么？我想起了一个笑话，于是先点了一首歌，名叫《贵妇人的下午茶》，侍者说他没听过，问问小提琴手竟然不会拉，于是征求我的意见，可不可以改拉《梁祝》，我说可以，你现在面对的就是现代的梁山伯与祝英台。

《梁祝》很快就拉了起来，在一个完全西化的环境里竟然拉起了中国的小提琴曲，这种感觉真的很奇怪。安琪问我为什么要这么缠绵的曲子，我说缠绵一点好啊，人活着不就是你缠我绵的事，缠着绵着就容易断了线，这很正常，就像生活。

我开始点菜，点了两份英氏烤饼，一份翡翠果冻，两打杏仁小蛋糕，还有两份相思酥，两份贝妮小点心，一盘太阳酥饼，这都是正宗的英国下午茶的茶点，最后我还点了两份冰淇淋，要那种上面可以喷火的那种，哈根达斯的。

我问安琪喝点什么？她说："不用了吧。你点了这么多东西，咱们吃得完吗？"

"没关系。今天我请你。随便点吧。"

"不，还是我请你吧，我今天刚赚了一大笔钱。"

我笑笑说："钱不是问题，关键的是，这一顿饭是我欠你的，都欠了好几年了。"侍者问我们喝什么，我对侍者说："我们就喝点茶吧。要那种日本产的绿茶咖啡。"

侍者说："好的，您要添什么茶呢？"

"绿茶就要碧螺春吧。"

"好的，您点的这种茶六十八元一杯，一会给您上来，请稍等。"

侍者走了，安琪嗔怪地说："干吗？请我花这么多钱干什么，那种咖啡茶多贵啊!"

"没什么?"我玩弄着桌上的餐具说,"我这一生可能再也没有机会喝这种昂贵的咖啡茶了,喝一次就做个永远的纪念吧。"

安琪的神色黯淡下来了:"你是说,今晚过后我们就不会有下次了是吗?"

我摇摇头,做个高深莫测的表情,没有回答,侍者开始摆茶点,不一会,清淡的咖啡茶也送上来了。这种咖啡茶很有风味,咖啡的浓郁与绿茶的清香混在一起,有些苦涩,也有几分酸甜,别有一番风味。

"怎么样?"我看安琪呷了一口,就问她。

"好喝。"她说,又喝了一口,"其实从前你是个很会生活的人,你还记得咱们第一次吃西餐的时候吗?"

我当然记得,我们是在校园门口的一个小西餐馆里,一人要了一客牛排,甜面包圈,然后就是一杯大麦茶。

"那天当你听说那大麦茶是免费的后,不知怎么突然来了情绪,喋喋不休地一直在讲茶道。"安琪沉浸在当时的回忆中,"我记得你手端着那杯免费的大麦茶,从茶的起源说起,一直说到茶的制作流程,说到茶怎么发酵,怎么冲泡,还和我说你喝过很多种茶,有中国的,也有外国的,你那天从中国的祁门红茶说起,又说到英国的皇家红茶,意大利的意式橘茶,西藏的热奶油茶,马来西亚的薄荷茶,你说得天花乱坠,把我听傻了。"

"真难得,我那天说的那些茶的名字你还都记得呢,我现在全忘光了。不过,我记得后来我还是露馅了。"我也想起了,接着说,"一站起来从身上掉下了一本《世界茶叶史》,让你发现了我原来都是现学现卖。"

"你这人比较狡猾,从上学时就那样,你骗了我多少次你知道吗?"

"我知道,其实现在想来,泡一个女孩子上手是很难的事。"我说,"为了在你面前装得很博学,搞得我吃饭顿顿都得带着个手册，饭都吃不好。"

安琪妩媚地看了我一眼，说："是啊，你那时一直在耍小聪明，不过这小聪明还真是有用，最后还让你得了手了。"

"是的，"我凝视着她的眼睛说，"不过，小聪明总有露馅的时候，我现在就失手了。而且这一失手基本上也就没有翻盘的机会了。"

安琪的表情一下子冷寂下来了，一刹那间，过去的生活在脑海迅速淡去，面对现实，我们俩之间那种不和谐的气氛又出现了。

安琪轻轻呷了一口茶，说："今后你打算怎么办？"

我耸耸肩，无所谓地说："当然是先找个工作了。现在你也不养我了，我得自食其力了。"

安琪望着我，眼圈突然红了，说："文波，我知道咱们今天已经缘尽了，可是有句话我还是一直想问你，希望你能如实回答我。"

我说："问吧，咱家的存折账号都是你掌握，我不知道除此外我还能回答出什么有价值的问题？"

安琪凝视着我，很深情地说："我只想问你一句，你还爱我吗？"

我一下子哑口无言，望着窗外，不知如何回答，这个问题，要如何面对呢？是啊，我问我自己，我还爱她吗？

"算了。我知道要你回答这些问题很为难的。"安琪笑笑，"你不用答了，其实我根本不在乎答案。我只是在想，如果你把这个问题同样的反问我，我一定会告诉你，是的，我还爱着你。"

我的脸上装得没有表情，但心里却一疼，急忙喝了一口茶来掩饰内心的波动。

"我还爱着你。但是你早已经不再爱我了。"安琪的脸上露出很少见的温柔的表情，"其实从你和我结婚的第一天起，我就知道。你爱的人，永远是那个已经走了的人对吧？我很讨厌这种感觉，一个不爱我的男人，却要和我同床共枕，过完这一辈子，可是没办法，谁让我爱你呢。我爱你，甚至可以原谅你很多东西，原谅你不顾我的反对那样伤害了我的父亲，原谅你让我的母亲一生都活在痛苦中，甚至我还原谅了你把别的女人带到家里胡混，我问我自己，不停地问我自己，我要不是爱你的，我为什么要这样做？"

茶水在我喉咙里，突然变成坚硬的利刃，刺痛的感觉弥漫全身，我吞吞吐吐地说："安琪，那天那个女人——"

安琪把手指放在唇边，做个嘘声的标志："不要谈这个了。在这事上我们谁也没有对与错，你说得对，其实真正把后路截断的人是我。至少你还没有让我抓着现行吧？"她的眼中突然有了泪花，"可是你有没有想过，我是多么的讨厌现在的自己，我讨厌我现在的生活，我也讨厌身边的每一个人，也包括你。那个从来也没有爱过我的你。"

我把纸巾递了过去，安琪擦了擦眼睛，看着远方缓缓地说："我每天都在外面打拼，为了钱，为了一点点面子，为了那些可笑的事业，可是我很累，也很烦。因为我搞不定我的家，我的丈夫，因为你不爱我，所以你不会理解我，也不会关心我。当然，你更不知道我的寂寞，于是，我也做了一件你不知道的事。反正现在说什么都无所谓了，我就告诉你吧。在我们冷战的那段时间里，我也学会了怎么打发这无聊的时间，因为我开始上网。"

"啊？"我吃了一惊，"你上网？你什么时候开始上网？"

"很早以前。我一般不在家里上，都是在公司。我有一间办公室，有几台电脑，我随时可以上网。"安琪冷静地说，"和你一样。我也经常和网上的陌生人聊天，有时也视频，一年前我开始约见网友，这些人中有我的客户，但更多的是我从来不认识的陌生人。"

我头痛欲裂，整个事情太出乎我意料了。沉默了一阵子，我语音干涩地问她："可是，你和他们，有过发展吗？"

"我问你，你和你的那些女网友们有发展吗？"

我目瞪口呆地望着眼前的这个女人，她冷静地看着我，表情从容，我诘问自己：这个人还是我从前的那个妻子吗？

安琪把手伸过来，轻轻盖在我的手上，温柔地说："我们在暗地里都曾经背叛过对方，对不起，这句话我是说给你听的，但是同样，你也一样要对我说这句话。"

"那你和顾襄是怎么回事——"

"几年前他就追过我。所有有关于我们的传言都是真的，但是那时我和你刚刚结婚，从来没有想过和其他人在感情上有什么新发展，就一直没有理会他。一年前，他进入了我的网上好友列表里，我们开始聊天后，关系就发生了变化。那天你见到我们是个意外，我们都喝了酒，他送我回来，控制不住自己跟上来了，我又以为你不会回来的，就——"安琪苦笑了一下，"这层窗户纸迟早是要捅破的。不过，很不巧，捅破它的人不是我，是你。"

"原来我们之间早已经分崩离析了，那走到这一步就是非常自然的事了。"

"是的，但你认为这很自然吗？"

我不知该说些什么，事情已至此，没有挽回的余地了。

我把茶水端起，这时小提琴手已经拉完了，换上钢琴师了，弹着一首有气无力的曲子。

"爱与不爱，就是这么简单的事吗？"安琪眼神迷离地望着那个正在弹着曲子的大堂钢琴师，"就像这音乐，曲子完了，也就散场了，是吗？"

我正在想着要如何回答她的提问，突然手机振动了一下。来了一条短信。

我打开手机，上面显示的是一排很古怪的号码，从来没见过。

打开短信息，只见上面写着：

"今晚的活动已经确定了地点，按原计划已经有六对夫妻接到了通知，我今晚也会去，你去吗？如果想去，请直接回复短信。

凤凰"

我全身紧张起来，情不自禁地握紧了手机。

"怎么了？"安琪问道。

"没事，你在这里坐一会儿，我要出去打个电话。"

我匆匆离开了座位，来到了大堂的一侧，把电话往那个号上拨，但是里面传出的是"查无此号"的声音。

这是从网上直接发过来的短信，拨号是不管用的。

我给他回了一个短信：

"我会去。在哪会面？"

几十秒以后，短信突然回来了。

"去飞龙山庄，那里有新建的度假村，在最外面的两层小楼里，十点钟准时到。门口有人招呼，记住，你可以带妻子，也可以带情人，但绝不允许带花钱找来的妓女，如果被我们发现你这么做了，你就死定了。我对我的话绝对负责。"

我看着短信，全身一阵发抖。今晚，今晚可以见到他吗？这个神秘的凤凰?！

就在这时，我站立的地方玻璃闪烁了一下，一道强光刺激了我的眼睛，这是车大灯的光，我把头向窗外看，只见一辆熟悉的汽车正开了过来，在对面的一条街上停下了，车停的地方是个灯光阴暗的小酒吧，一看就知道是那种规模不大的情侣酒吧。接着从那车上下来两个人，很亲密地挽着手，走进那小酒吧里去了。

当我看见这个人的时候，我知道我要做什么了。

"有很重要的电话吗？还要背着我？"

面对安琪的询问，我装作很轻松的样子，"没什么，一个网友发来的，我只是不想你误会。"

"误会？我还有什么资格误会呢？"安琪笑笑，"网友，女的吧？"

"嗯。"我老实状地回答。

"你见过多少了？"

"有十几个吧。"我撒了个谎，还扳起指头假装数了一下。

"噢，那么多？有没有让你动心的。"安琪不动声色地问，像是在说着别人的事。

"大多数都让我很失望。你呢？"

安琪举起一块杏仁小蛋糕，但是没有吃，只是漫不经心地说："不知道，但是，应该比你多。"

我的心疼了一下，还是装作很轻松的样子说："还真行啊。你见过那么多的人，有没有参加过那种派对？"

"什么派对？"

"就是那种聚会，可以在会上很开放的结交伙伴的那种？"

"伙伴？你说的是那种性伙伴吧？"

"也差不多吧。"

"我没有。你呢？"

"我也没有。"我看着那蛋糕上的奶油一点点地向她的手上淌去。

安琪没有意识到这一点，还是象征性地举着蛋糕，说："那你玩得也不疯啊？"

"彼此彼此吧。"我说，"你不是也不很疯吗？"

奶油终于淌了下来，流在安琪的手腕上，我很细心地拿起一张餐巾纸，将她的手拉过来，把她手腕上的奶油擦拭干净了。

"谢谢。"安琪说。

"没关系，"我有礼貌地说，"要是早会这一手，恐怕别人就不会那么容易乘虚而入了。"

安琪冷冷看了我一眼，说："你想知道男人和女人在婚姻上的差别吗？"

"想，你说吧。"

"男人选择婚姻只是因为厌倦了，想换一种新体验，女人却想的是长相守，同样的，男人和女人在一起时，想的是如何进入她的身体，但女人却想的是如何进入他的生活。"

我拍了拍手，说："分析得很精彩。你什么时候变成爱情专家了？"

安琪叹口气，说："你知道这话是谁和我说的吗？"

我摇摇头。安琪说："是顾襄。"

我瞠目结舌地望着她。

"有天，在网上他和我探讨了关于婚姻的问题，他说了这样的话，我把这话抄了下来，抄在记事本上了。"

"然后呢？"

"然后，就一起吃饭了。"安琪看着我，神色有些暧昧，意思当然不是只吃饭这么简单。

一提起顾襄这两个字，我的心就有很疼的感觉，他妈的被自己带的兵整了一顶绿帽子！我装得很无所谓，说："噢，他这么明白呀。那么他说过他爱你吗？"

"说过。我也觉得他比你爱我。至少为了我，他这几年一直也没有结婚，一直等着我。"

男人不结婚有很多种理由，但是说是为了一个结了婚的女人的缘故，打死我我也不信。不过，这个时候不要打击她了吧。

"你以后会和他怎么样？结合吗？"

"不知道。我现在在想，我可能还不够爱他，但是，在成年人的婚姻里，爱与不爱真的那么重要吗？也许他爱我就足够了吧？"

我把手里的刀叉放下，站了起来，说："咱们走吧。"

"啊，"安琪惊讶地说，"我们不是还有这么多东西没吃吗？这就走！"

"走吧。我们去一个地方，来验证你刚才的话是不是正确。"

五分钟后，我们来到了马路对面的那个小酒吧门口，门口停着几辆车，那辆熟悉的车也停在那里。安琪狐疑地问："来这干什么，你想喝酒吗？"

"不，"我说，"我们进去看看。"

我们推门进去，里面很嘈杂，台上有歌手在唱歌，排列得非常接近的桌子上，坐着几桌客人，大都是情侣样的青年男女，他们搂在一起，旁若无人地接吻亲热，桌上点着微弱的烛灯，空气中弥漫着酒精与暧昧的气氛。

我一进门一眼就看见了他们，于是指着那个靠近吧台方向的桌子，对安琪说："看，那是谁？"

安琪看了一眼，脸色立刻变了。

在那张桌子上，我们看见顾襄正搂着一个妖冶的女人，一只手还插在了那个女人的怀里，正在那里开怀畅饮着。

❖

在酒吧微弱的灯光下，我看见安琪的脸色显得极其苍白，胸口不断地起伏着。

顾襄没看见我们，他的全副精力都在那个女人身上，他把她揽在怀里，和其他人一样，一边喝着酒调笑着，一边用手在她身上毫无顾忌地摸索着。

一个侍者走了上来，冲着我们一招手，说："两位里边请。"

安琪一句话也没说，转身就走。我也跟了出去，出去的那一刻，我回过头来，向顾襄坐的方向望去，他恰好也抬起头来，我们的目光交会，我看见他惊惶地向我这边望了一眼，我冲他摆摆手，出去了。

夜晚的街道上，风冷人稀，安琪大步走着，走到了她的车前，突然间腰身一软，扶在车窗前，大声哭了起来。

我站在她身后，冷冷地看着她，没有过去扶她，也没有劝解。

哭了一会儿，安琪抬起头来，愤怒地质问我："为什么？你为什么要带我去那里？"

"我只是要你看看，一个男人口中所谓的爱情到底是什么样的。"

"你——"安琪泪眼花花地望着我,"你怎么知道他们在那里?"

"他们一下车我就看见了。很不巧,他碰上了一个不该碰上的熟人。"

安琪说:"你是故意的,你知道他今晚会在这里出现,你是故意让我看见他们的。"

我苦笑了一下,说:"安琪,你了解我的为人,那个人值得我这样做吗?"

安琪愤怒地说:"你说什么我也不信了,你太残忍了。"

"是谁更残忍?"我说,"我还是他?你想过吗?"

安琪愣愣地望着前方,突然打开了车门,说:"上车。"

"干什么?"

"我想去喝酒,你陪我吧。"

9

我们把车开到了附近的一个酒吧,当然这里不会再见到顾襄了,进去后要了一打啤酒,才喝了几杯,安琪的脸色就绯红了起来,竟然已经有七分醉意了。她问我有烟吗?我说没有,我从来不抽烟,她找了侍者,要了一盒女士抽的摩尔。

安琪熟练地将烟吸进去,然后吐了一个烟圈,这时的她,有点风尘的况味了。

"什么时候开始学会抽烟的?"我问她。

"开夜车的时候,也就不到半年吧。"安琪递过来,"你来一根吧。"

我把烟点上,一股呛鼻的味道从口腔涌进了肺里,我情不自禁地把烟雾往外吐。

"忍住它,不要光吐不吸,一定要吸进去,一开始会难受,但是慢慢地就会很舒服的。"安琪劝诫我。

我强忍着，把烟吸进去，忍不住咳了起来。

安琪抓住我的手："坚持吧，把它抽完。今晚让我们放纵一下。"

我看着她："放纵，抽根烟就是你说的放纵吗?"

安琪轻轻地捏了捏我的手，猛地吸了一大口烟进去，突然她剧烈地咳了一声，她拿起桌上的酒狠狠地喝了一口，然后，身子一软，就倒了下来，我扶住她的肩膀，她就靠在我的身上了，一股刺鼻的烟酒杂混的味道从她身上传了过来。

"你喝醉了。"我说。

"是吗?"她傻傻地笑了，"好啊。我总也没有喝醉过了，没想到今天陪我喝醉的是我的前夫。前夫，这样说你介意吗?"

"不介意。"

安琪抬起头来，冲着我的脸吐了一个大大的烟圈，老实说，她这个样子我很不习惯，我将头扭了过去。

"怎么，不喜欢我这样是吗?"她见我转过头去，就问我。

"不是。"

"可是，你还爱我吗?"安琪醉意恍然地问。

我没说话。她用力抓着我的手。"说呀!"

"爱与不爱，又有什么用?"

"如果你还爱我，哪怕只能爱我一个晚上，你就带我走。"

"走。去哪儿? 去干什么?"

安琪直愣愣地看着我，端起桌上的酒杯，吞吞吐吐地说："随便你。只要是一个地方就行。我今晚，我今晚，——我想要。"

"想要?"我有点迷糊了。

"哎呀!"安琪嗔怪地打了我的手一下。"你怎么不明白我的话，你还要我怎么说?"

我明白了，说："噢，你想要的原来是这个，是和我吗?"

"废话。我还能和谁?"

"可是，我们刚刚离婚了。"

"是的，但是这并不影响我们今晚在一起，并不是只有结了婚的人才能在一起吧。你放心，明早咱们就各走各路，让我们过了今夜再说吧。"

我喝了一口酒，听着安琪这么肆无忌惮地说这个话题，我心里一下子变得很沉重了。老实说，她在我的心中的形象彻底地崩坍了。我问她："安琪，性对于你来说，很重要吗？"

"为什么不重要，既然我们可以随意地吃饭，喝酒，与朋友约会，为什么不能充分地享受性的快乐，为什么不能呢？"

我说："这不是你的真心话，只是酒话。明早醒来你会很痛苦的，尤其是当我不在的时候，你会更加痛苦的。你不是把性看得比什么都重的人，性不是万能的，你和我都知道，所以，请原谅我，不能帮你这个忙。"

"啪"的一声，杯子在安琪的手中摔碎了。酒意熏然的她终于发作了。

"你不要对我说教了，李文波，你从来也没有满足过我，从来也没有。这么多年来，你和我过的就是一种无性的生活，你现在还认为是我的错，是，我是错了，可是你就没有过对不起我的时候？你为什么和我离婚，为什么？为什么要把我推给别人？为什么在我不需要的时候来纠缠我，可是我需要的时候你又拒绝我，这到底是为什么？你是不是有病啊，你这个人！"

安琪趴在桌上，气得哭了起来。

我轻抚着她的头，说："安琪，我想你没有理解我的意思。"

她抬起泪水盈盈的眼睛，说："还有什么意思？"

"我不能和你做这件事情，因为我没有令你达到过高潮。"我强迫自己冷酷地说，"可是，你曾经有过高潮，我看到过，但这和我无关。我不能带着这个阴影和你做爱，我对此已经没有信心了。"

安琪呆住了。她傻傻地看着我，好像已经痴呆了。

我轻轻抚摸着她的脸蛋，这里依然很光滑，这不像是一个三十岁女人的脸，倒还很像多年前我曾经抚摸过的那个女孩的。我的心一阵阵疼，这张光洁而美丽的脸，过了今夜将再也不可能属于我了。我说："安琪，你不要怪我。我现在只想知道，你说你今晚想要？是真心话还是酒话？"

安琪迟疑了一下，说："是真的。"

"有一个办法可以解决你我身上的难题。现在，如果你不反对，咱们就去一个地方。"我审慎着词语，注意着她的表情，字斟句酌地说："在那里我们可能都会得到满足的，但是，这需要很强的心理考验，你，会和我一起去吗？"

安琪冷静地看着我，现在的她已经酒意全无了，她的两只眼睛像天上的繁星，很亮，很亮，但是却遥远而不真切。

"十点钟，"我说，"如果你不反对，我们必须要在这个时间内赶到那里。"

安琪直勾勾地看着我，脸上的表情未置可否。

"去做什么？"终于，她开口了，嗓音嘶哑而呆滞。

尾　声

2006 年　春天

车子在路上缓缓地开着，一个多小时的时间里，我们没有交谈过一句。安琪把脸贴在窗外，看着外面一晃而逝的风景，这个姿势一直保持到目的地都没有变。我想以她这样的聪明，她可能知道我们去做什么。她不问，一副听之任之的态度，代表着什么？她已经决定了，今晚可以和我一起去做任何事？

可是，当她知道了我要去做什么事时，她会有什么样的反应？

我觉得自己很卑劣，今晚，我就是禽兽，和赵清明一样，和胡一平一样，和严宏一样，和凤凰一样。我也是他们中的一员，没什么两样。

车停在飞龙山别墅了。车上的表显示的时间是十点零五分，刚过五分钟，真正的活动应该还没有开始吧……

我打开车窗，看见门口黑糊糊地停着很多车。夜风吹起来，很凉爽啊！这个地方我很熟悉。两个月前，我们来的时候还没有开发完，现在已经初具规模了。当时，胡一平在这里买了一栋小楼，我们曾经在这里度过了一夜。胡一平原来打算在这里开一个度假区，不过，这个计划没有实行，因为现在这里已经全部被一个台商买下来了，包括胡一平的那两层小楼。这里已经成了著名的乡间度假村。建在山中的别墅，背山面水，环境清幽。每到周末的时候会被人订走所有的房间，飞龙山是个风水宝地，这里远离城市，但开车也不过一个半小时的路程。特别适合那些有钱有闲的人，度过一个春意盎然的良宵。

"这是哪儿?"安琪把头终于从车窗上移过来，看了看外面。

"飞龙山别墅，咱们来过的。"我说，"胡一平曾经想开发这里，但是后来被台商买断了。现在这里已经是一个著名的度假区了。"

"我知道。我曾和那个台商谈过广告的事。我不是问这个地方是哪儿，我是问，我们要去的地方是哪儿?"

我把车门打开，说："参加一个聚会。很特殊的聚会。"

安琪看着前方，脸隐藏在黑暗中，我看不见她的表情。

我们静坐在黑暗中，我知道，只要卜了车，我就要见到我生中从来也没有见到过的景象了，而且，那个神秘的人，他也在里面，我也会见到他，这令我的好奇心简直膨胀到了顶点。

但是，这对于安琪来说，公平吗?

我看了她一眼，她什么也不问，什么也不说，我只看到了坐在身旁的一个黑影，今晚她可能已经心丧若死了吧，看到了很多的真相，但是所有的真相都不会有她一会儿看到的更令人触目惊心。

我看了看外面的夜色，群山在沉寂着，披上了黑色的外衣，安琪此刻就像这群山一样沉寂。

过了今夜，会更痛苦的。

好吧，结束吧。这荒唐的游戏，不适合我们。

我说："今晚，可能是我们在一起的最后一个夜晚。我本来想，有些问题就在今晚解决吧。不过，我现在有点后悔了。"

我把车门关上，启动马达。我准备往回开，离开这里，马上远离这个荒唐的地方，远离那些曾经涌上来的荒唐想法。

我转动方向盘，将车子拐了过来。

"等一等。"安琪突然说话了。

"什么？"我吃了一惊。

"我想下去。"她冷静地不带任何感情地说。

我简直以为自己听错了！"你下去？！你知道我要带你去什么地方，你还要下去？！"

"我要下去。"安琪坚定地说。"我知道。我要下去。"

我目瞪口呆，她知道？这世界太荒谬了，我该怎么办？

车子熄火了。安琪打开车门走了下去。

前方，一栋别墅楼里，灯火辉煌。

停在别墅门口的全是名贵的车子。一共有五辆，奥迪，宝马，别克，丰田，还有一辆劳德莱斯。我们的富康车停在那，简直像个土鳖。

真是一次豪华的网友大聚会啊！

我们推开门走近别墅的一层，一层大厅入口处摆着一张桌子，一个戴着小丑面具的人正坐在那里看着我们。

"你们是来参加网友见面会的吧？"他很礼貌地迎了上来，小丑面具里的一双眼睛亮晶晶的。

我们点了点头。

他把我们领到桌子前，桌上有一叠纸。"请签到。"

我想了想，在上面签上了我的网名。我已经是这里的会员了，一切都是凤凰给我办的。我想，我照实签就行了。

戴小丑面具的人看了看我的签名，很满意地点了点头说："噢，是你？你是新会员啊？"

"是的。"我说。

"这位——"他指指安琪。我说："这是我太太。"

他再次心领神会地点了点头，从桌子的抽屉里拿出了又一张表格式的纸，递给我。说："请再签一下名。"

我看了看，是一份协议。

"这是规矩，凡是参加我们活动的人都要签一份协议。"他似乎怕我不理解，很殷勤地解释："他们都签了。"

我看着这份协议，回头看了看安琪，她也正在看着我。

安琪，我等着你说一句话：咱们走吧。然后我们就马上走。

甚至，我想听你再说一声，你爱我，咱们复婚吧，我会马上和你走，复婚。

可是，安琪什么也没说。她只是定定地看着前方，脸上没有任何表情。

我把协议拿了过来，颤抖着手在上面写上了我的网名。

"好的。"那人很轻松地说。把协议再次塞进抽屉里。然后又说道："对不起，因为交友会的规矩，你们不能带任何的联系工具进去。所以请把手机交出来，由我代为保管。"

"你保管？"我说，"为什么？"

"这是规矩。你放心，活动一结束，马上归还。"那人坚持，"这是一个硬性规定，请别问我为什么？总之，任何的联系工具不能带进去。如果有人有急事找您，我们会通知您。"

我和安琪对视一眼。我拿出了手机。安琪迟疑了一下，也把手机拿了出来。

那人说声谢谢。把我们的手机放到了身后的一个箱子里，在箱子上写上了封条。然后说："我会帮你们记住这个箱子的号码。等你们一出来，手机就归还你们。"

把手机交给他，现在我们是与世隔绝了。我的心里有些忐忑，我想安琪也差不多吧。

那人看出了我们的怀疑，说："可能有些不习惯。但是时间长了你们就知道，这些规定都是为了你们好。这些规定全是会员会一致通过的，事实上证明都是很必要的。"

我说："好了，我们现在可以进去了吧？"

"还不行。这还有东西给你们。"

那人从桌子的抽屉里取出了一个包裹，打开，里面是几个面具脸谱，他抽出了两个递给我们。

"请把它们戴上，戴上后就不要随意摘下它们。"

这是两个小丑的面具，不同的是，一个是红色的，一个是蓝色的，脸谱的造型与眼前的这个人戴的是一样的。所不同的是，他戴的是绿色的，而我们的这两个颜色不同而已。

"女士，红色，男士，蓝色。现在，请你们戴上，戴上后就可以参加活动了，但是在进入包间之前，不能摘下，这是规矩。请吧。"他说。

我把玩着手中的玩具脸谱，说："为什么要戴这个。"

"为了活动的组织安全与个人的隐私权不被侵犯，"他说，"请原谅，您不要再问了，进去后会有人给您解释这一切的，现在，请在这里把它戴上。"那个人有些不耐烦地说。

我看了安琪一眼，她也正在看着我。

我看了看手中的面具，是一个正在狂笑着的小丑的面具，虽然在笑，但是面目很狰狞，冷眼一看，很邪恶。

我突然有种冲动，想把这个古怪的东西顺着窗外扔出去，然后再对准这个小丑装扮的导引员，在他的鼻子上狠狠地来一拳。

但是，我什么也没有做，因为这时我看见安琪做了一个动作，她把面具戴上了。

她缓缓地把面具套在头上，眼睛一眨不眨地看着我，一点点地把整个面具都套进脸颊里，最后只剩下了两只眼睛露在外面。现在站在我面前的，是一个有着红色脸庞的狂笑的表情古怪的小丑，那个和我相濡以沫的女人不见了。她整个人突然之间就变得极不真实了，只有那双眼睛转动着，说明她还是有生命的，但那双眼睛里却一点感情也没有，有的只是一种深深的怨恨。

我惊愕地站在那里，望着眼前的这个小丑。

"先生，请戴上它。时间已经不早了。"导引员开始催促。

我把面具一点点地戴上，这面具是很高级的材料制成的，戴在脸上与皮肤的接触很熨帖，没有一点不适应的感觉，除了眼睛露出来外，嘴的地方还有一个出气孔，呼吸也很顺畅。

"好了。两位，请沿这个方向上路，他们都在三楼的多功能厅里等着你们。"

门关得紧紧的，一点声音也不会从里面传出来，一点光亮也不会从缝隙里透出来。

门口的两个人，恍惚中望着对方，两张狰狞的狂笑的脸。

只要推开了门，一切就都会改变了。

"开门吧。"女的说。

"为什么?"男的问。

"没有为什么，"女的说，"只有一件事，我敢保证，过了今晚，我要让你非常后悔。"

"你为什么非要让我这样呢?"

"没什么。因为我们在今晚之前就已经沦落了。你和我都是如此。"

面具上的红色像血，喷薄而出的血。

门缓缓地推开了。

凤凰设计的大戏开幕了。

门开了。我看见里面坐着几桌人，灯光有些昏暗。这是一个可以供五十人跳舞的多功能厅，正对着门口的是一个表演舞台，上面的音响设备一应俱全。今晚，这里已经被包下了。费用由所有参加交友活动的人均摊。钱已经由网上银行汇兑完了。这些，都是网站的管理员负责完成的。

　　门很重，为了隔音和隔光，里面一定包裹着厚厚的材料。当门开启的一刹那，所有的人都回过头来看我们俩，我和这些人的眼神交撞在一起。令人惊奇，我看到的是一张张相似的脸，所有的人，都戴着同一副面具，唯一不同的是这些面具分成了两种颜色，红色的像火，蓝色的像海，这是否也象征着，男人与女人的关系就是水与火的关系，一半是海水，一半是火焰！

　　我们站在门口，茫然不知所措之间，掌声响起，音乐声也突然响起，一个熟悉的旋律响起，这旋律让我的全部神经都绷了起来。

　　是一首我曾经非常喜欢的老歌，伊安库提斯的名曲——《爱会将我们分开》

　　在旋律声音中，一个蓝色小丑走上了舞台。

　　"现在，请让我们用热烈的掌声欢迎新来的两位会员。"这个人的声音爽朗，充满力度。他是谁？

　　掌声中，音乐声中，有一个红色小丑走了上来，把不知所措的我们俩领到一张桌子旁。

　　桌子上摆得很丰富，有红酒，各种小吃，还有蛋糕和各种饮料。

　　那个小丑把手一挥，音乐声停止了。

　　他开始发表演讲："很高兴。受联盟管理员的委托，由我来主持今天的交友会。今天，我想应该有一些人是新来的，对他们的到来我们刚才已经表示了欢迎。因为时间已经晚了三十多分钟，那些入会的仪式与交代就先免了。"

他用手拍了拍脸上的面具，说："对于新来的会员来说，一进屋就要戴上这个东西，会有什么感觉？我想，可能会有点不舒服吧。我这里要做一个说明，面具是我们这里的一个特色，也是我们的一个标志。当你看到你身边的人都是和你一样的时候，你会怎么想呢？你会不会有一种感觉，其实你面对的都是自己？对了，我们要的就是这种感觉。在我们这个联盟里，没有高低贵贱，三六九等，有的，除了男人，就是女人，你只需要区分这两种人就行了。请大家记住，这是一个平等的地方，所有人的机会都是平等的，所有的人都可以拥有对方也是可以互相拥有的。试问，在这个浮躁而又荒唐的社会里，哪里还会有这种平等，哪里会有这种无私的情感？所以，请爱护你们的面具吧！记住，面具是你在这里的身份，只有你与你选中的伴侣单独面对时，你才可以摘下它。请记住这一条，很重要。"

有人在底下鼓掌，我们也跟着鼓了起来。从进来开始，我几乎已经没有精力注意安琪了，我在观察身边的人，其实在这样的灯光下，什么也看不出，除了一张张或红或蓝的面具，一双双晶晶亮的眼睛，什么也看不出来。不过，我还是在仔细观察，这里面应该有我要找的人，凤凰就在里面，可是，哪一个面具下面隐藏的人是他（她）呢？

主持人继续说着："我们来到这里，是受一个共同的目的驱使而来的。那就是，性与爱。今晚，是一个神圣的性爱的夜晚。所以，请大家要珍惜这一刻。为了让我们今晚过得欢乐，这里，我要强调，一切要在你情我愿的情况下进行。不能勉强，也不能有任何强迫的成分。如果有人对我们的安排表示异议，现在可以退出，我在这里给大家两分钟的时间，这是最后的两分钟，请大家要考虑清楚，现在退出，还来得及。两分钟后，如果没有人表示不同的意见，我们将会把所有的门窗封闭，由专人看守。诸位，你们就要去指定的房间，一直到活动结束才可以出来。"

底下有人喊了一声："没人有意见，快开始吧。"

主持人说："不，这里有新会员。我们应该尊重人家的选择。"

所有的人都看着我们俩，我想，这里的新会员就是我们吧。

我和他们对视，每一双眼睛都让人感到神秘莫测，他们是谁，谁是凤凰？

在这群人中，一个红色小丑面具下的一双眼睛在我的身上留得时间稍长了一点，当我认真地注视她时，她马上把眼光移过去了。

我的心跳加速了，直觉告诉我，这个人我认识。我看了看她身边的人，蓝色的面具下一双冷漠的眼睛看着我，他们靠在一起，坐得很近，他们是伴侣。我的心跳加快了，这两个人，好像没有那种特别陌生的感觉，尽管他们也戴着面具。

当我突然发现这两个人似曾相识时，这里面开始弥漫着一种熟悉的味道。可是，我还是拿不准，谁是凤凰？

"好了，两分钟结束了。"主持人一声呐喊打破了沉寂。"既然没人提出异议，我们的活动现在开始。"

"从现在开始，我宣布，女士们，先生们，我们的交友活动正式开始了。请大家听我的号令，所有戴红色面具的女士，站到左边去。戴蓝色面具的男士，站到右边去。"

大家开始行动，我和安琪对视了一眼。安琪的眼睛里全是惊慌与紧张的神色。

"退出吧？"我轻声说。

安琪看着我，未置可否，我只能看见她的眼睛，很慌乱。一个男人突然走了过来，稍有些粗暴地抓住我的胳膊，把我拉了起来。

"咱们得快一点，时间已经不多了。"他有些嗔怪地说。

我被他强行拉了过来。安琪也被一个戴红色面具的女人拉了过去，那人在拉她的时候意味深长地看了我一眼，眼神很熟悉，我的心跳加剧了。

大门被从外面封上了。我听见楼下有关门窗的声音，现在，通讯中断，门窗紧闭，谁也出不去了。

主持人说："好了，女士们，先生们。大家都站好吧。现在我要宣布一下游戏的规则。你们分成两排站好，一会儿，我将会给每个人一张写满数字的卡片，女士是单数，男士是双数。今天晚上我们在二楼包下了七间客房。这七间客房的房号都是三位数的。一会儿我将会一间一间地报出房号。如果你们中的两个人手中卡片上的数字排列到一起，是我所报的房号数字，那间房就归你们。你们可以在里面享用三个小时的时间，虽然时间不多，但是我想也够用了。"

底下传来了一片笑声。

"进入房间后，我想规矩大家都知道了。新来的可能不太清楚，这里就占用大家的时间再多说一会儿。请你们记住，我们这里完全遵守自觉自愿的原则，不许强迫，所以，如果你们中的任何人如果觉得这样抽取的组合不太令人满意，无法进行更好的交流，可以允许退出本次游戏。但是，退出前必须要和本主持人说明，经主持人同意后，你们可以离开房间，但不得率先离开这个地方，退出的人可以在一楼的大厅里喝咖啡，等着大家活动全部结束后，再一起离去。记住，我们这是一个集体的活动，为了避免不必要的麻烦。所有人必须统一行动，听从指挥，一起来，一起走。不得自作主张。"

底下的人都说明白了。我看着安琪，她的身影隐藏在后面，我看不清她的眼睛，我不知道她现在在想什么，但是我想她可能没有退出的意思，她和我一样，陷入到深深的好奇里了。

在很多时候，羞耻感不过是道德的装饰，它使男人表面上高贵如君子，女人表面上清洁如淑女，但是一旦把羞耻感这层面纱拿下来，人不一定会是什么样子。在这个夜晚，我发现所有的人都正在努力把羞耻感忘掉，可是，他们毕竟还是有羞耻感的，要不，就不会选择面具了。

我的妻子呢？面具后面，她的脸上是什么样的表情，她现在还有羞耻感吗？

主持人说："好了，在活动开始之前，我还要再次重申，这只是个游戏，是一个为了放松我们紧张的心灵而做的游戏。我们在社会上都是成功的人，不是小孩子，不是无知少年，也不是那种为了寻找刺激而忘乎所以的人，所以，我们一定要理性地玩这个游戏。活动结束后，大家要马上回到各自的生活中去，不要单独联系，不要留下任何的联系方式，尤其是，不要发生任何的情感纠葛，否则，这都会给我们的组织，给我们的下一次活动带来很大的不便，甚至是毁灭性的打击。我提醒大家，游戏不是一次就会玩完的，只要我们现在的活动处在安全的良性的状态里，这种活动就会一直持续运转下去的，好的永远在后面，要对自己，对未来有信心。好了，现在各种事项都交代完了。我宣布，游戏开始。"

大家的掌声响起。主持人走下来，开始给大家放卡片。

发到我这里时，我盯着他的眼睛不放，主持人在我肩上拍拍说："别紧张，头一次都有点不习惯，但我保证，来过几回你就会上瘾的。我第一次也这样。"

他理解错了，我不是紧张，我是想从他的眼中看清楚，这个人是不是我要见的人，但是，直觉告诉我，他不是凤凰，他不是。

他应该是一个中年人，可能白天在面具后面，循规蹈矩，事业有成，但今晚，他也是一个忘掉了羞耻的人。

我看了看自己的卡片，把它紧紧夹在手上。

有一双眼睛在暗处看着我，我抬起头来，与她再次相对，很熟悉的眼神，她是谁？

主持人将卡全部发完了，走上前台。

"好了，激动人心的时刻到了。"主持人用力敲了一下桌子，拿出一张纸来，说："我现在开始念第一个房号，在发这个卡片之前我也不知道这些数字写的都是什么。所以，你今晚会碰上谁，碰上什么样的人，完全靠运气。下面我开始念第一个房号，"他把手中的纸拿起来，一边看一边念道："第一个房号的第一个数字是——4！"

一声惊叫，一个女人站了出来。

所有的男人都看着手中的卡片，期待着。

主持人卖关子地看着手中的纸，拉长声音说："下面的两个数字是16，416号。"

男人中有人发出一声欢呼，站在我左侧的一个人走了出来。

"好，第一对交友会员已经选出来了。是4号和16号。"主持人说："恭喜你们，你们的房间在二楼左侧，上面贴着号码，祝你们今晚愉快，现在让我们用掌声欢送他们。"

掌声响起。两个人走上去，拉住了对方的手，走到舞台上，向大家鞠躬，大家不断鼓掌，鼓掌的人中也有他们来时各自带来的伴侣，主持人把手向后一引，看来在舞台后面有个后门，他们顺着舞台后门走了。

主持人说："第一对已经产生了。下面是第二对。我念第一个房间号——2"

又一个戴着红色面具的女人站了出来。

主持人接着念："下面的号是——17。"

我们这一圈站立的人有人呜咽了一句，似乎是在哭的声音，大家都笑了起来。

我旁边的人悄悄地在我耳边说："真倒霉，他们俩是一起来的，又选到一块去了。"

主持人遗憾地说："真不走运。但没办法，这是天意啊。没关系，下次你还来，一定会有新的选择的。"

两人手拉手上台致意。可以看出，虽然隔着面具，但是男的极其沮丧。

大家报以掌声。主持人把他们引下去，又举起了手中的纸，说："下面一组。我念第一个号码，5。"

人群中站出了一个人，她的眼睛向我们这边瞅来。我的心跳又加剧了，这正是那个眼神很熟悉的人。

　　会是谁和她选在一起呢？

　　主持人念："下一个数字是，29。"

　　大家都在看着各自的卡片，没人有反应。

　　主持人念道："怎么，不可能会轮空的，没有人来啊。我再念一遍，29。"

　　我突然想起了什么，急忙拿起手中的那张卡片，只见上面写着两个字：29！

　　我颤抖着身子，在众人的注视下向前走去。她站在我的面前，目光炯炯地看着我。

　　我的眼睛掠过她的身体，向后望去，我要看安琪的表情。

　　她躲在人们的后面，脸隐藏在黑暗中，什么也看不清。

　　"恭喜你，新会员，祝你度过一个难忘的夜晚。"主持人说。

　　掌声响起来，安琪没有鼓掌，甚至没有看我一眼。

　　我们两人手挽着手从后门进去，走到了二楼。找到了那个门上贴着"529"纸条的客房。

　　我把门打开，她很灵巧地先钻了进去，我在门口稍一迟疑，她就拉住我的胳膊，把我拉了进来。然后一只手搂住我的脖子，一只手把门锁上了。动作很熟练。

　　我们两人摸索着来到床前，她一只手拉开了台灯，另一只手伸进了我的衣服里，把我推倒在床上，在我身上摸索着。

　　"等一等。"我推开了她，在床上坐了起来。

　　她看着我，笑了一声。

　　我把面具摘下来了，顺手打开了床脚的台灯。

　　她面对着我，身材修长而挺拔，脸上的面具在狂笑着。

　　我们俩对视片刻，她解开了胸前的扣子。

　　"先不要脱衣服，"我说，"咱们先坐在这儿，谈会儿话好吗？"

她的脸被面具挡着，看不见表情，但是我能想像得出，她一定是在笑我。

"你，"我说，"你能不能把你的面具也摘了。"

她摇头。

"我劝你还是摘掉吧。"我说，"你带着它，我很难受。"

"可是我觉得很刺激。"她终于说话了，声音很动听，"不是吗？"

我耸耸肩说："没觉出来。"

她劝我说："你只是有些不习惯，第一次来这里的人都这样。其实面目不重要，重要的是感觉。"

"是吗？"我说，"可是，当我已经知道你是谁了的时候，感觉就不重要了。"

她惊奇地说了一声："噢，你知道我是谁了。"

"当然。"我说，"从那首《爱会将我们分开》一响起的时候，我就猜到这些人里面一定有你。我亲爱的万绮珊小姐，我现在明白了一个道理，富人不仅仅哭，也很无聊。"

摘下面具后的万绮珊，半裸着酥胸，雪白的肌肤在昏暗的床头灯下，依然风情万种。

"我就知道这一切瞒不过你。"万绮珊一边说，一边凑过来坐在我的身旁，很随便地靠在我的身上。

我没有推却她，任她这么靠着，她的身子软软的，靠在身上，还真是很舒服。

我说："不光是你，我觉得我还看见了胡一平。你们是一起来的吧，真是没想到，我们兄弟俩会在这种场合见面。"

万绮珊把身子使劲往我身上挤，说："是我介绍他来的。他开始还不接受呢，不过，现在他有点着迷了。"

我把她的身子扶正，一只手捧起她光滑的脸，说："为什么你要把他拉进来，你不怕他因为这个不要你了吗？"

"一个太有钱的男人，通常也是一个神经紧张的男人。"万绮珊说，"一个男人神经紧张了以后，会想出很多方式寻找发泄的渠道的，与其让他自己找，还不如让我来给他找。你们男人不都是喜欢刺激吗？我就给他找一个最强的刺激吧。"

"你是用这个方法来控制他是吗？"

"是的，有钱的男人最后都会走上下坡路的，他们太自信了，太容易获得了以后，就会犯错误，犯那种低级的错误，危及事业、家庭，我帮他找一个可矫正自己的渠道。"万绮珊把嘴贴在我的耳朵上，一阵阵软软的风吹来，很舒服，也很撩人情欲，"我要让他知道，在放纵情欲上，只有我能给他最大的满足，男人放纵性是正常的，但是女人通常不会容忍这一点，即使爱他到骨子里的人，也不会容忍他参加这样的活动吧？可是我给了他这个绝对的自由，哪个女人能做到呢？再说，他参加了这样的活动，还会有心情去找别的女人吗？"

"那你能得到什么？"

"我能控制住他的灵魂。只要参加一次，他和我的关系就永远扭在一起了。这是一个砝码，你知道吗？他是一个两面人，是一个成功的两面人，两面人最怕的是什么你知道吗？怕的就是另一面曝光，怕的是地下的东西浮到地上来，所以，他做的这一切永远不会希望有任何人知道，在这个意义上，他最亲近的人是我，最怕的人是我，最离不开的人也是我，现在是，永远是。"

我想起了严宏，他也是一个两面人，所以，他为了地下的东西不要浮到地面上来，甚至要杀人。举起粘满粉笔末的手，开始杀人！我感到一阵阵的不寒而栗，其实万绮珊也在杀人，只不过，她是用另一种方式而已。

我把将她轻轻推开，说："绮珊，你真是太可怕了。那么安琪是怎么回事？也是你的杰作？"

"安琪？怎么了？"

"我觉得在我把她带来的时候，她似乎知道这一切事情。"

"不是的。"万绮珊沉思了一下说,"我不知道,安琪不是我拉来的。"

她突然想起了什么,媚笑着贴了上来,说:"你现在是什么心情啊?你们家安琪也在别人的怀抱里呢。"

我冷冷地说:"没什么心情,我们已经离婚了。"

"为什么?"

"因为我早就见过她在别人的怀抱里了。"

万绮珊轻蔑地一笑:"男人就是这个德性。为了这个事离婚,你问问你自己,除了安琪,你睡过别的女人吗?"

我无言以对,是的,我也一样,比她好不了哪去。

"及时行乐吧,老师。"万绮珊把我的手拉过来,放到她的胸口上,"你曾是我魂牵梦绕的人,我不相信,你对我就一点感觉没有吗?"

我用手抚摩着她光滑的前胸,说:"绮珊,你什么时候开始进入到这里的?"

"在我发现我对爱情已经彻底灰心了以后。"万绮珊把脸埋在我的胸里,轻声说,"我在十几岁时就爱过一个人,我曾发誓要为他守身如玉,一直坚守到和他结婚的那一天,在我十几岁的心灵里,一直认为那才叫纯洁的爱情。但是他等不及那一天到来,抢先占有了我,然后,就是抛弃,像扔掉一块抹布。男人都是这样,占有了,就不新鲜了。拥有了,就不在乎了,可是我会用我自己的方式让别人永远不能再这样对待我了。我不会让他们拥有我,可以拥抱,但不拥有,可以给一次,但决不给全部,可以让他们动情,但我绝对冷漠,这是我保护自己的方式。我会在性上比这些人更强,我要控制住他们,但再也不会让他们用一些小情小调,虚情假意或是一些生理上的快感再控制住我。"

"绮珊,你这样做,想过将来吗?"

"想过。当我赚足够多的钱时,我会抛弃现在的一切,远走高飞,我一定会调整自己,嫁一个平凡的人,过一种平凡的生活,但不是现在，现在需要的是面对和积极的争取，无论是钱，还是性，都要面对和争取，面对现实，争取主动。"

"你说过要抛弃一切，包括胡一平吗?"

万绮珊笑了："胡一平是我事业中的一部分，可他也不是我的全部啊。"

我的全身都冷了下来，胡一平，我开始替他担忧了。

万绮珊又靠了上来，说："咱们老说这些干什么? 咱们不是来快乐的吗? 老师，你看看我，我漂亮吗?"

她把胸前的衣服拉了下来，两个乳房挺拔着在黑色的镶有蕾丝花边的胸罩里骄傲地茁壮着，很迷人。

我用手轻轻地抚摸着那骄傲的球状物，说："绮珊，我觉得你就像鸦片。"

"什么意思?"

"鸦片点燃的时候香烟缭绕，闻起来非常的香，但它是有毒的，而且毒性极大，更可怕的是还会让人上瘾。"

"是的。"万绮珊将我推倒，舌头灵巧地在我的胸前徘徊着，"我是鸦片，我是毒药，我就是要让你们上瘾，让你们中毒，你们都是猪狗不如的臭男人，以为有了钱在性上也是强大的，可以控制一切，但是，我会让你们明白，你们也会被人控制，被人轻看。那个人就是我。"

她的舌头很有弹性，很长，也很软，而且卷曲起来律动的感觉像按摩棒在身上滑动，酥麻的感觉让人难以自持，坦率地说，比雯雯的功夫还要好。其实她们都一样，都是出来做这一行，所不同的，只是档次和分工不同而已。我的身体在她舌头的挑逗下突然间发生了变化，我搂住她的肩，用力地将她的身体拉了上来，和她吻在一起。

"老师，快给我吧。"万绮珊搂住我的脖子，呻吟着，"我是胡一平的女人，你今天就占有他的女人吧。他再比你有钱有势，可是你今晚可以随便占有他的女人。来吧，老师，我想要。"

我抚摸着她的胸乳，在她的呻吟声中，我用力地扯掉她身上的衣服，将她的身体翻转过来，抓捏着她丰满的臀部，就在我正要进一步有所行动的时候，突然间，我看见了她裸露的后背，顿时头上如同挨了一闷棍，惊在了那里，性欲全无了。

在她光滑白洁的后背上，纹着一个血红的图案，那是一只展翅飞翔的凤凰。

她原来是凤凰?!

我的身体一下子疲软下来了。什么欲望都没了。

万绮珊趴在那里，等着我来爱抚，可是我却没有了动作，她抬起头，狐疑地问:"怎么了，老师?"

我看着她的后背，那只凤凰纹得真是漂亮，随着她后背肌肉的弹动，简直呼之欲出。

我问她:"原来你就是凤凰?"

万绮珊坐了起来，赤裸着上身，看着我，天真地一笑:"猜出来了?"

我颓然地坐在那里，说:"我其实早该想到了，对我这个人了解得那么深，不是你，又是谁?"

万绮珊高深莫测地看着我:"你为什么总是那么聪明呢?"

"我是不是又猜对了。"

万绮珊贴了上来，轻轻地在我脸上吻了一下，说:"真是个聪明的孩子，我来奖赏你一下，然后告诉你答案，你猜错了。"

"我不是凤凰，今天他也来了，但是他是谁，我也不知道?"

"你没骗我吗?"

"没有。这事上我不会骗人。我告诉你，我也很想知道他是谁，但是我不知道。他可能是这里的每一个人，也可能谁也不是，甚至，你信不信，甚至有可能他就是安琪。"

"不可能，安琪不可能。"

"老师，这世上有很多事我们根本无法探明真相，也有很多人，我们永远也不会了解到他的内心。不是因为他们有多强大，是因为我们不是他，仅此而已。"

我把万绮珊一个人留在床上，对她说我要去卫生间。

"你是要洗澡吗？咱们一起去吧。"她说。

"不，我刚才喝得凉东西太多了，我有些闹肚子了。"我说，"你在床上等我，我马上就来。"

我走进卫生间，推开门回头看了一眼，万绮珊已经脱光了全身的衣服，坐在床上，做出很天真可爱的样子冲我摆手。

"记得，要冲水，洗澡，干干净净地出来。"她冲我喊着。

是的，这一进去，我一定会干干净净地出来。

我把卫生间的喷头打开，门反锁上。然后拉开了卫生间的窗户。

在把车停好之前，我一直在观察着这里的地形，几个月前来过这儿一次，当时就住在这附近。我对这里有印象。

别墅建在山上，山上有一定坡度的，虽然是两层楼，但是就着山势跳下去，其实并不高。关键的是要选好坡度，选好落点，不要一下子摔到树杈或是荆棘里，就好办了。

这个问题，我都已经想好了解决办法。

我把卫生间里所有的布制用品都找出来了，毛巾、浴巾、窗帘，全都接在了一起，系成一个长长的绳索。

光是长不行，还要结实，我过去看过新闻，有人模仿电影镜头，也这么试着跳下去过，结果绳索中途断了，摔死了。

我不能犯这种低级错误。

我把绳子用打死结的方法系紧后，一头拴在了浴室的进水铁管上，另一头拴在了自己的腰间，扯了扯，够结实了，这时才打开窗户，手抓着窗棂，从窗子里爬了出去。

新月如钩，挂在天际，我一点点向下探着脚，腰间的绳结一点点地向下滑行着，在那一刻，突然想起，小时候我曾经有个理想，是做一个消防员，不知现在，是不是也算圆了这个梦？

我的车还停在那里。我钻进车里，看了看那幢别墅，二楼都亮着灯呢。

安琪呢？她在哪间屋里？

谁是凤凰？

来不及想这些问题了。我从车的用具箱里拿出了一个崭新的电话。

我拨了一个号。

响了一下，韩力的声音就急躁地传了过来："怎么回事？手机一直不在服务区？"

"手机被没收了。"我说，"根本拿不出来。"

"情况怎么样？"

"他们已经开始活动了。录音笔被我趁乱藏在大厅的窗台后面了，那儿有厚厚的窗帘布挡着，应该不会被发现的。"

"那么重要的东西，你就那么一放？你可够大意的。"

"你不知道，我原本是带在身上的，但是没想到那么快就开始一个一个地进房间了。那种东西就不能留在身上了，万一被发现，我就惨了。不过，我想这些证据也够你们用一气的了。"

"好啊，我们马上就开始行动。你现在在哪儿？"

"别管我了，你们干吧。我得走了。"

"行，回头再找你。哎，有什么人需要我关照吗？"

我沉默了，不知该怎么回答。

两小时前，在凤凰给我发了短信后，我给韩力也发了短信。我知道他马上就会来的，但是我没有想到的是，这里面会有这么多人和我有牵连。

"你怎么不说话，这里面有没有和你有关系的人？"

我思索着，说："没有。"

我听见韩力似乎松了一口气。

我问："可是，抓住他们后会怎么办？他们犯下的算是什么罪？"

韩力叹口气，说："很难定刑。真的，即使抓住了，我也不知道怎么量刑才是比较科学的事。不过，能破一起这样的案子也确实不错，这可是我们这里从来没有过的案例。"

我笑了。

"你笑什么？"

"我在笑，最近我碰到的都是什么人什么事啊？一群不像警察的警察，一群不像罪犯的罪犯。"

"人生就是这样，只要活着，什么古怪的事都会碰着。就像我一样，本来应该做个 CEO，却莫名其妙地变成了一个小警察。"

我把车启动，有那么一刻，我有片刻地犹豫。

安琪？我用什么办法可以把她引出来。

只要我一按喇叭，我想安琪会明白的，但是，所有的人也都会察觉了。

我的手按在喇叭上，只要一按，就可以解救她了。

可是，这有用吗？

也许，她并不会领我的情。也许，和万绮珊一样，她们已经变成了一类人。

一类与我无关的人。

车子慢慢启动了，为了怕惊动别人，我没敢开车灯。

月光如水，很安静的夜晚，车子向前徐徐开进，群山在两旁无言，突然间，我看见一个黑影在我的车前闪了一下。

很黑的山路上，有个黑影一闪，一般情况下，以我的眼神，是不会看见的。

但是破天荒的，这次我竟然在可见度这么困难的情况下，见到了。

我打开了车灯，车灯闪烁下，我看见她回过头看我，长发飘飘，很熟悉的面孔。

"安琪!"我大喊。

车子向前开去，离她越来越近，车灯的照映下，她的脸孔惨白如雪，有如暗夜里突然冒出来的一个鬼魂。

我惊异地发现，在车灯光影的交映下，她的面孔闪烁不定地变幻着，这张面孔离我很近，但是我不管怎样向前开，却到不了她的身边，她，又似乎离我很远。

而她的脸在灯光的照映下，正在一点点地改变成了另一种模样，每一种模样都很面熟，既像我的妻子，但也像很多的人。这是谁呢?

我追不上她，干脆就把车子停下，这时，我看着她飘忽的身影一点点向我移动过来，她的脸离我越来越近，刹那间，从来没有过的惶恐感觉袭上心间，我张开嘴，却发不出声音。

但是有一个声音却在我的心里叫出来了:

"麦家慧。"

然后，是一片炫目的光彩，幻化成眼前无尽的虚空。

附

作者采访笔录：情感的真相令我震惊

河北省秦皇岛市青年作家刘剑推出的中国第一部以网络色情犯罪为题材的长篇小说《天使不在线》出版后引起高度关注，被很多门户网站转载推介。此书与《大长今》、《亮剑》、《双面胶》、《哈利波特》等书一起，占据了新浪读书点击率排行榜。以下是《燕赵都市报》记者宋燕对作者的采访实录：

记：《天使不在线》是中国第一部以网络色情犯罪为题材的长篇小说，你是什么开始接触这方面的的事情的，你什么时候开始写这部小说？写了多久？你为什么要以记者第一人称写？你这部小说的现实意义？

刘剑：我从九十年代末开始接触网络，算是一个资深网民。在我的生活中，网络帮助我解决了很多问题，也在生活中越来越重要。但是，任何事物都有正反两极的特性。网络也一样，在极大的方便了我们的生活的同时，我发现网络也同样在制造着很多的麻烦。正如我在书中说到的，网络，正如一把双刃剑。在长达十年的上网生涯中，我有一个感觉，好象我们就是在清水和淤泥之间穿梭。一边是清水，一边是淤泥。为什么？因为人的情感、欲望与价值体系会随时因社会的变革而发生改变。而网络恰恰好就如同一个通道，让我们把很多内心的东西了挤塞进去，至于这个通道装的是清水还是淤泥，则随时需要我们靠自己的理性来判断。

　　基于这个识识的基础上，我开始关注与网络有关的一切新闻。2003 年，在离我家很近的一个地方，出现了一起案件，这个案件，就是我们书里说到的，视频女郎案件。在距我家仅有一公里的地方，几名网络视频女郎在进行裸聊表演时 被抓获。就我知道的，在我们那个城市里这是发生的第一起这样的案件。我那时候在媒体工作，对此比较关注。2003 年，我国没有出台相应的非常规范的互联网的法规，很难界定她们在屏幕上做视频表演，这算一种什么样的犯罪。所以这些事也引起我的一些思索。

　　因为我的职业的特殊性，所以我可以比别人有可能了解到更多的东西。我后来看到了一些涉案的材料，产生了创作一部小说的冲动。

　　我本人常年在新闻单位工作，比较了解这个领域的人的一些特征，所以我把主人公设计成了一个新闻工作者，这是考虑到小说的真实性与记实性的成分的。我很尊重搞新闻工作的人，也认为在这个事件上，他们是最有可能对此给予极大关注的人群。而用第一人称描述，则是为了增加小说中更多内心的东西。因为在这部作品，主人公的心路历程充分体现着网络色情对于人心灵的冲击，而他身边的人的遭遇由他来完成讲诉，这样处理，真实可信度极强。当然，因为这个主人公的生活经历、性格与我都有些相似，很多人误以为这个人就是我，还有人在网上发了贴子，说这是我的自传。这当然是不可能的。我与主人公是完全不一样的人。其实一个小说最吸引人的地方，就是你能进入你所不熟悉或者是新奇的世界。我在写这本书的时候，应该说也是进入了不太熟悉的世界，与读者们一样在感受和享受着。

　　记：人们都说网络是可怕的，是虚幻的。因为网络像一个大大的陷阱一样，引诱着诸多存在着各种欲望却在现实生活中无法满足的人们。你怎么看待网络和网络色情犯罪？

　　刘剑：说一个大家都不太相信的事情。在这本书出版之前,,我从来没有跟人进行视频聊天。但是我为什么能够写这个东西呢?

那是因为我在这里面倾注了关注和思考，就像某一个人不是同性恋者，但是他能够把同性恋演绎得非常好一样，这里面是有着关注的成份存在的。

在创作这本书之前，小半年的时间我一直在关注着互联网上所有我能看到的网络案件。互联网上的网络案件有几大块，网络诈骗、网络赌博、网络色情。对青少年来说，影响最直观，或者说摧残性最强的，我认为还是网络色情。因为这个东西，法律上的界定性是有局限的，比如对那些登录过黄色网站的人，就很难轻易定罪。因为这种模糊性和大众性，所以在网络犯罪中，它的反作用是很强的。

这本书有一个基础，那就是它所有涉及到的情节都是有生活中的实际对照物的。比如高中生涉嫌进入网络色情网站当版主，校长或者是教育界人士，大学生，一些社会精英人士，他们为什么要卷进去？当思考这个原因时，发现的真相令我很震撼。

在网络里，我们很难说，某一个人是坏蛋。比如说某一个大学生在制作这种网页的时候被抓住了，你说他是传统意义上的坏蛋吗？他有文化，有知识，甚至没有妨碍谁，也没有入室抢劫、杀人、放火、强奸。我自己给他们这些人做了一个归类，这叫社会空虚族。我甚至认为，我或者你，或者很多人，都有可能是这个族群中的一个，只不过我们还有一个道德标准在这里，但是他可能跨得比较大一些。这是很多人在不自觉间进入这个犯罪领域的内因，生活不是那么简单，说把某一个人关起来，这个事情就结束了。这是我的理解，当然，不一定是准确的。

我曾经研究了大量关于网络色情犯罪分子的真实心态，看到过很多这方面的采访，好象央视的焦点访谈曾经登过这方面的事。为什么我要塑造这个女主人公这样一个很独特的人物，其实女主人公——那个视频女郎并不是这个族群中的一员，但是在她的身上，充分的反映着这个族群的一些价值取向与特性，社会空虚族是近来在我们的生活中出现的一个特殊的群体，他们的出现引发了道德上的崩溃，也客观上保促进了网络黄毒的泛滥，特别是这个族群中的大多数人是精英阶层，白领阶层，知识分子阶层，这尤为严重，在物质发达而精神信仰缺失的年代，这是一个社会问题，应该引起我们的重视。

如何看待网络色情犯罪，我认为这是一个很大的课题，似乎更适合由专家或是公安人员来解释。就一个作家来说，他能够如实的反映好原生态的生活就很不容易了。这部书反映了社会上各个阶层的"社会空虚族"的真实心态，在这里网络的诱惑是外因，裸频与裸聊是一种外在的形式，真正的原因，来自于内心的枯萎与扭曲，没有网络也同样会有一种事物造成这样的结果。这是网络在予人方便后产生的反作用力。

记者：欲望，成功，性，财富，爱，选择，挣扎。这些都是从这部《天使不在线》中表达出来的，你觉得你最想表达的主题是什么？

刘剑：龙应台曾经说过一句话：她说一个平庸的作家暴露自己的愚昧。一个好作家，让别人看见他身上的愚昧。一个伟大的作家，让别人见到愚昧的同时产生悲悯之心。我可能永远也成为不了龙应台说的那种伟大的作家，但我认为我在这本书里同样显示了悲悯之心。

在腾讯网站与读者面对面交流时，我曾反复说过，这是一严肃的情感小说，不是一部以性为卖点的通俗小说。它探讨的是我们日渐迷惘的一种情感状态，以及拯救与选择的主题。

有关于网络，人们写得太多的是虚幻的情感，而缺乏真实的力度，网络可以改变一个人的本性，但真正起决定力量的，却是整个社会强大的反作用力对人心的摧残。

这部小说中写到了很多社会人的内心挣扎。在某种程度上，这也是我和我的朋友们内心生活的一个真实的写照。我们几乎无法干涉别人的内心，一个人，你可能把他摁在地上，但是他的内心你无法扭转。内心需要我们自己拯救和调整。但是我们自己时时要受到外界思绪的干扰和影响。

马斯洛提出过，人的需求有七层。第一层是生存的需要。得吃饭，往上就是各种各样的，爱的需要或者是安全的那种需要。我感觉一个人的生存的最大问题就是当他能够满足基本需要的时候，他要选择什么？我一直特别讨厌在网上泡一天的人。有的人一天不出去，不是玩游戏，就是聊天，你为什么要天天在网上？外边多好的空气，阳光明媚，你没有钱，但至少可以光脚在马路上走走。很多人他可能是内心的空隙填不上，就产生了这种现象。

这本书里有一个孩子，想做一件大事，但是哪有这个空间让你做这件事情？干脆当色情网站的版主。这样，在无意识之间，自己就进入了泥沼中。当你的心产生很大的缝隙的时候，当你堵不上，你可能就会出现这种情况。

所以我这本书中提供了一个生活范本，在这个生活范本里，当内心的冲突产生时，当内心的自救不能成功时，你会发现，处处充满着诱惑与决择。不光是网络，在任何的生活领域里都是一样。书中的人物都是处于这样夹缝中的人物。他们面对着自救与选择的冲突，活在极端痛苦的边缘。我个人认为，这也是一个时代的东西。很多人身上拥有这种时代变化。

在这本书中，当写到那些人的糟遇时，我就会想这是不是社会的反作用力对他们的一种摧残？我说的反作用力是指那些随着社会发展出现的消极的负面因素，这也正如伴随着阳光，肥沃的土地上也会有一些害虫出现。怎么样把这些害虫清除掉，让我们的心里的沃土充满阳光，不再有黑暗？这是我要提供给读者思考的一个问题。

记者：小说中的雯雯曾经是个其貌不扬却诚挚纯真的姑娘，最后因为爱情失败成为了网络上的"风尘女"；有钱人胡一平和他的太太在外面都各自有情人；万绮姗为了永远留在胡一平身边享受富贵生活而不惜介绍他到"换妻俱乐部"；李文波的妻子安琪为了生意而与合作伙伴上床，当她以为找到了真正爱她的顾裏的时候，顾襄其实也在外面寻花问柳……网络上的爱情十有八九不可信，而现实中的爱情更是在生活的摩擦中变得支离破碎。《天使不在线》中的感情为何令人如此绝望？

刘剑：这本书在网络上连载时，仅在新浪上就有上万个回贴，但是这些回贴并非全是支持我的。其中连载到几个地方时，我遭到了网友集体性的"痛骂"！一次是视频女郎雯雯的死，一次是主人公妻子安琪的背叛，还有争议最多的是那个不确定的结尾，最后一章连载完后，骂我的贴子一晚上出来了上千条，出现这种现象其实是一件令人欣慰的事。这说明人们已经开始思索我曾经思索过的那些问题了，并投入了真挚的情绪。

在写这本书的时候，我经常会跟人聊一些问题。大家看到，有很多男主人公和某人在QQ上的聊天记录。有的时候恰恰是我跟一些朋友聊天的曲折的反映。比如婚姻，有一段很长的聊天，还有凤凰这个虚拟人物，他在问主人公，你对你的婚姻感觉是怎样的？包括对你的性和爱，身体和肉体的统一？你能否找到一个最佳的标准？这个问题，其实我跟别人也曾经探讨过。我发现很多人在情感上是很迷茫的。也是不确定的。这种迷茫并不仅仅体现在感情上，也体现在生活态度的选择上。

我把这种现状写进书里后，很多人看过很不安，觉得生活怎么这样？怎么网络变得这么丑恶了？我个人认为，这是一个认识态度的问题：只有站在阳光底下，才能看到黑暗。如果你全是阳光，那你就不知道这个世界上还有黑白之说。这个问题如果往深去谈，那还可以探讨到网络文学和传统文学之间的差异。

这本书写的是网络，但是我从来不承认这是一个网络文学。我看过大量的网络文学，我觉得，网络文学现在的情况有两种倾向：一种是童话化。比如网络爱情小说，俊男美女成堆。第二种是把生活灰暗化私人化，生活场面和场景经常非常昏暗、压抑。我这本书，可能有不开心的情节，但是我个人认为，它毕竟与上述两种不同，反映了网络生活中比较真实的一面，社会人情感中比较真实的一面，这是传统文学中现实主义精神的延续，尽管它可能是非主流形态的，但能写出真实的生活侧面的作品，也体现了一种力度。

我比较喜欢那些有力度的文章，比如索尔仁尼琴、厄普代克、何顿这类作家，有个网友说看到了这本书他感觉很绝望，我赞成他的说法。我一直认为绝望其实是我们的人性中最坚硬的一种情绪，绝望有时更有力。中国有句古话：置之死地而后生，还有一句话：虽千万人吾往矣，这都是说的在绝望之后的一种情绪。小说的结尾，在极度绝望之后，主人公告别了他生活中纠缠不休的一切人物，开车离去了。很多人对此不满，认为这个结尾指向不明。但是我却认为这是一个阳光的结尾。这本书写到了很多次告别，亲人，朋友，爱人之间的告别，但是这一次才是最后的告别，最彻底，也最阳光。

如果这本小说让你发现了生活中令人生厌的东西，这恰恰是我的本意。丘吉尔曾说过，真相是如此的可贵，以至我们要用谎言去掩盖它，在这里，我用我的书揭开了谎言的盖子，尽管它可能让人不快，但至少体现了真实的力量。在乱花渐欲迷人眼的读书时代，写出绝望也是写出一种力量。

记者：这本书中有没有令你遗憾的地方？

刘剑：有几点遗憾。一是小说中关于李文波与韩力的友谊没有写能得再深入一些，还有就是出于多种考虑，小说在正式出版后删除了一些性描写，当然我理解编辑的苦心，这毕竟是一部很有争议的作品，过份一些的描写很敏感。但是我认为，其实这些描写并不影响全书的格调，对诠释人物性格还非常的必要，希望再版的时候，能够让大家看到比较全的版本。还有很多读者认为这部书的前半部要好于后半部，对这个批评我也接受。

记者：你现在在写什么？

刘剑：我今年会尝试着将《天使不在线》改编成电视剧本，并且完成一部描写中年人生活状态的作品。不过，最近正在进行的是《天使不在线》第二部的创作。因为出版社的要求，还有网友们的倡议，我可能会把"天使"做为一个系列来做。第二部的写作请恕我不能透露太多的细节，但是故事的叙述视角会发生重大的变化，情节与写法与会有很大的突破，没有看过〈天使不在线〉第一部的朋友，亦不会有太生疏的感觉。

（采访原文刊登于 2006 年 2 月 24 日〈燕赵都市报〉）